〔鼻母音〕 (☞ p. 16)

an, am, en, em	[ã]	アン	Fr*an*ce [フランス]
			*en*semble [アンサンブル]
in, im, ain, ein,	[ɛ̃]	アン	p*ain* [パン]
aim, eim, yn, ym			*sym*phonie [サンフォニー]
un, um	[œ̃]	アン	*un* [アン]
			parf*um* [パルファン]
on, om	[ɔ̃]	オン	b*on*jour [ボンジュール]
			M*on*t-Blanc [モン ブラン]
ien	[jɛ̃]	イヤン	(très) b*ien* [トレ ビィヤン]

〔注意すべき子音字〕 (☞ p. 18)

c, ç	[s]	ス	mer*c*i [メルスィ]
			gar*ç*on [ギャルソン]
c	[k]	カ	*c*afé [キャフェ]
g	[ʒ]	ジュ	beige [ベージュ]
g	[g]	グ	escar*g*ot [エスカルゴ]
s	[s]	ス	*s*abotage [サボタージュ]
母音字+**s**+母音字	[z]	ズ	ré*s*istance [レズィスタンス]
ch	[ʃ]	シュ	*ch*ef [シェフ]
	[k]	ク	te*ch*nique [テクニック]
ph	[f]	フ	*ph*oto [フォト]
qu	[k]	ク	*qu*estion [ケスティオン]
th	[t]	テ	es*th*étique [エステティク]
gn	[ɲ]	ニュ	co*gn*ac [コニャック]

◇ 3つの読まない！注意 ◇ (☞ p. 10)

(1) 語末の〈 **e** 〉は読みません.
(2) 〈 **h** 〉は読みません.
(3) 語末の子音字の多くは読みません.

久松 健一

ケータイ《万能》フランス語文法

Étapes de la langue française

駿河台出版社

文法は不死への入口，言葉のけがれを
治す妙薬，あらゆる知識を照らす光，
どんな知識にも文法は輝いている．

(BHARTRIHARI　7世紀のインドの詩人・文法家)

　《フランス語の必須文法を，いつでも，どこでも利用できるように見開きで簡明にマトメる．ただし，真摯な学習者のやる気をそぐようないたずらな簡略化はせず，少々難解な事項でも積極的にとりあげる．入門レベルから中級レベルまでをこぼれなく展望でき，今後の学習の進行をも見通せる全方位に気を配った1冊を書き下ろす．》

　本書が意図したのは，こうしたいささか気負った目標を具体化することでした．
　かずかずのフランス語文法書が書店に並んでいる現状で，本書がはたす役割がどれほどのものになるのか，それはわかりません．しかし，新たな役割をはたしたいとの思いから，あれこれ工夫を凝らしました．これまでの文法書とは違う独自の視点から文法事項を扱ったところも多々あります．フランス語の索引をご覧いただくだけでも，その違いを感じとっていただけるのではないかと思っています．
　大学や短大などでフランス語を学習する機会がどんどん減りつつある現状に抗して，本書が**転ばぬ先の"この1冊"**となり，フランス語好きを1人でも増やすささやかな援軍となれるならば幸いです．

久松健一

(表見返し)

意味の類推が可能な語で主要な綴り字と読みを確認する早見表

はじめに

第1章　発音（仏和辞典を引くときの注意）

◆ **00** ◆　**発音入門** 2
◆ **01** ◆　**アルファベ** 4
　〔1〕アルファベ26文字　〔2〕アルファベに関する注意事項
◆ **02** ◆　**綴り字記号** 6
　〔1〕アクサン（記号）　〔2〕セディーユ　〔3〕トレマ
　〔4〕アポストロフ　〔5〕トレ・デュニオン
◆ **03** ◆　**母音図表** 8
　〔1〕母音図表　〔2〕母音図表の読み
◆ **04** ◆　**文字を読むルール** 10
　〔1〕語末の子音字の多くは発音しない
　〔2〕語の終わりの e を［エ］とは読まない
　〔3〕H は発音されない，h をないものと考える
　〔4〕連続した母音字（複母音字）の大半は1音で読む
◆ **05** ◆　**文字と音 ①** 12
　◇ 単母音字の発音

- ◆ **06** ◆ 　**文字と音 ②** 14
  - 〔1〕複母音字の発音　〔2〕半母音の発音
- ◆ **07** ◆ 　**文字と音 ③** 16
  - 〔1〕鼻母音　〔2〕半母音（半子音）
- ◆ **08** ◆ 　**文字と音 ④** 18
  - ◇ 注意すべき子音字の読み
- ◆ **09** ◆ 　**連音・母音字省略** 20
  - 〔1〕リエゾン（連音）　〔2〕アンシェヌマン（連読）
  - 〔3〕エリズィヨン（母音字省略）
- ◆ **10** ◆ 　**アクセント・イントネーション** 22
  - 〔1〕強勢アクセント　〔2〕イントネーション
- ◇ 補遺A ◇　**誰もがつまずく読みの克服法** 24
  - 〔1〕**R r** の音　〔2〕**le** と **les** の読み
  - 〔3〕英語読みを脱却できていますか
- ◇ 補遺B ◇　**音節・句読記号** 26
  - 〔1〕音節の切り方　〔2〕句読記号
- ◇ 補遺C ◇　**カナ発音表記について** 28
- 　超入門レベル文法用語解説（文法嫌いの方々に） 30

第2章　入門文法

- ◇ 仏検合格のための文法基準目安表 ◇ 31
- 英文参照・速攻文法整理　Ⅰ 32
- 英文参照・速攻文法整理　Ⅱ 34
- ◆ **11** ◆ 　**入門基礎会話文** 36
  - 〔1〕挨拶　〔2〕自己紹介　〔3〕基本表現
- ◆ **12** ◆ 　**主語人称代名詞** 38
  - ◇ 主語人称代名詞のポイント　〈 Marge 欄外 〉

- ◆ **13** ◆　　名詞の性 ① ……………………………………………… 40
  - 〔1〕名詞の男・女の別
  - 〔2〕名詞の男女を単語の「語末」で見わける簡易的な目安
- ◆ **14** ◆　　名詞の性 ② ……………………………………………… 42
  - 〔1〕男性形+〈 e 〉→ 女性形　〔2〕原則から外れた女性形
- ◆ **15** ◆　　名詞の複数形 …………………………………………… 44
  - 〔1〕単数形+s
  - 〔2〕原則から外れた複数形の例　〔3〕複合名詞の複数形
- ◆ **16** ◆　　冠　詞 …………………………………………………… 46
  - 〔1〕不定冠詞　〔2〕定冠詞　〔3〕部分冠詞
  - 〔4〕3つの冠詞の対比例
- ◆ **17** ◆　　国名・職業 ……………………………………………… 48
  - 〔1〕国名の例　〔2〕職業の例
- ◆ **18** ◆　　形容詞 ① ……………………………………………… 50
  - 〔1〕形容詞の一致の原則
  - 〔2〕原則から外れた形容詞の女性形の例
  - 〔3〕原則から外れた形容詞の複数形の例
- ◆ **19** ◆　　形容詞 ② ……………………………………………… 52
  - 〔1〕形容詞の置き位置
  - 〔2〕男性形単数第2形を持つ形容詞　〔3〕形容詞の働き
- ◆ **20** ◆　　動詞活用の考え方 ……………………………………… 54
  - 〔1〕不定法　語幹・語尾
  - 〔2〕直説法現在の動詞活用の4パターン　〈 Marge 欄外 〉
- ◆ **21** ◆　　動詞 être / avoir …………………………………………… 56
  - 〔1〕être の活用（直説法現在）
  - 〔2〕avoir の活用（直説法現在）
  - 〔3〕être を用いる文章の例　〔4〕avoir を用いる文章の例

- ◆ **22** ◆　　第１群規則動詞 58
  - ◇ 第１群規則動詞直説法現在の活用
- ◆ **23** ◆　　第２群規則動詞 60
  - 〔１〕活用（直説法現在）　〔２〕用例　〈 Marge 欄外 〉
- ◆ **24** ◆　　提示の表現 62
  - 〔１〕voici / voilà　〔２〕c'est / ce sont
- ◆ **25** ◆　　指示形容詞・所有形容詞 64
  - 〔１〕指示形容詞　〔２〕所有形容詞
- ◆ **26** ◆　　否定文 66
  - 〔１〕原則　主語＋ne (n')＋動詞＋pas　〔２〕否定の冠詞 de
- ◆ **27** ◆　　疑問文 68
  - 〔１〕疑問文の３つの形〔２〕否定疑問文〔３〕付加疑問文
- ◆ **28** ◆　　aller / venir 70
  - 〔１〕直説法現在の活用　〔２〕用例　〔３〕近接未来
  - 〔４〕近接過去
- ◆ **29** ◆　　前置詞と冠詞の縮約 72
  - 〔１〕前置詞 à, de と定冠詞の縮約
  - 〔２〕冠詞の縮約と部分冠詞・不定冠詞
  - 〔３〕国名・都市名と前置詞
- ◆ **30** ◆　　faire / prendre 74
  - 〔１〕直説法現在の活用　〔２〕faire の用例
  - 〔３〕prendre の用例　〔４〕prendre と同型活用の動詞
- ◇ 補遺D ◇　　冠詞の補足説明 76
  - 〔１〕不定冠詞の用法　〔２〕de＋形容詞複数形＋名詞複数形
  - 〔３〕定冠詞の用法　〔４〕部分冠詞の用法
- ◇ 補遺E ◇　　総称・冠詞の省略 78
  - 〔１〕総称を表す冠詞　〔２〕冠詞を省略する例

◇ **補遺 F** ◇　　第 1 群規則動詞の変則的活用 80
　〔1〕直説法現在で nous の活用が変則的になる例
　〔2〕直説法現在で nous, vous の語幹と je, tu, il(s) の語幹
　が異なる例
◇ **補遺 G** ◇　　文の要素と文型 82
　〔1〕文の要素　　〔2〕文型
◇ **補遺 H** ◇　　直説法現在の射程 84

　動詞の法・時制の頻度順について 86

第 3 章　初級文法

◇ 仏検合格のための文法基準目安表 ◇ 87

英文参照・速攻文法整理　Ⅲ 88

英文参照・速攻文法整理　Ⅳ 90

◆ **31** ◆　　疑問副詞 92
　〔1〕疑問副詞　　〔2〕用例

◆ **32** ◆　　疑問形容詞 94
　〔1〕疑問形容詞　　〔2〕用例

◆ **33** ◆　　数詞 ① 96
　〔1〕基数 1〜20　　〔2〕基数 21〜69
　〔3〕基数 70〜100

◆ **34** ◆　　数詞 ② 98
　〔1〕基数 101〜10.000.000　　〔2〕序数

◆ **35** ◆　　曜日・月・季節 100
　〔1〕曜日・月・四季
　〔2〕曜日・月・季節に関する注意事項

- ◆ **36** ◆　基本前置詞 102
  〔1〕前置詞 à と de の基本的な用法
  〔2〕その他の基本的前置詞の例
- ◆ **37** ◆　疑問代名詞 ① 104
  ◇ 疑問代名詞
- ◆ **38** ◆　非人称表現 ① 106
  〔1〕天候・気候を表す表現　〔2〕時間を表す表現
- ◆ **39** ◆　非人称表現 ② 108
  ◇ その他の非人称表現の例
- ◆ **40** ◆　不定代名詞 110
  〔1〕不特定の人を指す on　〔2〕特定の人を指す on
  〔3〕tout
- ◆ **41** ◆　補語人称代名詞 ① 112
  〔1〕補語人称代名詞　〔2〕直接目的補語・間接目的補語
  〔3〕補語人称代名詞の置き位置 ①
- ◆ **42** ◆　補語人称代名詞 ② 114
  〔1〕補語人称代名詞の置き位置 ②
  〔2〕人称代名詞の強勢形
- ◆ **43** ◆　比較 116
  〔1〕比較級　〔2〕最上級
- ◆ **44** ◆　指示代名詞 118
  〔1〕性・数に関係のない指示代名詞
  〔2〕性・数変化する指示代名詞
- ◆ **45** ◆　数量副詞 120
  〔1〕大まかな数・量を表す　〔2〕比較を表す
  数量単位を表す名詞の例
- ◆ **46** ◆　vouloir / pouvoir / devoir / savoir 122
  〔1〕活用（直説法現在）　〔2〕用例

◆ 47 ◆　代名動詞 124
　　〔1〕代名動詞の活用（直説法現在）　〔2〕種類・用法
◆ 48 ◆　命令法 126
　　〔1〕命令文（現在）の作り方　〔2〕否定命令文
　　〔3〕命令文の補語人称代名詞の置き位置
◆ 49 ◆　副詞 128
　　〔1〕副詞の働きと置き位置　〔2〕副詞の意味上の種類
◆ 50 ◆　重要動詞 130
　　◇ 頻度の高いその他の重要動詞
◇ 補遺 I ◇　数詞に関する補足 132
　　〔1〕発音上の注意　〔2〕基数詞の用法
　　〔3〕注意すべき序数詞の用法　〔4〕その他の数詞
◇ 補遺 J ◇　疑問詞・特殊な比較級・最上級 134
　　〔1〕疑問詞（疑問副詞・形容詞・代名詞）について
　　〔2〕比較級・最上級の特殊な形
　　自己診断：フランス語会話力 136

第 4 章　中級文法

◇ 仏検合格のための文法基準目安表 ◇ 137
英文参照・速攻文法整理　Ⅴ 138
英文参照・速攻文法整理　Ⅵ 140
◆ 51 ◆　法と時制 142
　　〔1〕法　〔2〕時制
◆ 52 ◆　複合過去 ① 144
　　〔1〕複合過去の活用　〔2〕否定文・疑問文の語順
◆ 53 ◆　複合過去 ② 146
　　〔1〕複合過去の主要な用法　〔2〕過去分詞の作り方

- ◆ 54 ◆　複合過去 ③（代名動詞） 148
  〔1〕活用　〔2〕直接目的補語との性数一致
- ◆ 55 ◆　関係代名詞 ① 150
  〔1〕関係代名詞の形 ① qui, que　〔2〕用例
- ◆ 56 ◆　関係代名詞 ② 152
  〔1〕関係代名詞の形 ② où, dont
  〔2〕関係代名詞が前置詞に先立たれる場合
- ◆ 57 ◆　疑問代名詞 ②／関係代名詞 ③ 154
  〔1〕疑問代名詞　〔2〕関係代名詞　前置詞＋lequel
- ◆ 58 ◆　強調構文 156
- ◆ 59 ◆　直説法半過去 158
  〔1〕活用　〔2〕用法
- ◆ 60 ◆　複合過去と半過去 160
- ◆ 61 ◆　直説法大過去 162
  〔1〕活用　〔2〕用法
- ◆ 62 ◆　直説法単純未来 164
  〔1〕活用　〔2〕用法
- ◆ 63 ◆　直説法前未来 166
  〔1〕活用　〔2〕用法
- ◆ 64 ◆　受動態 168
  〔1〕能動態から受動態へ　〔2〕動作主が明示されない場合
  〔3〕受動態についての補足
- ◆ 65 ◆　現在分詞 170
  〔1〕現在分詞の作り方　〔2〕用法
- ◆ 66 ◆　ジェロンディフ／過去分詞構文 172
  〔1〕用法　〔2〕現在分詞との比較
  〔3〕過去分詞による分詞構文

- ◆ **67** ◆　条件法現在 ………………………………………… 174
  〔1〕活用　〔2〕用法
- ◆ **68** ◆　条件法過去 ………………………………………… 176
  〔1〕活用　〔2〕用法
- ◆ **69** ◆　中性代名詞 ………………………………………… 178
  〔1〕en　〔2〕y　〔3〕le
- ◆ **70** ◆　不定形容詞／不定代名詞 ………………………… 180
  〔1〕不定形容詞　〔2〕不定代名詞
- ◆ **71** ◆　所有代名詞 ………………………………………… 182
  〔1〕形　〔2〕用法
- ◆ **72** ◆　接続法現在 ………………………………………… 184
  〔1〕活用　〔2〕用法
- ◆ **73** ◆　接続法過去 ………………………………………… 186
  〔1〕活用　〔2〕用法　〔3〕接続法半過去・接続法大過去
- ◆ **74** ◆　不定法 ……………………………………………… 188
  ◇ 名詞的に使われる例
- ◆ **75** ◆　話法 ………………………………………………… 190
  〔1〕話法の転換パターン　〔2〕伝達文別の話法転換の例
- ◆ **76** ◆　前置詞 ……………………………………………… 192
  〔1〕à と de　〔2〕dans と en
- ◆ **77** ◆　単純過去／前過去／複複合過去 ………………… 194
  〔1〕活用　〔2〕用法　〔3〕直説法前過去
  〔4〕直説法複複合過去
- ◆ **78** ◆　自由間接話法／前置詞句 ………………………… 196
  〔1〕自由間接話法　〔2〕前置詞句の例
  〔3〕接続詞句と前置詞句
- ◆ **79** ◆　多様な否定表現 …………………………………… 198

- ◆ **80** ◆　感覚・使役動詞／比較表現補足 200
  〔1〕感覚・使役動詞　〔2〕比較表現補足
- ◆ **81** ◆　過去分詞の性・数一致のまとめ／虚辞の ne 202
  〔1〕過去分詞の性・数一致　〔2〕虚辞の ne
- ◆ **82** ◆　同格／倒置・挿入節／対立・譲歩節 204
  〔1〕同格　〔2〕倒置・挿入　〔3〕対立・譲歩節
- ◇ **補遺K** ◇　　接尾辞（語形成要素） 206
  〔1〕〈動詞語幹＋接尾辞 → 名詞〉の例
  〔2〕〈動詞語幹（名詞）＋接尾辞 → 形容詞〉の例
- ◇ **補遺L** ◇　　文の種類 208
  〔1〕単文と複文　〔2〕複文を構成する節の種類
  〔3〕文の意味上の種類
- ◇ **補遺M** ◇　　間投詞 210

Q & A　44　さらに細かな文法はお好き？ 211

索引 237
　　ａｂｃ順：フランス語索引 238
　　50 音順：日本語索引 256

品詞・文構成別　仏検対応レベルの表 262

おわりに（本書の執筆経過に触れつつ） 264

動詞活用表 .... 色頁

（裏見返し）

> 動詞の語幹・語尾早見表（単純過去を除く）

xi

第 1 章　発 音

> 　00 課から 10 課まではフランス語の発音に関するマトメをしている章です．なぜ発音を最初に掲げるのか，その意義について書かずもがなのことかもしれませんが，00 課で簡単に触れました．

補遺：初級用教科書の多くが特別な項目を設けて扱っていない文法事項，あるいは独自の判断で，必要不可欠な事項と見なした項目については各章末の「補遺」の欄で扱っています．

　　　　◆ 入門レベルの方々へ（仏和辞典を引くときの注意）◆

① 動詞は不定法（原形）が見出し語です．文章中では各人称によって活用されますから，語尾をしっかり判断して不定法を探してください．
　　例：J'*écoute* la radio. → （辞書の見出し）**écouter**
② 動詞以外でも形が変化する語は，男性単数形が見出し語になっています．必要に応じて語末の〈e〉〈s〉を除くなどして形を予測して辞書を見てください．
　　例：Elle est *contente*. → （辞書の見出し）**content**
③ 冠詞など限定辞のない名詞であれば，熟語や慣用句になっている可能性があります．前後の動詞や前置詞と組みあわせて辞書を確認してみましょう．
　　例：J'ai *mal* à la tête. → （辞書の見出し）**mal :** avoir mal (à…)

◆ 00 ◆　発音入門

　フランス語は英語と同じ26文字のアルファベット（フェニキア文字がその源(みなもと)）を用いて表記され，16の母音（口腔母音「通常の母音のこと」と鼻母音「息を鼻に抜いて発音される母音」）と，3つの半母音と17の子音で「音」を構成しています……

　こう書きだすと，途端に眉をひそめる方たちがおいでになるかもしれません．生きた言葉をまるで血の通わない物質のように扱い，興ざめの文法用語が足を引っ張って，楽しいはずの新しい言語への誘(いざな)いが一気に味気ないものになってしまう．そんな強い嫌悪感を表す方がおいでだと思われるからです．
　しかし文法 grammaire［グラメール］とは，その語源を遡ると

l'art de lire et d'écrire　読み，書くためのコツ

効率的に語学を習得するための先人たちの知恵の集積のことです．たしかに，使われる用語は難解だと感じられますし，ややもすると筆者は「文法のための文法」を説きたい誘惑に駆られがちです．文法の細々した説明は飛ばして，心地よいフランス語の音に触れながら，自由に会話を楽しみたいとお望みの方も大勢いらっしゃるに違いありません．
　しかしながら，言語学者アルベール・ドーザ Albert Dauzat (1877–1955) が『フランス語の精髄』の巻頭付近で記しているように，

Bien parler, c'est d'abord bien prononcer.
上手に話す，それにはまず上手に発音をすることだ．

ここに語学学習の出発点があります．そして，きちんとした発音を身につけるには文法的な解説が数々のヒントを提供してくれます．以下，10課（＋補遺A～C）まで，フランス語の発音の基礎を確認していきますが，本書で最初に発音を扱う意図は，上記のドーザの言

葉に照準をあわせたいからです．

　フランス語には，文字を読み発音するための簡単なルールがあります．(☞ p.10) フランス語にはじめて触れた方は，それをしっかり覚えていただきたいと思います．また補遺を使って，「中学 → 高校 →（予備校）→ 大学」と多くの方たちが学ばれてきた英語発音の呪縛（？）を解いていただければと思います．(☞ p.25)

　フランス語にはローマ字と同じように発音すればよい語がたくさんあります．具体的には，

papa [パパ] パパ　　**ami** [アミ] 友だち　　**midi** [ミディ] 正午

などなど．また，ou と母音が重なった場合には [オウ] ではなく [uゥ] と1音で読むという読みのルール (☞ p.14) を覚えれば（英語の場合，bought [bɔːt ボート], rough [rʌf ラフ], could [kəd クドゥ, kud クッドゥ] などと，ou の発音が多様に変化しますね），たとえば，

amour [アムール amuːr] 恋　　**boutique** [ブティック butik] 店
gourmet [グルメ gurmɛ] グルメ，食通

といった単語を読むのにさほど苦労はいらないはずです．

　こうしたルールを知らずに，試行錯誤を繰り返す方法（母語習得法）でも，やがては読みを間違えなくなるかもしれません．ただ，それにはかなりの時間を費やさなくてはなりませんし，周囲の環境が結果を大きく左右します．外国語としてフランス語を学ぶ人たちが，費やす時間を短縮し，環境の差を乗り越えて，一気に，効率的に発音を覚えこむ方法，それが「音と文字との関係」を説明した以下のレッスンです．それに，フランス語では英語のように単語のアクセント（強勢）で悩むことはありませんし，文章の流れ（抑揚，イントネーション）にもルールがあります．(☞ p.22) そうした約束を着実に学んで，「上手な発音」を自分のものにしてください．

◆ 01 ◆ アルファベ

　フランス語のアルファベ（字母）（フランス語では**多くの単語の語末の子音字が読まれません**．そのため，アルファベットではなく「アルファベ」と称されます）は，英語と同じ 26 文字を用います．ただし，アルファベの読み方は英語のそれと同じではありません．同じように読む字母もありますが，まったく読みの違う字母が大半です．

〔1〕アルファベ 26 文字 alphabet

A a	B b	C c	D d		
[ɑ]	[be]	[se]	[de]		
ア	ベ	セ	デ		
E e	F f	G g	H h		
[ə]	[ɛf]	[ʒe]	[aʃ]		
ウ	エフ	ジェ	アシュ		
I i	J j	K k	L l	M m	N n
[i]	[ʒi]	[kɑ]	[ɛl]	[ɛm]	[ɛn]
イ	ジィ	カ	エル	エム	エヌ
O o	P p	Q q	R r	S s	T t
[o]	[pe]	[ky]	[ɛːr]	[ɛs]	[te]
オ	ペ	キュ	エール	エス	テ
U u	V v	W w	X x		
[y]	[ve]	[dubləve]	[iks]		
ユ	ヴェ	ドゥブルヴェ	イクス		
Y y	Z z				
[igrɛk]	[zɛd]				
イグレック	ゼッドゥ				

　＊点線内は母音字（y はときとして子音字），それ以外は子音字です．

〔2〕アルファベに関する注意事項

◆ 左記のカナ表記はアルファベの名称で，**具体的な単語内でその文字が表す音ではありません**（下記の表を参照ください）．

◆◆ W w［ドゥブルヴェ］は double v「2重の v」の意味，Y y［イグレック］は i grec「ギリシア語の i」のことです．後者はときにギリシア語の影響を受けて母音字（発音するときに〈i〉と同じ）と扱われ，ときにフランス語として子音字と考えられる字母です．

◆◆◆ K と W は本来のフランス語にはなく，外来語を表すのに用いられます．例：**wagon**［ヴァゴン］「貨車」（英語から借用）

◆◆◆◆ "o と e" がぶつかると合字〈œ〉o e composés［オ・ウ・コンポゼ］で綴られます．例：**sœurs**［スール］「姉妹」

◆◆◆◆◆ G g [ʒe] と J j [ʒi] は，英語の G g [dʒiː]［ジー］，J j [dʒei]［ジェイ］と逆に聞こえますので注意してください．また，**B b と V v，E e や I i の字母の読みを間違わないように**．なお，R r の発音は入門レベルの方には難関です．(☞ p.24)

◆◆◆◆◆◆ **H h は具体的な単語内で発音されません**．例：hôtel［オテル］「ホテル」．ただし，フランス人でも笑うときには ha! ha!［ハハ］と h の音が自然に声に出ます．(☞ p.210)

単語内で具体的に読まれる音価の目安は下記の通りです．

A a	B b	C c	D d	E e	F f	G g
ア	ブ	ク, ス	ド(ゥ)	エ, ウ	フ	グ, ジュ
H h	I i	J j	K k	L l	M m	N n
無音	イ	ジュ	ク	ル	ム	ヌ
O o	P p	Q q	R r	S s	T t	U u
オ	プ	ク	ル	ス, ズ	ト(ゥ)	ユ
V v	W w	X x	Y y	Z z		
ヴ	ヴ	クス, グズ	イ	ズ		

＊主要なフランス語の文字と読みの対照一覧を「表見返し」に載せましたので適時参照ください．

◆ 02 ◆ 綴り字記号

アルファベに以下の綴り字記号を付して用いられる語があります．

〔1〕アクサン（記号）accent

母音字 a e i o u の上に，下記の3種類の記号（アクサンと呼ばれます）が付く語があります．

´ **accent aigu** [アクサンテギュ]　　　　　　　　　　é
` **accent grave** [アクサン　グラーヴ]　　　　　　à è ù
^ **accent circonflexe** [アクサン　スィルコンフレックス]　â ê î ô û

＊アクサン記号は英単語のアクセント（強勢）を表す記号ではありません．（☞ p. 22）なお，上記のうち î を î と書かないよう注意！

アクサンは〈e〉の上について，〈é〉[e 閉じたエ]，〈è, ê〉[開いたエ] と音を変えたり（〈e〉以外の母音字にアクサンが付いても発音は変わりません），その他の母音字の上について意味を変える働きをしたり，あるいは〈s〉の綴りが〈^〉の後ろに存在していたなごりを示す記号です．しかし，アクサンが付いた文字を含む語はそのままひとつの単語として覚えていけば，自然に習得できます．

例：**élève** [エレーヴ] 生徒

　　la [ラ] 冠 それ　　→ **là** [ラ] 副 そこに

　　ou [ウ] 接 あるいは　→ **où** [ウ] 疑 どこ

なお，このアクサン記号は大文字に付く場合には省略することができます（大半のテキストでは省略されています）．

例：**à la gare** [ア　ラ　ガール] 駅で　　→ **À la gare**
　　　　　　　　　　　　　　　　　　　　→ **A la gare**

＊アクサン スィルコンフレックスの付いた母音字の後ろにはかつて〈s〉が存在していた語が多くあります．

例：forêt (→ forest) 森 （英語 *forest*）

〔2〕セディーユ cédille

子音字 c の下に〈 ̧〉の記号を付けて，a o u の前に置かれた c を [s ス] の音に変える記号として使われます．

例：**ca** [ka カ] の読みが **ça** [sa サ] となります．

この記号は大文字でも Ç と書かれ，セディーユを省略しません．

〔3〕トレマ tréma

母音字 e i u の上に〈¨〉の記号が付く語 ë ï ü があります（ただし，ü はフランス語本来の単語には使われません）．トレマと呼ばれる記号で，2つの母音字が並んでいる語（1音で発音）を各々の母音字を独立した音で読む符号（分音符）です．

例：**ai** [ɛ エ] の読みが **aï** [aj アィ] となります．

〔4〕アポストロフ apostrophe

省略記号〈'〉（英語のアポストロフィ）のこと．

フランス語ではエリズィヨン élision (☞ p.21) という現象のなかで母音字 a, e, i を省略する記号として使われます．

〔5〕トレ・デュニオン trait d'union

語と語を結び合わせる記号〈-〉（連結符，英語のハイフン）．たとえば，「虹」**l'arc-en-ciel** [ラルカンスィエル] などに用いられます．なお，厳密には誤用なのですが，tiret [ティレ] (☞ p.27) という語をトレ・デュニオンの意味で用いる人は少なくありません．

(*sept*)

◆ 03 ◆ 母音図表

どんな言語でも，初めてその言語に触れる人にとって発音がたやすいものはありません．しかし，日本語と同様に，フランス語も「肺に吸いこんだ空気を声帯を通じて口から外へと吐きだす」という生理的で，自然な流れで読まれる点では，困難な発音ではないはずです（息を吸いながら音をだしたり，舌をペチャペチャいわせて発音しなくてはならない単語を含む言語もあります）．

フランス語を発音する上で，まず見ておきたいのは下記の「母音図表」（別称「母音の梯形」）です．

〔1〕 母音図表 schéma des voyelles

音は舌の位置と唇の形を知れば正確な音・通じる音に近づきます．
フランス語で使われる母音について，呼気の通路（口腔母音 [ ] と鼻母音〈 〉）と，舌と唇の位置を一覧にした図表です．

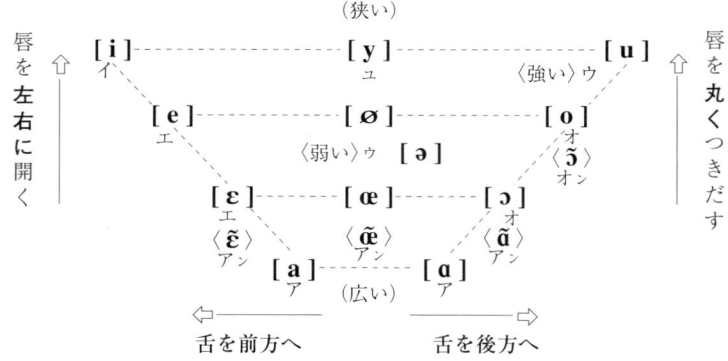

＊母音＝「アイウエオ」を当然の順番だと考えますが，外国の人に「母音は？」とたずねると「イエアオウ」（あるいは，ランボーの詩『母音』のように「アエイウオ」）の順で発音する人が少なくありません．舌と唇の動きを考えた場合に，理にかなった順では？

〔2〕母音図表の読み （カナ読みと対照）

1 唇を平らにして，口の前方で発音する音

- **[i]** 日本語の「イ」よりも唇の両端を左右に引っ張る．
- **[e]** 「エ」に近いが口の開きが狭い．閉じたエと称する．
- **[ɛ]** 「エ」に近いが口の開きは広い．開いたエと称する．
- **[a]** 唇をやや平らにして横に引っ張った「ア」の音．

2 唇を円くして口の奥で発音する音

- **[u]** 「ウ」に近いが唇をもっと前方に突き出す．
- **[o]** 「オ」に近いが口の開きが狭い．閉じたオと称する．
- **[ɔ]** 「オ」に近いが口の開きが広い．開いたオと称する．
- **[ɑ]** 「ア」よりも唇を丸めて奥で発音．ただし，1 の [a] の音にとって代わられつつある．

3 唇を心持ち円くして口の前で発音する音

- **[y]** 唇を [u] にして [i] を発音．カナ書きすると「ュ」．
- **[ø]** 唇を [o] にして [e] を発音．カナ書きすると「ゥ」．
- **[œ]** 唇を [ɔ] にして [ɛ] を発音．カナ書きすると「ゥ」．
- **[ə]** 唇を丸めて弱く，軽く「ゥ」を発音する．

4 鼻母音（鼻から息の一部を抜いて発音する音）

- **[ɛ̃]** 「エン」より「アン」に近く聞こえる，明るい感じの音．
- **[ɑ̃]** 舌を引き口の奥で発音．「アン」「オン」の中間的な音．
- **[œ̃]** 実際には「アン」と「エン」の中間音で [ウン] に近い．
- **[ɔ̃]** 「オン」に近い（息を鼻に抜きながら [o] を発音）．

(☛ Q & A p. 212)

*フランス語は文字と音とがおおむね1対1に対応しており，例外は多くありません．その意味で，英語と違います．英語では a の文字を [ァ] と発音するとは限りません．animal [アニマル], apple [アップル] などは，[ァ]（に近い音）と発音されますが，able [エイブル], all [オール] といった具合に (a＝ [エイ], [オー]) 変化します．この点，フランス語では綴り字と発音とが例外なしに対応する文字がほとんどです．

(neuf) 9

◆ 04 ◆ 文字を読むルール

綴り字の読み方を具体的に見ていく前に，個々のフランス語（単語）を読む上で大切な基本的約束をチェックしておきましょう．

〔1〕語末の子音字の多くは発音しない

フランスの首都 Paris は英語では［パリス］と読まれますが，フランス語では日本語と同じく［パリ］と読まれます（ただし日仏で［リ］の読みは違います）．フランス語では語末に置かれた子音字の大半が読まれないのです．

日本語になったフランス語で，具体例を見ていきますと，

  escargo*t*   ［エスカルゴ］ （料理）エスカルゴ
  gran*d* pri*x*   ［グラン プリ］ 大賞，グランプリ
  balle*t*   ［バレ］   バレエ（団，音楽）

といった具合です．ただし，英語の *Be careful!* の *careful* に含まれる子音字〈c, r, f, l〉**は語末で読まれる例が多々ありますので注意してください．**

  ave*c*   ［アヴェック］ 一緒に
  ＊日本語では「男女のペア＝アベック」の意味で使われている単語ですが，フランス語では前置詞です．
  écl*air*   ［エクレール］ （菓子）エクレア
  che*f*   ［シェフ］   シェフ，（組織の）長
  bécham*el*   ［ベシャメル］ （料理）ベシャメル（ソース）

〔2〕語の終わりの e を［エ］とは読まない

この約束をしっかり覚えてください．たとえば，「サラダ」はフランス語では salade と綴って［サラッドゥ］と読まれます．発音記号は [salad] で，語末の de は発音記号 [d] と表記されているように e の音は無音です．

＊ただし，無音を意識して [サラッド] とカナ表記しますとかえって誤解が生じます．本書では [ドゥ] [トゥ] などについては「無音」でもカナ表記の限界をふまえ，[ゥ] の音を書きそえています．別例を見ておきましょう．
　例：à la mod*e* [ア　ラ　モードゥ]　　流行の
　　　omelett*e* [オムレットゥ]　　　　オムレツ

〔3〕Hは発音されない，hをないものと考える

「ホテル」はフランス語では hôtel と綴られますが，読みは [オテル] です．h〔ハ行〕を読みません．たとえば，バイクや自動車で知られる日本のメーカー HONDA は，フランス人が発音すると [オンダ] となります．ただし，語頭の〈h〉は文法的には「**無音の〈h〉**」と「**有音（気音）の〈h〉**」とにわけられます（どちらも発音はされません）．後者は h を前にくる語との間の連結を遮断する子音とみなすケースです．両者の違いは，リエゾン・アンシェヌマン・エリズィヨンといった文法ルールのなかで違いがでてきます．(☞ p. 20) ただし，初級レベルでは「有音の h」で始まる単語はそう多くはありませんので，当面，この違いに神経質になる必要はないでしょう．なお，辞書には †h, 'h といったマークを付して「有音の h」であることが明示されています．(☛ Q & A p. 212)

〔4〕連続した母音字（複母音字）の大半は1音で読む

とくに初級レベルの学習者がとまどうフランス語の読みです．細かくは p. 14 で確認しますが，とりあえず，こんな例を頭に入れておいてください．

chât*eau* 　　　　[シャトー]　　　　城　◆ eau は [オ(ー)] と読む．
café *au* lai*t* [キャフェ　オ　レ] カフェオレ

　　◆ **au** の綴りで [オ], **ai** の綴りで [エ] とそれぞれ1音で読まれます．[アゥ] [アイ] と母音を重ねては読みません．フランス語の母音に緩んだ音がなく，母音を読む際に筋肉を緊張させて発音することによるものです．

◆ 05 ◆ 文字と音 ①

◇ 単母音字の発音 lettres-voyelles simples

a, à	[a] ア	唇をやや平らにして横に引く [ア]
â	[ɑ] ア	唇を丸くして口を上下に開く [ア]

a　p*a*p*a*　　　[パパ]　　　　　　パパ
à　*à* la mode　[ア　ラ　モードゥ]　流行（評判）の
â　g*â*teau　　 [ガトー]　　　　　菓子

i, î, y	[i] イ	日本語の [イ] より唇の両端を引っ張る鋭い音

i　c*i*néma　[スィネマ]　映画　◆ [シネマ] ではなく [スィ]
î　d*î*ner　　[ディネ]　　夕食　◆ [ディナー] と読まない
y　st*y*le　　[スティル]　スタイル　◆ [スタイル] ではない

u, û	[y] ュ	[ウ] の口の構えで，[イ] の発音（カナ書きでは [ュ] と書かれますが日本語の [ュ] とは別音．長くのばしても音色が変化しません）

＊文字の y（イグレック [i] [イ] と読む）と発音記号 [y] [ュ] を混同しないように注意してください．

u　men*u*　[ムニュ]　　定食（コース料理）　◆ 献立表ではない
û　s*û*r　　[スュール]　確かな

e	[ə] [e] [ɛ]	ゥ, エ あるいは 無音

＊厳密に見ていくと，① 語末の e は無音，② 音節（☞ p. 26）の終わりなら「軽いゥ [ə]」，③ 音節中で発音される子音の前では「開いたエ [ɛ]」，④ 発音されない語末の子音字の前では「閉じたエ [e]」と分類されます．しか

し，いささか乱暴ですが，無音と [ə] を [ｩ]，[e] [ɛ] を [エ] と 2 つにわけて考えると理解しやすいと思います．

ところで，左記の menu「定食」はどうして英語のように [メニュー] と読まれないのでしょう？　以下の例をご覧ください．

de [ドゥ] → des [デ]　　le [ル] → les [レ]

すでに触れたように，通常，語末の子音字は読まれませんでした．この点を念頭に置き e の発音に着目すると下記の約束があるのです．（☞ p.10）

　〈**e**〉の後ろに子音字が付いていない（開音節）→ [ｩ]
　〈**e**〉の後ろに子音字が付いている　（閉音節）→ [エ]

文法的には，発音上母音(字)で終わる音節を「開音節」，子音(字)で終わる音節を「閉音節」と称します．

つまり，menu を上記の読みのルールを決める音節（☞ p.26）に切ると me-nu となり，me が [me ﾒ] ではなく [m(ə) ﾑ] と読まれる理屈なのです．

　　　　　　　　　　　　　　　　　　　　　　　　　　　　開音節
　　　　　　　　　　　　　　　　　　　　　　　　　　　　　↓
p*e*tit　　　　　[プティ]　　　　小さい　◆ 音節では *pe*-tit
av*e*c　　　　　[アヴェック]　　一緒に　◆ 音節では a-*vec*
　　　　　　　　　　　　　　　　　　　　　　　　　　　　　↑
　　　　　　　　　　　　　　　　　　　　　　　　　　　　閉音節

é [e] エ	[エ] より唇を引く [イ] に近い音	
è, ê [ɛ] エ	口をやや開き加減で [エ] を発音	

n**é**glig**é**　　　　[ネグリジェ]　　（婦人用）ネグリジェ
amp**è**re　　　　　[アンペール]　　（電気）アンペア
pr**ê**t-à-porter　　[プレタポルテ]　既製服

o, ô [o] オ	口を丸く突き出して [オ] を発音
o [ɔ] オ	口を上下にやや大きめにして発音

p*o*rn*o*　　　　[ポルノ]　　　　ポルノ（映画）
bient*ô*t　　　　[ビィャントー]　まもなく

＊ただし，日本語との違いを知ることは大切ですが，上記〈e〉の読みを除いて，[ア] [エ] [オ] の 2 つの音の別にそれほど神経質になる必要はありません．日本語の「ア」「エ」「オ」より，はっきりと発音すれば通じますから．

(*treize*) 13

◆ 06 ◆ 文字と音 ②

2つ以上の母音字の重なりを複母音字と呼びます．複母音字はそれぞれの母音を独立して読む（二重母音）発音ではなく，フランス語ではその多くが1音で発音されます．(☞ p.11)

〔1〕複母音字の発音 lettres-voyelles composées

---

ai, aî, ei [e] [ɛ]　エ　　[アイ] [エイ] とは読まない

---

ai	café au l*ai*t	[キャフェ　オ　レ]	カフェオレ
aî	m*aî*tre	[メートゥル]	主人
ei	b*ei*ge	[ベージュ]	（色）ベージュ

＊ただし，i にトレマ（☞ p.7）が付き ï となるとそれぞれの母音が読まれます．例：n*aï*f [ナイフ] ナイーブ，素朴な

---

au, eau [o]　オ　　[アウ] [エアウ] とは読まない

---

au	café *au* lait	[キャフェ　オ　レ]	カフェオレ
eau	B*eau*jolais	[ボジョレー]	（ワイン）ボジョレー

---

eu, œu [œ] [ø]　ゥ　　唇を丸めて軽く [ゥ] と読む

---

eu	m*eu*nière	[ムニエール]	（料理）ムニエル
œu	s*œu*r	[スゥール]	姉（あるいは妹）

---

ou, où, oû [u]　ゥ　　唇をつぼめ，前に強く突き出して [ゥ] と読む

---

ou	g*ou*rmet	[グルメ]	グルメ，食通

où	*où*	［ウ］	どこ
oû	g*oû*t	［グー］	味，好み

```
oi, oî  [wa]  ゥワ    ［オイ］と読まない
```

oi	cr*oi*ssant	［クロワッサン］	クロワッサン
oî	b*oî*te	［ボワットゥ］	箱

＊oignon「タマネギ」は［オニョン］と発音されます．

```
ay, oy  [εj] [ej] エィ, [waj] ゥワイ
```

＊母音字にはさまれた y は y＝ii と考えて読みます．

ay＝ai＋i	ess*ay*er	［エセィエ］	試みる
oy＝oi＋i	r*oy*al	［ロワィヤル］	王の

〔2〕半母音の発音 semi-voyelles

　上記以外に注意が必要なものに [i] [u] [y] を子音のように（独立した母音ではなく，前・後の母音と一体化した音のように）発音する [j] [w] [ɥ] があります．母音の機能を失った音，半母音，あるいは半子音と呼ばれます．ただし，この音は自然に発音できます．

＊英語の *yes* [jes] の *y* は半母音に相当します．

発　音	綴り字	
[i] ィ＋母音	**i** ＋母音字	→ [j] ィ
[u] ゥ＋母音	**ou**＋母音字	→ [w] ゥ
[y] ュ＋母音	**u** ＋母音字	→ [ɥ] ィュ

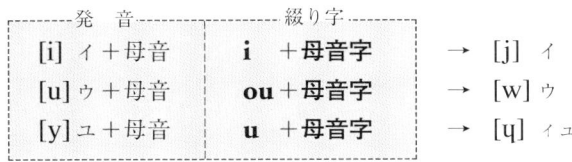

i ＋**a**	p*ia*no	［ピィャノ］ピアノ
ou＋**i**	*oui*	［ウィ］〔返事〕はい
u ＋**i**	n*ui*t	［ニュイ］夜

(*quinze*) 15

◆ 07 ◆ 文字と音 ③

〔1〕鼻母音（母音字＋m, n）voyelles nasales

鼻母音は，鼻に息の一部を抜いて発音される音で〈~〉の記号で表されます．女性が「いゃーん」と［ン］の音を鼻に抜く（甘えた？）調子で発音される音に類した音です．(☞ p.9)

---

am, an, em, en　　[ã] アン

- fr*am*boise　　［フランボワーズ］　（果実）木いちご
- Fr*an*ce　　　　［フラーンス］　　　フランス
- *en*core　　　　［アンコール］　　　ふたたび，もう一度

*encore は日本語では芝居やコンサートなどで「アンコール＝もう1度」の掛け声として使われていますね．

---

im, in, ym, yn　　[ɛ̃] アン

- Lanv*in*　　　　［ランヴァン］　（ブランド）ランバン
- s*ym*bole　　　　［サンボール］　象徴　◆［シンボル］とは読まない

---

om, on　　　　　　[ɔ̃] オン

- *om*bre　　　　　［オンブル］　影
- c*on*sommé　　　［コンソメ］　（料理）コンソメスープ

---

um, un　　　　　　[œ̃] アン

- parf*um*　　　　［パルファン］　香水
- *un*　　　　　　［アン］　（数字）1　◆［アンドゥトロワ］で 1・2・3

*上記の [œ̃] の発音は現在では [ɛ̃] の発音と区別して発音されていません．特に，パリ地区ではこの区別がほぼ完全に失われています．

16 (*seize*)

aim, ain, eim, ein [ɛ̃] アン

S*ain*t Laurent [サン ローラン]　（ブランド）サンローラン
p*ein*ture [パンテュール]　絵

鼻母音の [ン] は，発音する際に下あごを動かさないのがポイントです．

＊m, n が mm, nn と重ねられる単語は通常鼻母音にはなりません．
例：po*mm*e　[ポム]　　　リンゴ
　　a*nn*ée　[アネ]　　　（暦の）年

〔2〕半母音（半子音）semi-voyelles, semi-consonnes

また，母音字＋i＋l (ll) の読みにも注意が必要です．文法的には，半母音（あるいは半子音）と呼ばれる音になります．(☞ p.15)

子音字＋ill(e) [iːj] ィーユ

fam*ille* [ファミーユ]　家族

＊[ィル] ではなく多くは [j] ィユと読まれます．ただし [il] ィル，[i] イ の読みもあります．
例：v*ill*e [ヴィル] 都市　　gent*il* [ジャンティ] 親切な

ail, aille [aj] [ɑj] アィユ
eil, eille [ɛj] エィユ
euil, euille, œil, ueil [œj] ゥィユ

trav*ail* [トラヴァィユ]　仕事，勉強
sol*eil* [ソレィユ]　太陽
f*euille* [フーィユ]　葉，ページ，紙片

◆ 08 ◆ 文字と音 ④

子音の読みは英語と似ているものもあります．ここでは**子音字の読みのなかでとくに注意が必要なもの**を扱います．

◇ 注意すべき子音字の読み lettres-consonnes

c　e, i, y の前で [s]

c　a, o, u の前で [k]

police [ポリース] 警察

café [キャフェ] コーヒー

＊通常のカナ発音では [カフェ] と書かれることが多いのですが，パリ地区では [キャ] に近く発音されます．本書はこの音を意識して [キャ] の表記を用いました．なお，本書では辞書にある [ː] 長音（音引）記号の有無とは関係なく，アクセント（☞ p.22）の所在を意識して必要に応じて [−] を書き添えています．

g　a, o, u の前で [g]

g　e, i, y の前で [ʒ]

gomme [ゴム] 消しゴム

orange [オラーンジュ] オレンジ

gu　i, e の前で [g]

guide [ギッドゥ] ガイド，案内人
baguette [バゲットゥ] （パン）バゲット

s　母音字にはさまれた場合は [z], それ以外は [s]

mimosa [ミモザ] （植物）ミモザ
salon [サロン] 客間

ch 多くが [ʃ] シャ・シ…　　◆日本語よりずっと強い音

*Ch*anel [シャネル]（ブランド）シャネル
*ch*ampagne [シャンパーニュ] シャンパン

＊ただし，ギリシア語からの借用語は [k]．例：é*ch*o [エコ] こだま

gn [ɲ] ニャ・ニュ…　　　　**ph** [f] ファ・フィ…

co*gn*ac [コニャック]（酒）コニャック
*ph*iloso*ph*ie [フィロゾフィ] 哲学

qu [k]　　◆ [クゥ] とは読みません

*qu*estion [ケスティオン] 質問
*Qu*artier Latin [キャルティエ ラタン] パリの学生街

rh [r]　**th** [t]　　◆ r [r], t [t] 1個と同じ発音

*rh*um [ロム]（酒）ラム
es*th*étique [エステティク] 美学，美的な

ti＋母音字 [s] [t]　　◆ [ティ] [スィ] の2つの読み

ques*ti*on [ケスティオン] 質問　　　na*ti*on [ナスィオン] 国家

なお，同じ子音字を並べた語〈cc, dd, pp〉などは例外はあるものの，原則として1つの子音 [k] [d] [p] などとして読みます．

　　a*cc*ord [アコール] 一致　　　a*pp*eler [アプレ] 呼ぶ
また〈ss〉は濁った音，つまった音では読みません．

　　de*ss*ert [デセール] デザート

(*dix-neuf*) 19

◆ 09 ◆ 連音・母音字省略

　フランス語は流れるような心地よい音として私たちの耳に届きます．それは，下記に記す「母音の連続を避けるフランス語の文法規則」が大きな要因になっています．

〔1〕リエゾン（連音）liaison

　独立した単語を読む場合には発音されない語末の子音字が，母音字または無音の h（☞ p.11）ではじまる語に先立つ場合に，その語の語頭と結びついて発音される現象を言います．簡単に言えば，母音と母音がぶつかるときに子音を間に差しはさむ読み方です．たとえば，

　　petit [p(ə)ti プティ]「小さな」　**ami** [ami アミ]「友人」

この2語をつなげるとき，各々の語を単純につないで読みますと [p(ə)tiami] となり [i] [a] の母音が衝突してしまいます．これを避け，なだらかな流れにするためにリエゾンをします．

　　petit‿ami [p(ə)titami プティタミ] 恋人

　　＊‿はリエゾンを意味する印です．

たとえば，以下のようなケースでリエゾンが起こります．

(1) リエゾンを常にする例

・限定辞（冠詞など）+名詞　**les‿arbres** [レザルブル] 木々
・主語人称代名詞+動詞　**vous‿aimez** [ヴゼメ] あなたは愛する
・形容詞+名詞　**un bon‿élève** [アン　ボンネレーヴ] 良い生徒

ただし，以下のケースではリエゾンはしません．

(2) リエゾンをしない例（☞ Q & A p.213, 214）

・有音（気音）の h　**les'héros** [レ　エロ] ヒーローたち
・接続詞 et（英語の *and* に相当する語）の後

　　Et'après? [エ　アプレ] で，それから？

・名詞主語と動詞　**Paris'est…** [パリ　エ] パリは〜です

リエゾンをすると音が変わるケースがあります．

(3) 音が変わる例
- **s, x**＋母音字（または無音の **h**）＝[z]
  les‿amis [lezami レザミ] その友人たち
- **d**＋母音字（または無音の **h**）＝[t]
  un grand‿arbre [grɑ̃tarbr アングラン タルブル] 大木
- **f**＋母音字（または無音の **h**）＝[v]
  neuf‿heures [nœvœːr ヌヴール]　9時
  neuf‿ans　　[nœvɑ̃ ヌヴァン]　　9歳

　＊-f が [v] となるリエゾンは上記の 2 例のみ (19歳 dix-neuf ans 等を含む)．なお，現在ではリエゾンが行われなくなる傾向にあります．

〔2〕アンシェヌマン（連読）enchaînement

通常発音される語末の子音が，後続する語の語頭の母音と結びついて 1 音節を作る（発音をなめらかにする）現象．

petite⌒amie [p(ə)titami プティタミ] 恋人
il⌒y⌒a [ilja イリア] 〜がある　　英語の *there is (are)*

　＊⌒はアンシェヌマンの印．上記の 2 例の単独の読み [p(ə)tit] [ami], [il] [i] [a] を単純につなぎあわせると［プティトゥアミ］［イルイア］（アンシェヌマンをしない読み）となり，実際に発音される音とは違うものになってしまいます．

〔3〕エリズィヨン（母音字省略）élision

la の〈a〉や le, ce, de, ne, je, me, te, se, que などの〈e〉あるいは si の〈i〉といった 1 音節の単語の後に母音字（または無音の h)が来るときに，母音字を省略してアポストロフ〈'〉にする現象（ただし，si は il, ils が後に続くときのみ）．(☞ Q & A p.213)

　　× **le amour**　　→　　○ **l'amour**　　[ラムール]　　愛
　　× **ce est**　　　→　　○ **c'est**　　　[セ]　　　　それは〜である
　　× **je ai**　　　　→　　○ **j'ai**　　　　[ジェ]　　　私は〜を持つ

(*vingt et un*) 21

◆ 10 ◆ アクセント・イントネーション

〔1〕強勢アクセント

　ここで扱うアクセント（強勢）は，綴り字記号のアクサン（☞ p.6）ではありません．読みの強勢のことです．ただし，アクセントは，強弱（ストレス）と高低（ピッチ）にわかれていて，フランス語のアクセントはストレスよりも，ピッチの要素を多分に含んだものです．

　　*ピッチとは，たとえば，日本語の「雨（あめ）」と「飴（あめ）」の違いに相当します．

　ところで，英語では強勢のアクセントは単語によってさまざまな音節にくることがあります．たとえば，動詞の incréase［インクリース］「増える」，名詞の íncrease［インクリース］「増加」ではアクセントの位置が違いますし，その違いで品詞を区別することができます．しかし，フランス語のアクセントの位置は，通常，一定です．すなわち，

> **単語・語群で，発音される音節の最後にアクセントを置く**

のです（音節の説明は p.26 を参照してください）．

　　例：**intelli*gent*** ［アン・テ・リ・ジャン］ 知的な

　　　*英語ですと intélligent ［イン・テ・リ・ヂェントゥ］です．つまり，フランス語は ○○○● ，英語は ○●○○ （●がアクセントのある音節のマーク）と違いがあり，フランス語は最後の音節に●が置かれるわけです．

　　***éco*le** ［エコール］ 学校

　　　*この単語は語末が発音されない e で終わりますので，語のアクセントは，綴り字上のひとつ手前の音節になります．つまり，発音されない e の綴りで終わる単語は，その直前にある母音にアクセントがあるわけです．

　　ce bateau *blanc* ［ス　バトー　ブラン］ あの白い船

　　　*le bateau ［ル・バ・トー］「その船」ならば，○○●がアクセントの位置になりますが，上記のように形容詞がつきますと音節の最後にアクセントがきて○○○●となります．

〔2〕イントネーション

　文章のアクセントも左記と同じ原則で展開しますが，文章の場合には各単語単位ではなく，語群（意味・表現のかたまり）で考える必要があります．たとえば，「明晰ならざるものフランス語にあらず」という有名な一句を例に考えてみます．

Ce qui n'est pas clair n'est pas français.
　　ス　キ　ネ　パ　クレール　ネ　パ　フランセ

この文は，Ce qui n'est pas clair（提示部：この文では主部）/ n'est pas français（説明部：この文では述部）の2つの語群にわかれ，強勢アクセントは，それぞれの最後の音節をつくる母音，すなわち clair [klɛːr] と，français [frɑ̃sɛ] に置かれます（厳密には *fran*-çais ●○ と，文末に置かれた語のアクセント音節は1つ手前に繰りあがります）．

　しかし，文章を読む場合に，上記のアクセントもさることながら，抑揚（イントネーション intonation [アントナスィォン]）がもっと大切です．すなわち，提示部は上昇調で，説明部は下降調で読まれます．そして，説明部は提示部よりも少し低い調子ではじまり，出だしより低い調子で終わります．

　この説明を図示しますと，下記のような山形になります．

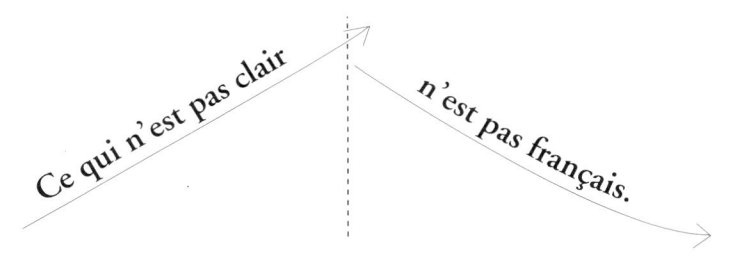

　　　　Ce qui n'est pas clair ↗　　　n'est pas français. ↘

　外国の人が話す日本語を聞いて，妙だなと感じるのは，個々の単語のアクセントよりも文章全体の抑揚がおかしいケースが大半です．ということは，アクセントもさることながら，イントネーションがいかに大切かということです．

(vingt-trois) 23

◇ 補遺 A ◇　誰もがつまずく読みの克服法

　書かれた説明をいくら読んでも「音」を理解するには限界があります．諺をもじれば「百見は一聞にしかず」．その意味で，フランス人が発音する音をしっかり聴いて（直接でも，ラジオ・テレビでも，テープでも），それを真似るのが近道です．

　しかし，近道とはいっても，漫然と聴くのでは発音になじめません．また，口の開け方，舌の位置が詳しく書かれたイラスト（解剖図に似ている？）を見ても，なかなか発音に直結しづらいものです．そこで，こんな方法はいかがでしょうか．誰もが一度はつまずく読みの難所克服法について具体策を記しますので，**発音が苦手な方はチャレンジしてください**．

〔1〕 R r の音

　この音（喉音）を音声学的に説明しますと「舌の付け根を上顎や口蓋垂（喉ひこ）に当て，その隙間から出される摩擦音」（パリの r の読み方），？？？となります．とにかく，最初のうちは，私たちには発音するのが難しい音です．そこで，下記のような非科学的な方法でのアプローチはいかがでしょうか．

> 「うがい」をしましょう．ただし，口に含んだ水を徐々に減らしていくイメージの「空のうがい」をするのです．すると喉から「ガッ・ゴッ・グッ」という痰を切るときのような音がしませんか．その音がフランス語 R r の音です．

　汚い表現ですが，このイメージが最もわかりやすいのではないかと思っています．そして，上記のイメージを残したまま，Mexique ［メクスィック］「メキシコ」を3〜4回発音し，それにすぐ続けて，Merci ［メルスィ］「ありがとう」と発音してみてください．R r の音が自然にでていませんか？

〔2〕le と les の読み

　初級者が単語の読みでとまどうのは p. 12 で解説した〈e〉の読みです．とくに，〈**le** [ル] / **les** [レ]〉〈**ce** [ス] / **ces** [セ]〉〈**de** [ドゥ] / **des** [デ]〉などの読みを混同する人が大勢いますし，これが自信喪失につながりかねません．この読みを体得するには，こんな方法が効果的です．まず，① を左から右へ読んでみてください．

① **le ce me te tes mes des de cet les que**

　上記の読みができたら，② の読みに挑戦してください．

② **le les ce ces le père les pères ce lit ces lits**

　どうです，できましたか？

　これはあくまで一例なのですが，上記 ① ② を見て，途中でつかえずにすんなり読めるようになれば，フランス語を読むための基礎の基礎ができているはずです．

　　＊ちなみにカナ読みは ① [ル ス ム トゥ テ メ デ ドゥ セ レ ク]
　　② [ル レ ス セ ルペール レペール スリ セリ] となります．

〔3〕英語読みを脱却できていますか

　発音に関して入門レベルの人たちが克服しなくてはならない壁は，英語発音とフランス語発音を混同しないことです．実際，フランス語の4割弱が英単語へ流れこんでおり，抽象名詞を中心に多くの単語が仏英で綴り字が似ています．単語習得には効率的なこの類似も，発音の点では悩みの種です．これを解決するには，基礎的な発音練習の反復と文章を声を出して読む練習に勝るものはありません．さて，以下の単語を読んでみてください．主に，授業中に使われる単語ばかりなのですが……

(1) **leçon**　　　　　　(2) **classe**
(3) **texte**　　　　　　(4) **exercices**
(5) **grammaire**　　　(6) **syntaxe**

　英語からの類推で，単語の意味はおわかりになるだろうと思いますが，さて，さて，英語発音の呪縛は解けていますか？

　　＊(1) ルソン　(2) クラース　(3) テクストゥ　(4) エグゼルスィス　(5) グラメール
　　(6) サンタックス

(vingt-cinq) 25

◇ 補遺 B ◇　音節・句読記号

〔1〕音節の切り方 syllabe

　音節は，1つの母音か，その母音を核にその前後に1つまたは2つ以上の子音がついたまとまりを原則とします．日本語の五十音は音節を表す単位（文字）になっています．

　　　「あ」「ア」　　[a]　　　　1母音
　　　「か」「カ」　　[ka]　　　子音＋母音
　　　「し」「シ」　　[shi]　　　子音字＋子音字＋母音

　フランス語の音節には，(a) 単語を読む上での音節，つまり音声学上の音節と，(b) 文字を綴るため（正字法）の音節（音綴とも呼ばれます．たとえば，ある単語を行末で途中で切り，次行に送りたいケースで〈-〉「トレ・デュニオン（☞ p.7）」を入れて改行するような場合）とがあります．ここで，扱うのは (a) の「音節」です．

　音節の切り方は規則的ですから，通常，辞典には記載されていません．ただし，かなり煩雑な規則です．そこで，本書では「音節」を考える上でのポイントを簡略にマトメてみます．

（1）　原則として「**子音字＋母音字**（単母音字または複母音字）」で1音節を作ります（◆「半母音を表す母音字」，「母音字に続く無音の **e**」，「語末の〈**e**〉」は独立の音節を構成しません）．

　　animal → **a-ni-mal** [ア・ニ・マル] [a-ni-mal] 動物

　　maison → **mai-son** [メ・ゾン] [mɛ-zɔ̃] 家
　　＊ma-i-son [マ・イ・ソン] とは読みませんし，切りません．複母音字 ai [ɛ] を1つの母音と考えるからです．（☞ p.14）

　◆ **madame** → **ma-dame** [マ・ダム] [ma-dam] （敬称）マダム

（2）　2つの子音字が続く箇所では原則としてその前で切ります（◆ 複子音字 **ch, ph, rh, th, gn** は1字として扱い，その間で切りません）．**l, r** の前の子音字は「**子音字＋l, r**」と考えます（◆◆ **l, r**

の前にくる子音字が **l, r, n** のときにはその間で切ります).

 important → **im-por-tant** [アン・ポル・タン] 重要な
◆ **téléphone** → **té-lé-phone** [テ・レ・フォヌ] 電話
 secret → **se-cret** [ス・クレ] 秘密
◆◆**intelligent** → **in-tel-li-gent** [アン・テ・リ・ジャン] 知的な

(3) 3つの子音字が続くときは，最後の子音字を後の音節に入れます．複子音字および **l, r** に先立つ子音字の取り扱いは (2) と同じです．

 obstacle → **obs-tacle** [オプス・タクル] 障害物
 comprimé → **com-pri-mé** [コン・プリ・メ] (薬の) 錠剤

〔注意〕(a) 音声学上の音節と (b) 正字法の音節が一致しない例もあります．
 (a) **ma-dame** [ma-dam]（2音節） (b) **ma-da-me**（3音綴）

〔2〕**句読記号** signe de ponctuation

フランス語を書く際には次のような句読記号を使います．

- **.** **point** [ポワン] 文章の区切りを示す．
- **,** **virgule** [ヴィルギュル] 句や節の区切りを示す．
- **;** **point-virgule** [ポワン・ヴィルギュル] 並置された節の間で．
- **:** **deux-points** [ドゥ・ポワン] 説明や列挙の前で用いる．
- **?** **point d'interrogation** [ポワン・ダンテロガスィオン] 疑問符．
- **!** **point d'exclamation** [ポワン・デクスクラマスィオン] 感嘆符．
- **...** **points de suspension** [ポワン・ドゥ・スュスパンスィヨン] 文の中断や省略を表す．
- **—** **tiret** [ティレ] 補足説明や会話の話者の交換を示す．
- **« »** **guillemets** [ギュメ] 引用符．
- **( )** **parenthèses** [パランテーズ] 挿入符．

 ＊上記は，たとえば，フランス語の聞き取り試験 dictée [ディクテ] の際に必須の用語です．

◇ 補遺 C ◇　カナ発音表記について

　現在市販されている仏和辞典の多くはカナによる発音が記載されています（英語でも徐々にこの傾向が広がりつつあるようです）．

　本来，音標文字＝発音記号という便利な指針があるのですが，入門レベルの人たちがこの表記になじむには時間がかかります．そこで，フランス語の音を日本語に置き換える限界を承知しつつ，カナ発音を付しているわけです（本書の考えも同じです）．しかし，当然のことながら，五十音でフランス語の読みを表記することは，おのずと限界がともないます．

　たとえば，日本語の ラリルレロ とはまったく違う R r の音をどう表記するか，息を鼻にぬいて発音する鼻母音をどう扱うか，リエゾン・アンシェヌマンが行われた場合の表記はどうするのか，あるいは音引を示すべきかそうでないのかなどなど，問題は山積みです．

　音引（長音）とは「ー」と「のばす音」のことです．たとえば，日本語の「おばさん　オバサン」と「お婆さん　オバーサン」の違い，「美容院　ビヨウイン」と「病院　ビョーイン」の違いがこれに相当します．ところが，フランス語には原則的に音引が意味を分ける機能がありません（ただし，p. 42 を参照ください）．たとえば，Paul という人名を「ポル」と読んでも，「ポール」と読んでも同じなのです（裏をかえせば，フランス人で，「おばさん」「お婆さん」の区別が理解できる人は稀なのです）．

　そして，この音引を仏和辞典に採用しているものと，採用していないものとがあります．後者はいわば音声学的なルールに従った規範的な発音表記を重視する辞書，前者は慣用，あるいは実際の発音に則したあり方（あるいは実態調査の結果）に重点を置いたあり方と言えます（本書は実際に発信することを意識し，限界を知りつつ，前者の考えに立っています）．(☞ p. 11, p. 18)

　ところで，こうしたフランス語の特性を知っていてカナ発音を利用すれば問題は少ないのですが，それを知らずにいると，この音引

の有無（あるいは表記の違いそのもの）が，同じ単語をまったく別な読みが行われる語であるかのように読者が錯覚する危険があります．たとえば，男性の敬称である monsieur [məsjø]（日本語式なら「ムッシュー」となる単語）を例に手元の仏和辞典を引いてみますと，

　［ムスィウ］　　『現代フランス語辞典』（白水社）
　　　　　　　　　『パスポート　初級仏和辞典』（白水社）
　［ムッスュー］　『クラウン仏和辞典』（三省堂）
　［ムスィユー］　『プチ・ロワイヤル仏和辞典』（旺文社）

といった表記の違いがあり，また語学書や旅行会話集には上記以外に，［ムッスィユー］［ムスィウー］［ムッスィウ］あるいは［ムシュー］といった表記が見つかります．

　本書を利用している皆さんには，こうした表記の限界を視野に入れつつ，カナ発音を活用していただきたいと思います．なお，本書の monsieur の読みは p.36 の例文を見てください（最も実際の音に近づけたつもりの表記なのですが……）．

　なお，語末の「無音」の e については，多くの辞書や語学書がその音をカナ表記していません．しかし，本書ではカナ表記の限界を視野に入れたうえで，必要に応じて小さな［ゥ］を書き加えました．音にならない音なのですが，この表記がないとカナを読むだけでは誤解が生じそうな単語には，無音という文法範囲を越えてあえて［ゥ］のカナ表記を付しました．（☞ p.10, p.58）

　あまりフランス語をご存じない方たちにカナ表記を実際に読んでもらい，それをフランス人に聞いてもらって，少しでも実際の音に近いと思われる表記を選んだつもりです（bateau-mouche, dimanche 等の che［シ］の表記など）．

　ともあれ，あくまで，学習の便宜のために記されているカナ読みです．その点をくれぐれもお忘れなく．

超入門レベル文法用語解説（文法嫌いの方々に）

　仏文法は本来，日本語や英語がわかる人には誰にでも簡単に理解できるようフランス語を効率的に整理したものです．ところが，基本的な用語でつまずき，入門段階からしり込みする人たちがいるようです．そんな方たちのために……

　文章とは，通常，主語と動詞を含むまとまった意味を表す単語の集まりです．そして，**主語**とは「文章の軸（主人公）となる語」で「～は(が)」と訳され，一般には名詞類が来ます．物や人の名を表す単語が名詞で，**livre**「本」や **France**「フランス」，**Marie**「マリー」などが名詞です．この名詞に代わって物や人を呼ぶときに，**人称代名詞**が使われます．**je**「私」，**il**「彼，それ」等がそれです．

　人称代名詞は，その働きによって次のような別があります．主語「～は(が)」の意味になるのが**主語人称代名詞**（英語の主格），「～の」の意味になるのが**所有形容詞**（所有格），「～を(に)」の意味になるのが**補語人称代名詞**（目的格），そして**強勢形**があります．

　主語になる人称代名詞は「自分＝私，自分たち＝私たち」を表す**1人称**，「自分の話し相手＝あなた(たち)」を表す**2人称**，彼，彼女はもちろん，それ以外のすべての動植物，物などを示す**3人称**の別があります．

　形容詞とは名詞の内容を補足・説明する働きをする語のことです．たとえば，「かわいい少女」**une jolie fille** の「かわいい」が形容詞ですね．**副詞**は主に，動詞が表す行動や程度をくわしく説明する役割をはたします．「ゆっくり話す」**parler lentement** の「ゆっくり」が副詞です．

　ともあれ，こうした用語に「習うより慣れろ！」の気持ちで「文を読み書くコツ」として文法を有効利用することがフランス語を理解するための近道になりますよ．

第 2 章　入門文法

11課から30課まではフランス語の土台をつくる文法・語法を見ていきます．仏検5級〜4級レベルに相当する文法事項が主です．本書ではこの先効率的に学習をすすめるために，見出し語や説明文の後に仏検の主たる出題対象となる級を肩番号 5 4 3 2 で示してありますのでご活用ください．(☞ p. 262)

◇ 仏検合格のための文法基準目安表 ◇

下記は，本書の掲載順に30課まで文法をチェックしていった場合に**どの頁まで進めば，仏検の合格率がどの程度になるかを示した表**です．ただし，あくまで**仏検に必要な文法力の目安**で，単語力・聞き取りの力などを含めた総合的な判断ではありません．

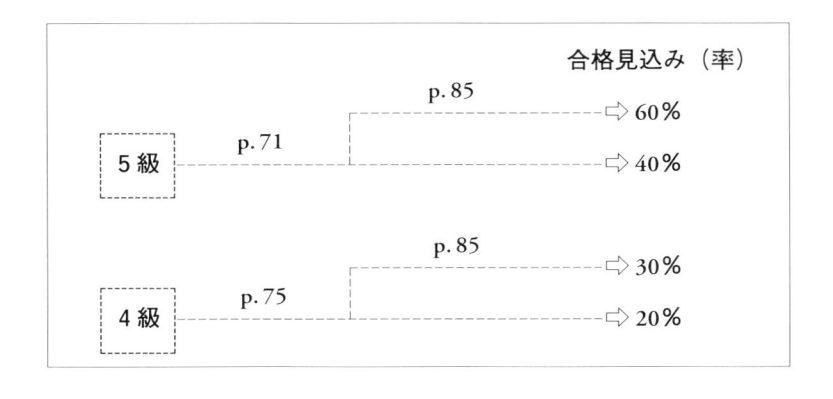

合格見込み（率）

級	頁	合格見込み
5級	p. 71 → p. 85	⇨ 60%　⇨ 40%
4級	p. 75 → p. 85	⇨ 30%　⇨ 20%

英文参照・速攻文法整理 I

11課から30課までの文法の重要ポイントを英語の例文と照らしながら展望していきます．予習・復習用に活用ください．

> ①
> *He is a teacher.* ⇨ **Il est professeur.**
> 彼は教師です． 　　　　イレ　　プロフェッスール

⇨ **主語人称代名詞** (☞ p. 38)　　　*he* → **il**
⇨ **不定冠詞**：仏語ではこの場合不要
⇨ **動詞 être** (☞ p. 56)　　　*he is* → **il est**
⇨ **職業に関する名詞** (☞ p. 17)　*teacher* → **professeur**

◇自然の性を持つ名詞だけでなく，livre [リーヴル]「本」，Japon [ジャポン]「日本」といった名詞にも男女の別があります．(☞ p. 40)

◆ 名詞に男女の性の別があるために，仏語では，冠詞（不定冠詞・定冠詞・部分冠詞 (☞ p.46) の3種類があります）にも，名詞，代名詞を修飾するさまざまな形容詞にも男女の別があります．

例：　*a book*　　→ **un livre**　　　［アン　リーヴル］　　　　本
　　 a review　 → **une revue**　　［ユヌ　ルヴュ］　　　　　 雑誌
　　 the truck　→ **le camion**　　［ル　キャミヨン］　　　　トラック
　　 the car　　→ **la voiture**　　［ラ　ヴォワテュール］　　車
　　 my father　→ **mon père**　　 ［モン　ペール］　　　　　私の父
　　 my mother　→ **ma mère**　　 ［マ　メール］　　　　　　私の母
　　 black cat　→ **chat noir**　　［シャ　ノワール］　　　　黒猫
　　 black tie　→ **cravate noire**［クラヴァットゥ　ノワール］
　　　　　　　　　　　　　　　　　　　　　　　　　　　　　黒いネクタイ

◇職業・身分などを表す単語が動詞〈être〉の後ろで使われたとき（属詞 (☞ p. 82)：英語の補語に相当する語）に冠詞を用いません．(☞ p. 48)

> ②
> *She is not tall.* ⇨ **Elle n'est pas grande.**
> 彼女は背が高くない. エル　ネ　パ　グランドゥ

⇨ **否定文** (☞ p. 66)　　　　　　*not* → **ne(n')…pas**
⇨ **形容詞** (☞ p. 50)　　　　　　*tall* → **grand(e)(s)**

◇否定文は動詞を〈**ne (n')…pas**〉などではさみます．

主語＋ne(n')＋動詞＋pas (plus, jamais...)

◆ なお，英語の *don't / doesn't / didn't* などといった人称・時制によって否定文の形を変化させる処理はありません．

◇形容詞は(代)名詞の性・数により形が変化します．

　例：*the tall boy* → **le grand garçon** [ル　グラン　ギャルソン]
　　　　　　　　　　　　　　　　　　　　　　　　背の高い少年

　　　the tall girl → **la grande fille** [ラ　グランドゥ　フィーユ]
　　　　　　　　　　　　　　　　　　　　　　　　背の高い少女

> ③
> *It is a computer.* ⇨ **C'est un ordinateur.**
> それはコンピュータです． セタンノルディナトゥール

⇨ **提示の表現** (☞ p. 63)　　　　*it is* → **c'est**
⇨ **不定冠詞** (☞ p. 46)　　　　　*a* → **un (une, des)**

◇ce＋est が〈**c'est**〉（英語の *it is, this is, that is* に相当）とエリズィヨン (☞ p. 21) をします．複数名詞をともなう場合には〈**ce sont**〉の形で用います．(☞ p. 63)

　例：*These are books.* → **Ce sont des livres.**
　　　これらは本です．　ス　ソン　デ　リーヴル

◇「コンピュータ」は男性単数名詞．したがって〈**un**〉をとります．なお，上記 des livres の〈**des**〉は不定冠詞の複数形です．

(*trente-trois*) 33

英文参照・速攻文法整理 II

---
④
Do you like coffee? ⇨ **Vous aimez le café ?**
あなたはコーヒーが好きですか？　　ヴゼメ　　　ル　キャフェ

⇨ **疑問文**（☞ p. 68）→ 尻あがりのイントネーションで
⇨ **動詞**（☞ p. 58）→ 第1群規則動詞（〈-er〉動詞）
⇨ **冠詞**：仏語ではこの場合冠詞（定冠詞）が必要です．

◇疑問文には下記の3つのパターンがあります．意味は変わりませんが，1→2→3の順で会話調→文章調になります．

1　イントネーション（例文 ④）

2　Est-ce que (qu') を文頭に置く
　　Est-ce que vous aimez le café ?
　　　エ　ス　ク　　　ヴゼメ　　　ル　キャフェ

3　倒置（動詞ー主語の語順）
　　Aimez-vous le café ?
　　　エメヴ　　　ル　キャフェ

◇上記の例文で，フランス語では総称（全体）を指す定冠詞を用います．原則として，総称を示すのに数えられる名詞には定冠詞複数を，数えられない名詞には定冠詞単数を使います．（☞ p. 78）

---
⑤
I don't have any brothers. ⇨ **Je n'ai pas de frères.**
私には兄弟はいません．　　　　　　ジュ　ネ　　パ　ドゥ　フレール

⇨ **動詞 avoir**（☞ p. 56）　　　*I have* → **j'ai**
⇨ **冠詞の変形**（☞ p. 67）　　　(des → de)
⇨ **名詞の複数**（☞ p. 44）　　　*brothers* → **frères**

◇英語の *have* に相当する動詞は〈avoir〉です．
◇直接目的補語（☞ p. 82）につく不定冠詞，ならびに量を表す名詞（数えられない名詞）につける部分冠詞は否定文になると〈de〉になります．例文⑤は〈des frères → de frères〉となった例．
◇名詞の複数は英語と同じく原則として語末に〈s〉をつけます（形容詞にも複数形があります）．ただし，この〈s〉は発音されません．16世紀頃までは読まれていましたが……

---

⑥

There is a book on the table.
⇨ **Il y a un livre sur la table.**
テーブルの上に本があります．　イリア　アン　リーヴル　スュール　ラ　ターブル

⇨ **il y a の構文**（☞ p. 37）　　*there is (are)* → **il y a**
⇨ **前置詞**（☞ p. 102）　　　　　*on* → **sur**

◇「（場所）に〜がある」の表現は〈il y a＋不定冠詞＋名詞＋前置詞＋場所〉の形で展開できます．なお，英語の〈*here is (are) / there is (are)*〉に近似した〈voici / voilà〉といった表現もよく使われます．（☞ p. 62）

---

⑦

My father lives in Japan.
⇨ **Mon père habite au Japon.**
私の父は日本に住んでいる．　　モン　ペール　アビットゥ　オ　ジャポン

⇨ **所有形容詞**（☞ p. 65）　　　　*my* → **mon (ma, mes)**
⇨ **前置詞と冠詞の縮約**（☞ p. 72）　　→ **au**

◇英語の所有格「〜の」に相当する仏語の所有形容詞は，名詞の性・数に応じて形が変化します．
◇前置詞 à / de＋定冠詞 (le, les) を用いる場合にそれが縮約されます（「別の形」になります）．ちなみに，〈café au lait〉「カフェオレ」に使われている〈au〉がこの文法（縮約）に該当するものです．

(*trente-cinq*)

◆ 11 ◆ 入門基礎会話文

初めてフランス語を学ぶ際に「挨拶」「自己紹介の表現」,あるいは「基本表現」等々を事前に確認してから本課に入るという展開が多いようです.以下,そうした基本表現に慣れることを目標に典型的な文例をいくつかチェックしておくことにします.

〔1〕挨拶 5

Bonjour, monsieur. おはようございます（こんにちは）.
ボンジュール　ムッスィウ

＊太陽が昇っている時間,朝から夕方まで使う挨拶.
monsieur は男性に, madame [マダム] は既婚の女性（年配の女性）に, mademoiselle [マドムワゼル] は未婚女性に使う敬称.(☞ p. 45)

Bonsoir, madame. こんばんは（さようなら）.
ボンソワール　マダム

＊太陽が沈んでから使う挨拶.別れ際の挨拶にもなります.

Au revoir ! さようなら.
オ　ルヴォワール

＊親しい間柄では Salut ! [サリュー] の一言で出会いと別れの挨拶を兼用できます.

Comment allez-vous ? ご機嫌いかがですか.(☞ p. 70)
コマンタレ　ヴ

＊Ça va ? [サ ヴァ]「元気？」という表現もあります.

Très bien, merci. とても元気です,ありがとう.
トレ　ビィヤン　メルスィ

A demain ! また,明日（会いましょう）.
ア　ドゥマン

◆〈A＋時間の要素〉で別れの挨拶を作ります.(☞ p. 238)

▷ **A tout à l'heure !** [ア　トゥタルール] 後ほど.
▷ **A bientôt !** [ア　ビィャントー] また近いうちに.
▷ **A lundi !** [ア　ランディ] また月曜日に.

36　(trente-six)

Bonne journée !　よい1日を(お過ごしください).
ボヌ　ジュルネ

◆ 〈**Bon(ne)**＋名詞！〉で「よい～してください」の意味.

▷ **Bonne soirée !**　　［ボヌ　ソワレ］　　　　　よい宵(夜)を.
▷ **Bon voyage !**　　　［ボン　ヴォワヤージュ］　よい旅を.
▷ **Bon courage !**　　［ボン　クラージュ］　　　頑張って. しっかり.

〔2〕自己紹介 ⑤

Je m'appelle Miki Suzuki.　氏名：鈴木ミキと言います.
ジュ　マペール
(☞ p. 124)

＊名前をたずねる表現は **Comment vous appelez-vous ?** ［コマン　ヴザプレ　ヴ］と言います.

Je suis japonais(e).　　　国籍：私は日本人です.
ジュ　スュィ　ジャポネ(ネーズ)
(☞ p. 42, p. 48)

＊japonais は男性形「日本人(男子)」. japonaise は女性形「日本人(女子)」.

Je suis étudiant(e).　　　職業：学生です. (☞ p. 49)
ジュ　スュィ　エテュディアン(トゥ)

J'ai vingt ans.　　　　　年齢：20歳です. (☞ p. 57)
ジェ　　ヴァンタン

＊**Quel âge avez-vous ?** ［ケラージュ　アヴェ　ヴ］ が年齢を問う疑問文.

〔3〕基本表現 ⑤

Voilà la boutique Chanel.　あそこがシャネルの店です.
ヴォワラ　ラ　　プティック　　　シャネル
(☞ p. 62)

＊〈 **voici** ［ヴォワスィ］＋名詞 〉　ここに～がある
　〈 **voilà** ［ヴォワラ］＋名詞 〉　あそこに～がある
＊＊〈 **voilà** 〉は単独で「お金や物を手渡すとき」にも用います.

Il y a un chat sur le canapé.　ソファの上に猫がいます.
イリア　アン　シャ　シュール　ル　カナペ
(☞ p. 109)

＊〈 **il y a** 〉「～がある」は英語の *there is* / *there are* に相当します. 上記は *There is a cat on the sofa.* に対応する文章.

(*trente-sept*) 37

◆ 12 ◆ 主語人称代名詞

　話者「私・私たち」を1人称，相手＝聞き手「あなた・あなたたち」を2人称，それ以外の人・物は3人称と呼ばれます．その各人称を主語の形「～は，～が」で使う際，フランス語では下記のように表します．⑤

人称	～は・～が（訳例）	フランス語	英語
1人称	私(僕)は(が)	**je** [ジュ]	*I*
2人称	君(あなた)は	**tu** [テュ]	*you*
3人称	彼(それ)は	**il** [イル]	*he, it*
	彼女(それ)は	**elle** [エル]	*she, it*
1人称	私たちは	**nous** [ヌ]	*we*
2人称	あなた(あなたたち)は	**vous** [ヴ]	*you*
3人称	彼ら(それら)は	**ils** [イル]	*they*
	彼女ら(それら)は	**elles** [エル]	*they*

＊動詞の主語として用いますので，「主語人称代名詞＋動詞（活用形）」の展開になります．

＊＊フランス語は原則として「語末の子音字を発音しない」ので，単独で発音すると3人称単数 il / elle・3人称複数 ils / elles の読みがまったく同じです．両者の区別は，後続の動詞活用の違いではっきりします．

　上記の主語人称代名詞の一覧のなかで，つまずきやすいポイントは右の諸点です．フランス語を学びはじめたばかりという方たちはご注意ください（なかでも，右の (2) が理解できていない人たちが少なからずみかけられます．**tu は単数，vous は複数という分類は誤りです**）．

◇ **主語人称代名詞のポイント** pronom personnel

(1) **je** は後ろに母音・無音の **h** で始まる動詞がくると，**j'** とエリズィヨン（☞ p. 21）します．なお，英語の *I* とは違い，文頭以外では je と小文字で書きます．

(2) 2人称単数主語 **tu** は家族や友人など**親しい間柄で用い**，**vous** は初対面の相手や目上の人など**親密度の低い関係で使われます**．なお，vous は複数の意味でも用いますが（英語の *you* と同じ），tu は常に単数でしか用いません．

(3) 3人称単数主語 **il / elle**，ならびに3人称複数主語 **ils / elles** はそれぞれ「**それは・それらは**」の意味で物に対しても**用いられます**．なお，複数の女性（名詞）のなかに男性（名詞）が1人（1つ）の場合でも，主語には ils が使われます．

(4) 英語の *it* に相当する事物だけを示す代名詞がないため，**il** を非人称主語としても用います．④（☞ pp. 106–109)

〈 **Marge 欄外** 〉

　人称の考え方は私たちにとって必ずしも左の表のように単純にはいきません．たとえば，子供を叱っている父親が「いいかい，お父さんはお前のことを思ってそう言っているんだよ」と話したとしたら，「お父さん＝話者（私）＝1人称」になります．あるいは，「ねえ，そこの彼女，ちょっと時間ない？」と声をかけられれば，「彼女＝聞き手（あなた）＝2人称」です．フランス語では3人称としか考えない表現を，日本語では1人称や2人称として使うケースがあります．言語文化の違いですね．

　なお，日本語ではもともと主語は明示されませんでした．日本語の「わたし，わたくし」（1人称）が一般に定着したのは明治維新後の小学校教育のため．主語・目的語・述語といった文法的区分もいわば明治の言語革命の落とし子なのです．

(trente-neuf)

◆ 13 ◆ 名詞の性 ①

〔1〕 名詞の男・女の別 sexe, genre [5]

フランス語の名詞には，男女の別があります．

自然の性 sexe [セクス] を持つ名詞の男・女の別であれば容易に覚えられるはずです．père [ペール]「父親」, fils [フィス]「息子」, frère [フレール]「兄（あるいは弟）」（この単語を「兄弟」と訳すのは複数形 frères のとき．通例，フランス語の単数では「兄・弟」の別を明示しません）は男性名詞 (*n.m.*)，mère [メール]「母親」, fille [フィーユ]「娘」, sœur [スール]「姉（あるいは妹）」は女性名詞 (*n.f.*) です．

ところが，本来「性」を持たない名詞にも男・女の別（文法上の性 genre [ジャーンル] と呼ばれます）があり，これを覚えるには骨が折れます．たとえば，Japon [ジャポン]「日本」, vélo [ヴェロ]「自転車」, collier [コリエ]「ネックレス」, appétit [アペティ]「食欲」は男性名詞で，France [フランス]「フランス」, voiture [ヴォワテュール]「自動車」, cravate [クラヴァットゥ]「ネクタイ」, beauté [ボテ]「美しさ」は女性名詞です．これを一覧にしますと，下記のように分類できます．

		男性名詞 *n.m.*		女性名詞 *n.f.*	
A	自然の性を持つ語	**père**	父親	**mère**	母親
		fils	息子	**fille**	娘
		frère	兄・弟	**sœur**	姉・妹
B	自然の性を持たない語	**Japon**	日本	**France**	フランス
		vélo	自転車	**voiture**	自動車
		collier	ネックレス	**cravate**	ネクタイ
		appétit	食欲	**beauté**	美しさ
		月　曜日　四季		果実　科学　五大州	

左記のAはさておいて，Bの性の別は勝手な分類です（原インド・ヨーロッパ諸語の神話概念が源とされます）．男性が主に締める「ネクタイ」が女性名詞で，主に女性が身につける「ネックレス」は男性名詞．自転車と自動車は同じ乗り物でありながら男女が違い，国名や「食欲，美しさ」といった抽象名詞にまで男女の別があるのがフランス語なのです．この名詞の性の別を覚えるのは一苦労です．しかも，多くの参考書や教科書には，名詞の男・女の別は「暗記するしかない」と冷たい書き方がされているだけです．しかし，すべての名詞を包括する絶対のルールはありませんが，男・女の別を見わける「目安」はあります．

〔2〕名詞の男女を単語の「語末」で見わける簡易的な目安

男性名詞 *n.m.*	女性名詞 *n.f.*
① 子音字で終わる名詞の95%	① 〈-e〉の綴り字で終わる名詞の70％以上
② 下記の綴りで終わる名詞のほぼ100%	② 下記の綴りで終わる名詞の92～100％
-age　-al -er　-ien　-in -ment	-ée　-ie　-ière -ion　-aison -te

　たとえば，国名の場合〈-e〉と綴られる国は女性名詞とみなされ，それ以外の綴り字で終わる国が男性名詞です．例外は Mexique ［メクスィック］「メキシコ」（スペイン語の Mexico の綴りが優先されて，フランス語では〈e〉の綴りで終わるものの男性名詞とされる）や Cambodge ［カンボジュ］「カンボジア」など数カ国のみ．その意味で，上記の表は男女の別に悩んだ際に有効な判断の目安になるはずです．ただ，名詞の男・女の別は，冠詞や所有形容詞などをつけて自然に口になじませていけばおのずと身につきますのでご安心を．

(quarante et un)

◆ 14 ◆ 名詞の性 ②

たとえば，étudiant [エテュディアン] という単語は「(男子) 学生」の意味ですが，このままの形では「女子学生」の意味にはなりません．語末に **e** をつけて étudiante [エテュディアントゥ] と綴り，発音を変える必要があります．英語と対照した例で見てみましょう．⑤

> *He is a student.*　　　　　Il est étudiant.
> 彼は学生です．　　　　　　　イレ　　エテュディアン
>
> *She is a student.*　　　　　Elle est étudiante.
> 彼女は学生です．　　　　　　エレ　　エテュディアントゥ

＊上記の英仏の例文で，英語にある不定冠詞 a がフランス語にないことについては p. 49 を参照ください．

つまり，自然の性（男女両方の性）を持つ単語は下記の原則で男性形を女性形にできるのです．

〔1〕　男性形＋〈e〉→ 女性形 ⑤

Japonais → Japonaise　　　　**ami → amie**
日本人男性　　日本人女性　　　　　　男友だち　女友だち

そして，e をつけると単語の発音が変わる（つまり男性形と女性形で読みが変化する）点に注意してください．

男性形で読まれなかった語末の子音字が読まれる．

Japonais → Japonaise　　　　**ami → amie**
ジャポネ　　ジャポネーズ　　　　　　アミ　　アミ

＊ Japonais [ʒapɔnɛ] の〈s〉は発音されませんが，〈e〉がつくと Japonaise [ʒapɔnɛːz] と〈s〉が読まれます．ただし，母音で終わっている単語の場合（上記の ami [ami] のような例）では，〈e〉がついても発音は変わりません（ただし，男女の別を明示する意味で〈amie〉の語尾の母音を心持ち音引して読むフランス人もいます）．（☞ p. 48）

しかし，すべての単語が左記の原則通りとはいきません．

〔2〕原則から外れた女性形の例 [5] [4]

(1) 男性形+⟨e⟩の前に子音を重ねたり，あるいはアクサン記号をつけて女性形をつくる例．

 chat 雄猫 → **chatte** 雌猫
 シャ　　　　　　　　　　シャットゥ

 étranger 外国人（男性）→ **étrangère** 外国人（女性）
 エトランジェ　　　　　　　　エトランジェール

(2) 女性名詞語尾 (-trice, -esse, -euse) にする例．

 acteur 俳優（男性）→ **actrice** 女優
 アクトゥール　　　　　　　　アクトゥリス

 prince 王子 → **princesse** 王女
 プランス　　　　　　　プランセス

 vendeur 店員（男性）→ **vendeuse** 店員（女性）
 ヴァンドゥール　　　　　　　ヴァンドゥーズ

(3) 性の違いによっても形の変わらない名詞（男女同形）．

 (un) enfant 子ども（男）→ **(une) enfant** 子ども（女）
 アンファン　　　　　　　　　　アンファン

 ＊違いを明示するために，たとえば（　）内の冠詞を用います．

(4) 父 père [ペール] や母 mère [メール] のように男性形と女性形で形態の異なる語もたくさんあります．

 homme 男 → **femme** 女　　**fils** 息子 → **fille** 娘
 オム　　　　　　ファム　　　　　　フィス　　　　　フィーユ

 époux 夫 → **épouse** 妻　　**oncle** おじ → **tante** おば
 エプー　　　　　エプーズ　　　　　オンクル　　　　　タントゥ

(5) 男性名詞と女性名詞とで意味の異なる語もあります．

 tour [トゥール]（男性名詞）順番　　（女性名詞）塔，タワー

 ＊professeur [プロフェスール]「教授」や médecin [メドゥサン]「医師」など男性が主に従事していた職業の女性形を明示するために femme [ファム]「女性」を用いる語もあります．[3] 　例：femme médecin 女医

◆ 15 ◆ 名詞の複数形

名詞の複数形 pluriel は英語と同様に原則的には以下の形.

〔1〕 **単数形 (singulier)＋s** [5]

ただし，この〈s〉は後続の語とリエゾンする場合を除いて**発音されません**．つまり，名詞を単独で読むと単数・複数の別を耳で判断できないのです．

単数		複数	
étudiant <small>エテュディアン</small>	→	étudiants <small>エテュディアン</small>	学生（男子）
Française <small>フランセーズ</small>	→	Françaises <small>フランセーズ</small>	フランス人（女性）
Japonais <small>ジャポネ</small>	→	Japonais <small>ジャポネ</small>	日本人（男性）

＊Japonais は単数が〈-s〉の綴りで終わっていますのでそのままの形で複数形です．〈-ss〉とは綴りません．他に語末が〈-x, -z〉の下記のような語も単複同形になります．
例：voix ［ヴォワ］声　　nez ［ネ］鼻　　gaz ［ガズ］ガス

しかし，英語でも複数形の作り方にいろいろと例外があったように，フランス語もすべての名詞が上記のように語末に〈s〉をつけて複数にするわけではありません．

〔2〕原則から外れた複数形の例 [5][4]

(1) **-eau, -au, -eu** で終わる名詞の複数は，大半が〈単数形＋**x**（x は発音されません）〉．

    bateau → bateaux 船　　　cheveu → cheveux 髪
    <small>バトー　　　　バトー　　　　　　　シュヴー　　　　シュヴー</small>

(2) 語末が **-al**［アル］で終わる名詞のほとんどが **-aux**［オ］．

    animal → animaux 動物　　cheval → chevaux 馬
    <small>アニマル　　アニモ　　　　　　シュヴァル　　シュヴォ</small>

44　(*quarante-quatre*)

(3) その他の複数形（特殊形）
  (a) 語末が **-ail** [ァィュ] を **-aux** [オ] として複数形をつくる単語があります．

  travail → **travaux** 仕事，勉強；工事
  トラヴァィュ　　トラヴォ

  (b) 語末が **-ou** を **-oux**（x は発音されない）として複数形を作る単語がいくつかあります．

  chou → **choux** キャベツ　　　**bijou** → **bijoux** 宝石
  シュー　　シュー　　　　　　　　　　ビジュー　　ビジュー

  (c) 単数と複数で語形の異なる名詞

  monsieur → **messieurs** 男性敬称　**œil** → **yeux** 目
  ムッスィウ　　　メスィユ　　　　　　　　ウィユ　　イユー

  ＊女性の敬称 madame [マダム] → mesdames [メダム], mademoiselle [マドムワゼル] → mesdemoiselles [メドムワゼル]

なお，名詞複数の原則通りに語末に〈s〉をつけて，単数と複数で発音が違うつぎのような単語には注意してください．

  œuf → **œufs** 卵　　　　　**bœuf** → **bœufs** 牛
  ウフ　　ウー　　　　　　　　　　　ブフ　　ブー

〔3〕複合名詞の複数形 ③

2つ以上の要素が結びついて1語を形づくっている複合名詞の複数形の基本的な複数形の考え方は，以下の通りです．

(1) 名詞＋名詞は両方を複数に．

  bateau-mouche [バトームッシ] → **bateaux-mouches**
  　　　　　　　　　　　　　　　　　　　　　　　　　パリ遊覧船

(2) 形容詞＋名詞も (1) と同じく両方を複数に．

  grand-mère [グランメール] → **grands-mères** 祖母

(3) 動詞＋名詞の場合には
  (a) 名詞のみを複数にする語

  porte-clef [ポルトックレ] → **porte-clefs** キーホルダー

  (b) 不変化の語

  gratte-ciel [グラットゥスィエル] → **gratte-ciel** 摩天楼

(*quarante-cinq*) 45

◆ 16 ◆ 冠　詞

　名詞の標識語（性・数などの別を示す指標）である冠詞には，不定冠詞・定冠詞・部分冠詞の3種があります．

〔1〕 不定冠詞 article indéfini [5]

　数えられる名詞に付いて不特定のもの「ある1つの〔単数〕（単数の un, une は数詞「1」と同じ）」「いくつかの，若干数の〔複数〕」を示します．英語の *a, an* に相当する語ですが，複数があります．フランス語の複数形語尾 s が読まれないため複数の不定冠詞があるのです．（☞ Q & A p.214）

男性単数	女性単数	男女複数
un [アン]	**une** [ユヌ]	**des** [デ]

　un livre　　（1冊の）本　　　　**des livres**　　（数冊の）本
　　アン リーヴル　　　　　　　　　　　デ　リーヴル

　une maison　（1軒の）家　　　　**des maisons**　（数軒の）家
　　ユヌ　メゾン　　　　　　　　　　　デ　メゾン

〔2〕 定冠詞 article défini [5]

　特定化された語，既知のものを指して「その（あの）（例の）」といった意味を持ちます．英語の *the* に相当する語です．総称（全体）「～というもの（数えられる名詞では複数，数えられない名詞では単数）」の意味でも使われます．

男性単数	女性単数	男女複数
le (l') [ル]	**la (l')** [ラ]	**les** [レ]

　le livre　　（その）本　　　　　**les livres**　　（それらの）本
　　ル　リーヴル　　　　　　　　　　　レ　リーヴル

　la maison　（その）家　　　　　**les maisons**　（それらの）家
　　ラ　メゾン　　　　　　　　　　　　レ　メゾン

＊le, la は母音字（あるいは無音の h）の前では l' になります．
例：× le arbre → ○ l'arbre [ラルブル]（その）木
　　× la école → ○ l'école [レコール]（その）学校

〔3〕 部分冠詞 article partitif [5]

　数えられない名詞(物質名詞・集合名詞)に用いられ，「いくらかの量(若干量)の」の意味を表します．不定冠詞が数を表す（名詞を数的にとらえる）のに対して，部分冠詞は量を表します（名詞を均質なかたまりととらえる）．

男　性	女　性
du [デュ] (de l')	**de la** [ドゥ ラ] (de l')

du pain　パン
デュ　パン

de l'argent　お金
ドゥ　ラルジャン

de la chance　幸運
ドゥ　ラ　シャーンス

de l'eau　水
ドゥ　ロ

＊母音字（無音の h）の前では de l' になります．

〔4〕 3つの冠詞の対比例 [4]

(1) **Un café, s'il vous plaît.**
　　アン　キャフェ　スィル　ヴ　プレ

　　コーヒーを1杯ください．
　　　→ 不定冠詞（数詞）

(2) **J'aime le café.**
　　ジェーム　ル　キャフェ

　　私はコーヒーが好きです．
　　　→ 定冠詞

(3) **Voilà du café.**
　　ヴォワラ　デュ　キャフェ

　　はい，コーヒー．
　　　→ 部分冠詞

(1) は「カップ1杯のコーヒー une tasse de café」のこと（英語の *One coffee, please.* に相当する数詞の表現なのですが，数えられない名詞でもカップ1杯という常識的な単位で数えることがあります）．(2) は「コーヒーというもの（コーヒーならなんでも）」（総称）の意味です．(3) はサーバーやカップに入っている「ある分量のコーヒー」を指す例です．(☞ pp. 76–79)

(*quarante-sept*)　47

◆ 17 ◆ 国名・職業

教科書によっては巻末でマトメて扱っている場合もありますが，国籍・職業など一気に扱ったほうが理解しやすい語彙をここでチェックしておくことにします．

〔1〕国名の例 nations [5]

国　名		形容詞／名詞 〜の，〜語の(**小文字**)／〜人(**大文字**)	
la France	フランス	**français(e)**	[フランセ(セーズ)]
le Japon	日本	**japonais(e)**	[ジャポネ(ネーズ)]
l'Angleterre	イギリス	**anglais(e)**	[アングレ(レーズ)]
l'Italie	イタリア	**italien(ne)**	[イタリヤン(ヤンヌ)]
l'Espagne	スペイン	**espagnol(e)**	[エスパニョル]
la Chine	中国	**chinois(e)**	[シノワ(ワーズ)]
le Canada	カナダ	**canadien(ne)**	[カナディヤン(ヤンヌ)]
les Etats-Unis	米国	**américain(ne)**	[アメリカン(ケンヌ)]

＊la France「フランス」/ français(e)「形 フランスの，フランス語の」，le français「名 フランス語」，un Français,「フランス人男性」，une Française「フランス人女性」．なお，すでに名詞の項目で触れたように)，〈 -e 〉の綴り字で終わる国は女性名詞，〈 -子音字 〉の綴りの国は男性名詞になります．(☞ p.41)

なお「私は〜人です」は，たとえば Je suis Japonais. と Je suis japonais.［ジュ スュィ ジャポネ］(大文字と小文字）の2つの表記がありますが，属詞（この文章では「日本人」が属詞 (☞ p.82) に相当）の形容詞的性格を考慮して，現在では小文字で書かれるケースが大半です．(☞ p.37, p.57, p.68)

〔2〕職業の例 professions [5]

初級用のテキストに登場する代表的な職業の例を下記の一覧でごらんください．

職業名	（　）内は女性形を示します．
大学生	**étudiant(e)** [エテュディアン(アントゥ)]
生徒	**élève** [エレーヴ]
リセの生徒	**lycéen(ne)** [リセアン(エンヌ)]★
教師（教授）	**professeur** [プロフェスール]
看護士	**infirmier(ère)** [アンフィルミエ(エール)]
ジャーナリスト	**journaliste** [ジューナリストゥ]
（国家）公務員	**fonctionnaire** [フォンクスィヨネール]
弁護士	**avocat(e)** [アヴォカ(カットゥ)]
サラリーマン	**employé(e)** [アンプロワィエ]
パイロット	**pilote** [ピロットゥ]
スチュワーデス	**hôtesse de l'air** [オテス　ドゥ　レール]

★lycéen(ne) は日本の中学から高等学校に相当する（15歳から18歳までの生徒）を指します．なお厳密には，大学生，生徒，(リセの)生徒は「職業」profession には入りません．

フランス語で職業を表現する場合に，属詞の位置で用いられた場合，通常，冠詞はつけません．この点，英語とは相違します．

例：*I am a student.*

Je suis étudiant(e). [ジュ　スュィ　エテュディアン(アントゥ)]
　　　　　　　　　　　　　　　　　私は学生です．

★ただし，「あの人(彼)はフランス人です」C'est un Français. [セタン　フランセ] には属詞の前に不定冠詞が必要です．（☛ Q & A p. 219）

◆ 18 ◆ 形容詞 ①

　形容詞（ここでとりあげるのは品質形容詞 adjectif qualificatif と呼ばれるもので，指示形容詞や不定形容詞などの限定形容詞 adjectif déterminatif は別途，見出しをたてました）は，**修飾する名詞や代名詞の性・数に応じて形が変化します．つまり，男性・女性形の別があり**（形容詞の女性形は必ず〈e〉で終わる）**，単数・複数の別がある**のです．これを形容詞の性・数一致と呼びます．

〔1〕形容詞の一致の原則 adjectif ⑤

　たとえば，grand [グラン]「大きい」（辞書の見出し語になっている形で，男性単数）という形容詞を例に男・女の別，単・複の別，ならびに発音の異同を見てみましょう．

	── 単数形 ──	── 複数形 ──
男性	**grand** [グラン]	**grands** [グラン]
女性	**grande** [グラーンドゥ]	**grandes** [グラーンドゥ]

男女両方の性を持つ名詞 (☞ p. 42) と同じ展開です．

原則　**男性形＋e → 女性形**　　**単数形＋s → 複数形**

　＊男性複数は語末に〈s〉を，女性複数には〈es〉を付けます．ただし，語末の〈s〉は発音されません．

しかし，名詞の女性形・複数形と同じく例外があります．

〔2〕原則から外れた形容詞の女性形の例 ⑤④③

(1) 語末が〈-e〉で終わっている語は形を変えない．

　　facile → facile　易しい　　　rouge → rouge　赤い
　　ファスィル　ファスィル　　　　　　ルージュ　ルージュ

(2) 語末が〈-er〉→〈-ère〉　　　léger → légère　軽い
　　　　　　　　　　　　　　　　　レジェ　　レジェール

50　(*cinquante*)

⟨-el⟩ → ⟨-elle⟩   réel → réelle 現実の
                       レエル   レエル

⟨-et⟩ → ⟨-ète⟩   complet → complète 満杯の
                       コンプレ   コンプレットゥ

＊ただし，<-et> → <-ette> となる語もあります．
  例：net [ネットゥ] → nette [ネットゥ] 明瞭な

⟨-eux⟩ → ⟨-euse⟩   heureux → heureuse 幸せな
                       ウルー   ウルーズ

⟨-on⟩ → ⟨-onne⟩   bon → bonne 良い
                       ボン   ボヌ

⟨-ien⟩ → ⟨-ienne⟩   ancien → ancienne 古い
                       アンスィヤン アンスィエンヌ

＊⟨-as⟩→⟨-asse⟩, ⟨-os⟩→⟨-osse⟩, ⟨-gu⟩→⟨-guë⟩, ⟨-f⟩→⟨-ve⟩
  等の展開で女性形をつくる語もあります．
  例：bas → basse 低い   gros → grosse 太った
      バ   バース   グロ   グロス

(3) さらに変則的な女性形の例

beau → belle 美しい   long → longue 長い
ボー   ベル   ロン   ロング

blanc → blanche 白い   frais → fraîche 新鮮な
ブラン   ブランシュ   フレ   フレッシュ

〔3〕原則からはずれた形容詞の複数形の例 ④

◆ 名詞の複数形の例外 (☞ p. 44) に準じます．なお，女性形は左記の原則通り，語末に⟨s⟩をつけて複数形にします．

(1) 語末が⟨-s⟩⟨-x⟩で終わっている語はそのまま．

gras → gras 脂っぽい   heureux → heureux 幸せな
グラ   グラ   ウルー   ウルー

(2) ⟨-al⟩ → ⟨-aux⟩, ⟨-eau⟩ → ⟨-eaux⟩

amical → amicaux 親切な   beau → beaux 美しい
アミカル   アミコ   ボ   ボ

＊⟨-al⟩でも，banal [バナル]「平凡な」, fatal [ファタル]「宿命的な」など⟨s⟩
  をつけて複数形になる語もあります．

◆ 19 ◆ 形容詞 ②

フランス語の形容詞（品質形容詞）の置き位置は〈名詞＋形容詞〉が原則です．

〔1〕形容詞の置き位置 adjectif

(1) 名詞の後に置かれるのが原則です．5

> 限定辞（冠詞など）＋名詞＋形容詞

例：**un café noir** [アン キャフェ ノワール] ブラック・コーヒー
（男性単数）

les montres japonaises [レ モントゥル ジャポネーズ]
（女性複数） 日本製の腕時計

(2) 日常よく使われる綴りの短い形容詞（主観的で評価的内容を表す形容詞が主）は名詞の前に置きます．5

petit [プティ] 小さい	**grand** [グラン] 大きい
bon [ボン] 良い	**mauvais** [モヴェ] 悪い
jeune [ジュヌ] 若い	**vieux** [ヴィュ] 年老いた
beau [ボ] 美しい	**joli** [ジョリ] きれいな　など

例：**un *bon* médecin** [アン ボン メドゥサン] 優秀な医師
une *jolie* fille [ユヌ ジョリ フィーユ] かわいい娘

なお，感情的・主観的に強調された形容詞が名詞の前に置かれることがあります（形容詞を強く読みます）．4 3

例：**un *horrible* spectacle** [アン ノリーブル スペクタークル]
恐ろしい光景

(3) 名詞の前に置くか，後ろに置くかで意味が変わることもあります．4 （不定冠詞 des の変形については（☞ p.76））

例：**un homme *grand*** [アン ノム グラン] 背の高い人
un *grand* homme [アン グラントム] 偉人

52　(*cinquante-deux*)

〔2〕男性形単数第2形を持つ形容詞 ５ ４ ３

下記の表に記した5つの形容詞は，**母音（あるいは無音の h）ではじまる男性単数名詞の前に置かれたとき，男性形第2形**（下記の括弧内）**を用います**．なお，女性形は男性第2形の語末の子音字を重ねて〈e〉をそえた形になります．

	男性単数（第2形）	女性単数
美しい	**beau (bel)** ボー ベル	**belle** ベル
新しい	**nouveau (nouvel)** ヌヴォ ヌヴェル	**nouvelle** ヌヴェル
年老いた	**vieux (vieil)** ヴィユ ヴィエィユ	**vieille** ヴィエィユ
愚かな	**fou** *(fol)* フー フォル	**folle** フォル
柔らかい	**mou** *(mol)* ムー モル	**molle** モル

例：**un bel hôtel** 美しいホテル　　**le nouvel an** 新年
　　アン　ベロテル　　　　　　　　　　　ル　ヌヴェラン

＊fol, mol の形を用いる表現は現在ではほとんど使われません．

＊＊男性形複数では第2形はなくなり，beaux, nouveaux, vieux, fous, mous の形を用います．（☞ Q & A p. 217）

〔3〕形容詞の働き ５

(1) 上記にあげた例（名詞の直前または直後に置かれる形容詞）は，名詞を限定する働きをもち（修飾語），**付加形容詞 épithète** と呼ばれます（英語の限定用法に相当する形容詞）．

(2) 動詞を介して結ばれる形容詞は**属詞**（☞ p. 82）（英語の補語に相当）として働き，主語の性・数に一致します．

　　例：**Elles sont grandes.**　彼女たちは背が高い．
　　　　エル　ソン　グラーンドゥ

◆ 20 ◆ 動詞活用の考え方

〔1〕不定法　語幹・語尾 [5]

　動詞は原形（仏語では infinitif ［アンフィニティフ］〔不定詞・不定法あるいは不定形〕と呼ばれます）を活用して用います．不定法は〈語幹＋語尾〉から成り立っていて，下記のように考えます．

不定法		意味	語幹	語尾
parler	［パルレ］	話す	parl	+ *er*
finir	［フィニール］	終える	fin	+ *ir*
prendre	［プラーンドゥル］	取る	prend	+ *re*
savoir	［サヴォワール］	知る	sav	+ *oir*

　「活用」とは，主語の人称，現在・未来などの時制，あるいはいろいろなニュアンスを伝える法に応じて，動詞の綴り字・発音が変化する現象を指します（法，時制については (☞ p. 142)）．たとえば，英語の *be* 動詞が〈*am, are, is / was, were*〉*etc.* と形を変えるのと同じことです．以下，主要な動詞については別途説明していきますが，最も活用が多様に展開する現在形は，主語に応じて下記の4つの語尾パターンによる活用が原則的な形となります（正式には「直説法現在形」(☞ p. 84) と呼ばれます）．

〔2〕直説法現在の動詞活用の4パターン conjugaison [5] [4]

	je (j') 発音しない	tu	il / elle	nous [ɔ̃] オン	vous [e] エ	ils / elles 発音しない
①	–e	–es	–e	–ons	–ez	–ent
②	–s	–s	–t	–ons	–ez	–ent
③	–s	–s	–	–ons	–ez	–ent
④	–x	–x	–t	–ons	–ez	–ent

*左記の表の〈ー〉は動詞の語幹を意味しています．なお，nous, vous, ils / elles の活用語尾がすべて共通である点に注目してください．

左の表に該当しない特殊な活用語尾をもつ動詞は下記の5つ．

2 **être** [エートゥル]（〜である）：英語の *be* 動詞に相当
1 **avoir** [アヴォワール]（持つ）：*have* 動詞に相当
31 **faire** [フェール]（する）　：*make, do, play* などに相当
16 **aller** [アレ]（行く）　　　：*go* に相当
32 **dire** [ディール]（言う）　：*say* に相当

*□番号は本書巻末の動詞活用表の該当番号です．

その他の時制（過去形，未来形など）については共通な活用パターンがありますのでこの先，1つ1つ確認していくことにしましょう．

〈Marge 欄外〉

　日本語の動詞活用に比べて，フランス語のそれは複雑だと言われます．たしかに，「話す」という動詞を例にとれば，

「私は話す」　　　→ 〈**je parle**〉　　　［ジュ　パルル］
「私たちは話す」　→ 〈**nous parlons**〉　［ヌ　パルロン］
「あなたは話す」　→ 〈**vous parlez**〉　　［ヴ　パルレ］

となって，フランス語の綴りと発音の変化にとまどうことがあるかもしれません．(☞ p. 58)

　しかし，「私が話す」と書いたり，「僕が話している」と言ったり（フランス語では現在進行形「〜している」も現在形で表します (☞ p. 84)），「私が話します」（です・ます調）としたりする変化はフランス語にはありません．また，辞書形（終止形）のままの会話はあり得ません．「あなたは話すか？」「はい，私は話す」．こんな会話が展開する場所は，日本のどこにあるでしょうか．というわけで，動詞活用の難易を軽々に語ることはできそうにありません．

◆ 21 ◆ 動詞 être / avoir

　英語の *be* 動詞，*have* 動詞に相当する下記の2つの動詞は今後フランス語を学習する上で，最も重要な語です．

　be 動詞に相当するフランス語の動詞は être [エートゥル]「～がある，～がいる」です．現在形（正式には直説法現在（☞ p. 84））の活用は主語の人称に応じて下記のように展開します．

〔1〕être の活用（直説法現在）5

je suis	[ジュ スュィ]	nous sommes	[ヌ ソム]
tu es	[テュ エ]	vous‿êtes	[ヴゼットゥ]
il‿est	[イレ]	ils sont	[イル ソン]
elle‿est	[エレ]	elles sont	[エル ソン]

　英語の *have* 動詞に相当するフランス語の動詞は avoir [アヴォワール]「～を持つ」です．その現在形の活用は主語の人称に応じて次のように展開します．

〔2〕avoir の活用（直説法現在）5

j'ai	[ジェ]	nous‿avons	[ヌザヴォン]
tu as	[テュ ア]	vous‿avez	[ヴザヴェ]
il‿a	[イラ]	ils‿ont	[イルゾン]
elle‿a	[エラ]	elles‿ont	[エルゾン]

　＊リエゾン ‿, アンシエヌマン ⌒ のマークは，文章を書く際につける必要はありません．なお，3人称 il / elle, ils / elles の活用は同形ですので，今後は必要のないかぎり elle, elles の活用は省略します．

多くの教科書に記載されている典型的な例文を使って，この 2 つの動詞の基本的な用法を見てみましょう．

〔3〕être を用いる文章の例 ⑤

Je suis japonais(e).
ジュ スユイ ジャポネ(ネーズ)

私は日本人です．
◆ 国籍（☞ p. 48）

Il est pilote.
イレ ピロットゥ

彼はパイロットです．
◆ 職業

Elles sont dans le jardin.
エル ソン ダン ル ジャルダン

彼女たちは庭にいます．
◆ 状況補語（☞ p. 82）を導く

Il est grand.
イレ グラン

彼は背が高い．
◆ 形容詞（属詞）を導く

〔4〕avoir を用いる文章の例 ⑤

J'ai un dictionnaire.
ジェ アン ディクスィヨネール

私は辞書を持っています．
◆ 所有

J'ai dix-neuf ans.
ジェ ディズヌヴァン

私は 19 歳です．
◆ 年齢

〔注意〕**年齢**を表現する際に，英語では *be* 動詞を使いますが，フランス語では avoir を用います．

J'ai froid.
ジェ フロワ

私は寒い．
◆ avoir ＋無冠詞名詞で成句を作る

Vous avez l'heure ?
ヴザヴェ ルール

何時ですか？
◆ 時間

＊英語の略式表現 *Have you the time ?* に相当する文です．

なお，この 2 つの動詞は，過去形（正式には直説法複合過去（☞ p. 144））を作ったり，英語の過去完了や未来完了に相当する時制を作ったり，あるいは受動態（☞ p. 168）を作るときに使われますので，フランス語にはなくてはならない最重要動詞です．

(*cinquante-sept*) 57

◆ 22 ◆ 第1群規則動詞

フランス語の動詞には，次の別があります．

(1) 第1群規則動詞：不定法・不定詞（動詞の原形）の語尾が〈**-er**〉と綴られる動詞のほぼすべて．

(2) 第2群規則動詞：語尾が〈**-ir**〉と綴られる動詞の多く．

(3) 第3群不規則動詞：〈**-ir**〉〈**-oir**〉〈**-re**〉の語尾で終わる動詞．なお être, avoir は助動詞としても使われるため，基本不規則動詞という別称でくくられます．

フランス語の動詞の約90％が，第1群規則動詞（語尾の形から -er［ウーエール］動詞とも呼ばれます）です．

◇ 第1群規則動詞直説法現在の活用　présent de l'indicatif [5]

語尾の -er を人称に則して，下記のように活用します．

〈 **-er 動詞** 〉

je -e　［ジュ…ゥ］	**nous -ons**　［ヌ…オン］
tu -es　［テュ…ゥ］	**vous -ez**　［ヴ…エ］
il -e　［イル…ゥ］	**ils -ent**　［イル…ゥ］

＊上記［…ゥ］とカナ読みを記しましたが，厳密には je, tu, il, elle それに ils, elles の活用語尾は「無音」です（綴り字は違っても同じ読みです）．しかし，すでに e の読みで触れたように（☞ p. 10）実際に発音した場合に「無音」とはいっても微かに［ゥ］の音が発音されます．たとえば，regarder［ルギャルデ］「見る」を活用して，je regarde [rəgard]「私は見る」とした場合，それを多くの辞書に記されているように［ルギャルド］とカナ書きすると無音であることを示そうとして，かえって [do] の音で終わっているような印象を与えてしまい，実際に発音される音とのアンバランスが生じるためです．本書では，文法的に無音と呼ばれても，自然に添えるように読まれてしまう［ゥ］の音をあえて必要に応じてカナ表記しました．

chanter [シャンテ]「歌う」〈chant〔語幹〕+er〔語尾〕〉を具体例にして見てみましょう．

---
chanter

je chante [ジュ シャントゥ]	**nous chantons** [ヌ シャントン]
tu chantes [テュ シャントゥ]	**vous chantez** [ヴ シャンテ]
il chante [イル シャントゥ]	**ils chantent** [イル シャントゥ]

また，habiter [アビテ]「住む」の場合（語頭が「母音」または「無音のh」ではじまる動詞の例）には，je が j' となり（エリズィヨン (☞ p. 21))，il habite がアンシェヌマン (☞ p. 21) をして，下記の右列がすべてリエゾン (☞ p. 20) される点に注意が必要です．

---
habiter

j'habite [ジャビットゥ]	**nous habitons** [ヌザビトン]
tu habites [テュ アビットゥ]	**vous habitez** [ヴザビテ]
il habite [イラビットゥ]	**ils habitent** [イルザビットゥ]

なお，日常的によく使われる動詞で，会話などでの使用頻度が上位25位以内に入る第1群規則動詞は下記のとおりです（ちなみに頻度ベスト1・2は être / avoir (☞ p. 56))．

parler	[パルレ]	話す	**aimer**	[エメ]	愛する
penser	[パンセ]	考える	**arriver**	[アリヴェ]	到着する
passer	[パセ]	過ごす	**donner**	[ドネ]	与える
trouver	[トルヴェ]	思う	**rester**	[レステ]	とどまる
travailler	[トラヴァイエ]	働く，勉強する			

例：**Il parle très vite.** 彼はとても早口で話す．
　　イル パルル トレ ヴィットゥ

　　J'aime le sport. 私はスポーツが好きです．
　　ジェーム ル スポール

　　Je pense, donc je suis. 我思う故に我あり．
　　ジュ パンス ドンク ジュ スュイ ＊デカルトの名言

◆ 23 ◆ 第2群規則動詞

第1群規則動詞（-er 動詞）についで数が多く，規則的な活用をする動詞を第2群規則動詞（-ir 動詞）と呼びます（フランス語の全動詞の約7.5%を占めるものです）．

〔1〕活用（直説法現在） 5

その活用を，**finir** [フィニール]「終える，終わる」を例に見ていきましょう．

---- finir ----

je finis [ジュ フィニ]	**nous finissons** [ヌ フィニッソン]
tu finis [テュ フィニ]	**vous finissez** [ヴ フィニッセ]
il finit [イル フィニ]	**ils finissent** [イル フィニッス]

語尾は
je	-is	[i]	nous	-issons	[isɔ̃]
tu	-is	[i]	vous	-issez	[ise]
il	-it	[i]	ils	-issent	[is]

となり，複数の人称活用で -ss- の綴り字が用いられます．また，単数の人称活用は語尾の綴り字が違っていてもすべて同じ発音です**（単数の人称活用がすべて同じ発音をするというのは，être, avoir, faire, aller を除いて他の動詞にも共通のルールです）**．

第2群規則動詞は，他に代表的なものとして 4

choisir [ショワズィール] 選ぶ **bâtir** [バティール] 建てる
réussir [レユスィール] 成功する **obéir** [オベィール] 従う

などがあり，品質形容詞から作られた下記のような動詞 3

grand「大きい」 → **grandir** [グランディール] 大きくなる
rouge「赤い」 → **rougir** [ルージール] 赤くなる

も第2群規則動詞に入ります．

例：**Nous finissons ce travail pour midi.**
　　 ヌ　　フィニッソン　　ス　トラヴァイュ　プール　ミディ
　　　　　　わたしたちはこの仕事をお昼（12時）には終えます．

〔2〕用例 ⑤ ④
Elle choisit un cadeau de mariage.
<ruby>エル ショワズィ アン カドー ドゥ マリアージュ</ruby>

彼女は結婚祝いを選んでいる．

＊choisir の活用を初級者は間違えやすいので注意．語幹〈chois〉+語尾〈ir〉なのに，つい, je chois, tu chois… と語尾を落として活用しがちです．je choisis, tu choisis… と正しく活用してください．

なお，上記の finir は英語の *finish* に相当する語であることは類推できると思いますが，これはフランス語から英語に移入された動詞です．言い換えれば，英語の *-ish* の綴り字で終わる多くの動詞がフランス語の第2群規則動詞から派生していることになります．③ ②

例： *abolish* → **abolir**　［アボリール］　廃止する
　　 demolish → **démolir**　［デモリール］　取り壊す
　　 punish → **punir**　［ピュニール］　罰する

〈 **Marge 欄外** 〉

第2群規則動詞について触れていない初級文法教科書はありません．しかし，フランス語で実際に使われる単語の頻度順を調べてみますと，第2群規則動詞の頻度がかなり低いことに気づきます．ちなみに，動詞の日常的な実用頻度順では

　48位 **finir**　　121位 **réussir**　　142位 **bâtir** ...

といった順番になります．最もよく使われる動詞 être の頻度に比べると，finir でさえ約 1/1680 の確率で登場してくるにすぎません．フランス語の動詞活用（とくに直説法現在）は煩瑣ですが，よりによって不規則な活用をする動詞の方が規則動詞よりも頻度が高いという皮肉な結果になるのです．

蛇足ながら，その煩雑さを視覚的に解消する試みとして，拙著『CD付（暗記本位）仏検対応・フランス語動詞活用表』（駿河台出版社）を書き下ろしています．

◆ 24 ◆ 提示の表現

すでに ◆11◆ で入門レベルの基本会話をいくつかみましたが，ここで提示の表現を2つチェックしておくことにします．1つは補足・再確認，1つは新たにとりあげる表現です．

〔1〕 voici / voilà ⑤

この2つの語は文法的にみてみますと，主語と動詞を兼ねる特殊な単語です．品詞は副詞扱いなのですが，特別に提示詞 présentatif とも呼ばれます．通常は遠近の差を表す表現として，下記のように多くの初級用テキストが扱っています．

> ここに〜がある（いる）　　　**Voici**＋名詞
> あそこに〜がある（いる）　　**Voilà**＋名詞

人にも物にも使うことができ，直訳を付して例を示せばこんな具合です．

Voici ma fille.
ヴォワスィ　マ　フィーユ
こちらが私の娘です．
＊ma（☞ p. 65）

Voilà des garçons.
ヴォワラ　デ　ギャルソン
あそこに少年たちがいる．

しかし，日常語では遠近に係わりなく，**後者 voilà の頻度が高く，voilà は単独でも用いられます**．たとえば，お金や品物を相手に差しだすとき，あるいは相手の言ったことに対して納得・理解を示すとき，肯定の「そのとおり」といった返事をするとき，または「以上です」と話の結びの一言として，Voilà は単独でも使うことができるのです．典型的な例をあげれば，こんな会話に登場します．

▶ **Passeport, s'il vous plaît.**　パスポートを見せてください．
　パスポール　スィル　ヴ　プレ

▷ **Voilà.**　　　　　　　　　　　　はい，どうぞ．
　ヴォワラ

＊voici, voilà には疑問・否定形はありません．

〔2〕 c'est… / ce sont… ⑤

「それは・これは・あれは（それらは）〜です」という提示の表現として使われるのが下記の言いまわしです．

> それは〜です　　　　　**C'est** [セ]＋単数名詞
> それ(ら)は〜です　　　**Ce sont** [ス ソン]＋複数名詞

＊日常語では〈C'est＋複数名詞〉の形もよく使われます．

C'est un ordinateur.　　それはコンピュータです．
セタンノルディナトゥール

Ce sont des dictionnaires.　それ(ら)は辞書です．
ス　ソン　デ　ディクスィヨネール

そして，上記の表現を引き出す疑問文も大切な表現です．（☞ p. 104）

> **Qu'est-ce que c'est ?**　　それ(ら)は何ですか？
> 　ケ　ス　ク　セ

しかし，「それは〜です」はいささか限定的な訳で，〈c'est…〉のもつ広がりを説明するには不十分です．なぜならこの表現は後ろに形容詞等を引き連れて多様な表現を作るからです．その意味から，単に提示のための指標と考え，後ろに名詞や形容詞等を置くことができるという柔軟性を知っておく必要があります．たとえば，下記のような表現で，会話には頻繁に登場します．

C'est vrai ?　　　　　　（それは）本当ですか？
セ　ヴレ　　　　　　　　→ 形 vrai「本当の」

C'est magnifique !　　　（それは）すばらしい．
セ　マニフィック　　　　→ 形 magnifique「見事な」

C'est ça.　　　　　　　（それは）その通りです．〔返事〕
セ　サ　　　　　　　　　→ 指示代 ça「話題＝それ」

(*soixante-trois*) 63

◆ 25 ◆ 指示形容詞・所有形容詞

冠詞とともに名詞の標識語（限定辞 déterminant）となる語に，日本語の「この」「その」「あの」にあたる指示形容詞があります．形容詞ですので，名詞の性・数によって形が変わります．

〔1〕指示形容詞 adjectif démonstratif ⑤

男性単数形	女性単数形	男女複数
ce (cet) ス セットゥ	**cette** セットゥ	**ces** セ

ce livre　　　［ス リーヴル］　　　この本

cet oiseau　　［セットワゾ］　　　この鳥

＊cet は母音（あるいは無音の h）の男性名詞単数の前で用いられ，母音の衝突を避けます．

cette femme　［セットゥ ファム］　　この女性

ces voitures　［セ ヴォワテュール］　これらの車

＊前課で触れた指示代名詞の ce「それは（これは，あれは）～です」と混同しないように．指示代名詞の場合，母音の前で省略されます．

例：C'est un dictionnaire.　　　それは辞書です．
　　セタン　ディクスィヨネール

なお，指示形容詞はこのままでは「この」「あの」の遠近を区別しません．その必要がある場合には，名詞の後に -ci, -là をつけて区別します．④

cet homme-ci　この男性　　**cet homme-là**　あの男性
　セットム　スィ　　　　　　　　セットム　ラ

＊この -ci, -là は voici, voilà の遠近を表す提示の表現の語末に呼応しています．(☞ p. 62)

〔2〕所有形容詞 adjectif possessif ⑤

冠詞・指示形容詞とともに名詞の標識語となるのが，所有形容詞「～の」（英語の所有格に相当）です．名詞の性・数に応じて，つぎのように形が変わります．

	男性形単数	女性形単数	男女複数
my	**mon** [モン]	**ma** [マ] **(mon)**	**mes** [メ]
your	**ton** [トン]	**ta** [タ] **(ton)**	**tes** [テ]
his / her	**son** [ソン]	**sa** [サ] **(son)**	**ses** [セ]
our		**notre** [ノートゥル]	**nos** [ノ]
your		**votre** [ヴォートゥル]	**vos** [ヴォ]
their		**leur** [ルール]	**leurs** [ルール]

＊母音（あるいは無音の h (☞ p. 11)）ではじまる女性名詞単数の前では，男性形単数と同じ所有形容詞を用います．

例：× ma amie   → ○ mon amie [モナミ]   私の女友だち
  × ta école   → ○ ton école [トネコール]   君の学校

＊＊英語の *his* / *her* の別はありません．〈*his father* / *her father*〉= son père [ソン ペール] と表現します．père「父親」が男性名詞であるためで，所有者「彼・彼女」の別で形を決めるのではなく，名詞の性・数で所有形容詞を決定するためです．

C'est son père.   (この人は) 彼 (彼女) の父です．
セ　ソン　ペール

＊提示の表現である〈c'est...〉の形は，物だけでなく，人を指すこともできます．（☞ Q & A p. 219）

Voilà mes enfants.   (あれは) 私の子供たちです．
ヴォワラ　メザンファン

Sa mère parle français.   彼(女)の母はフランス語を話します．
サ　メール　パルル　フランセ

＊通常「～語を話す」には上記のように，〈parler+言語〉の形を用います．ただ，形容詞や補語をともなうケースでは〈parler+le〔あるいは un〕言語〉と冠詞が必要です．③

◆ 26 ◆ 否定文

否定文 phrase négative は，一般に，動詞を 2 つの否定の標識 **ne (n')** ... **pas**（厳密には副詞）ではさんで使います．⑤

〔1〕原則　　主語＋**ne (n')**＋動詞＋**pas**

＊母音（あるいは無音の h）ではじまる動詞の前は n' とエリズィヨン（☞ p. 21）をします．なお，日常語では〈ne (n')〉を省くことがあります．

たとえば，下記の文を否定文にしてみましょう．

（肯定文）**Je suis étudiant(e).**　　私は学生です．
　　　　　ジュ スュィ エテュディアン（トゥ）

（否定文）**Je ne suis pas étudiant(e).**　私は学生ではない．
　　　　　ジュ ヌ スュィ パ エテュディアン（トゥ）

この **pas** を下記のように置き換えると，否定のニュアンスを変えることができます．④

> **ne ... jamais**　［ヌ ジャメ］　けっして～ない
> **ne ... plus**　　［ヌ プリュ］　もはや～ない
> **ne ... guère**　　［ヌ ゲール］　ほとんど～ない
> **ne ... que**　　　［ヌ ク］　　　～でしかない（限定・制限）

Il n'est jamais satisfait.　　彼はけっして満足していない．
イル ネ ジャメ サティスフェ

Elle n'est plus riche.　　　彼女はもう金持ちではない．
エル ネ プリュ リシュ

Je n'ai qu'un frère.　　　　私は兄（弟）一人しかいない．
ジュ ネ カン フレール

＊ne ... que は肯定文の一種．"que 以下だけを～する" が原義．副詞 seulement［スルマン］を使って書き換えられます．③

〔2〕否定の冠詞 de ⑤ ④

> 不定冠詞・部分冠詞のついた**直接目的補語** ☞ p. 82（「～を」と多くは訳す）が否定文になると冠詞は **de** に変わります．

＊この変化は，直接目的補語の名詞が実在性を喪失するためだと考えられます．

J'ai des sœurs. → Je n'ai pas *de* sœurs.
　　　　　　　　　　　姉妹はいません．
　　　　　　　　　　　＊不定冠詞 des が de に変わります．

Il y a du vin dans la bouteille.

→ Il n'y a plus *de* vin dans la bouteille.
　　　ボトルにもうワインはありません．
　　　＊部分冠詞 du が de に変わります．

しかし，冠詞が定冠詞の場合，あるいは直接目的補語ではない場合（たとえば，動詞が être のとき）には冠詞は変化しません．

J'aime le café. → Je n'aime pas le café.
　　　　　　　　　　　私はコーヒーが好きではない．

＊冠詞が定冠詞ですので否定文でもそのままです．

C'est un livre. → Ce n'est pas un livre.
　　　　　　　　　　　それは本ではありません．

＊un livre が属詞ですので否定文でもそのままです．

ただし，下記は「ひとつも（一人も）～ない」と否定を強調するときには，直接目的補語の前の不定冠詞であっても de に変えないことがあります．不定冠詞というより数詞として働いていると考えるためです．③

Je n'ai pas un ami.　　私には男友だちなんて，一人もいません．

＊Je n'ai pas un seul ami. とするとより明瞭です．

(soixante-sept) 67

◆ 27 ◆ 疑問文

〔1〕疑問文の3つの形 interrogation

フランス語の疑問文は3形あります. 5

> 1 平叙文をそのまま文尾をあげて(尻あがりで)読む.
> 2 文頭に **Est-ce que (qu')** をつける.
> 3 主語と動詞を倒置する(トレ・デュニオンでつなぐ).

1 が会話で最もよく使われる方法, 3 は主に書き言葉で使われる疑問文です.

1 Vous êtes français? あなたはフランス人ですか?
　　ヴゼットゥ　　フランセ

▷ **Oui, je suis français.** はい, フランス人です.
　　ウィ　ジュ スュイ　フランセ

▷ **Non, je ne suis pas français.**
　　ノン ジュ ヌ スュイ パ　フランセ
　　　　　　　　　　　　　　　いいえ, フランス人ではありません.

＊フランス語の「はい」は Oui [ウィ],「いいえ」は Non [ノン] を用います.
返事をする際に Oui, je suis. (英語の *Yes, I am.* に相当する省略形)は
用いません. Oui とだけ簡単に答えるか, 上記のように文章で答えます.

2 Est-ce que vous êtes anglais? あなたはイギリス人ですか?
　　エ ス ク　　ヴゼットゥ　アングレ

▷ **Oui.** はい(そうです).
　　ウィ

3 Etes-vous française? あなたはフランス人ですか?
　　エットゥ ヴ　フランセーズ

▷ **Non, je suis anglaise.** いいえ, イギリス人です.
　　ノン ジュ スュイ アングレーズ

ただし, 3 のケースで, 主語が名詞のとき (主語人称代名詞でない場合) には次頁のように代名詞で受けかえて倒置形を作る点にご注意ください. 4

Paul est-il français ?
ポール エティル フランセ

ポールはフランス人ですか？

Marie aime-t-elle le café ?
マリー エームテル ル キャフェ

マリーはコーヒーが好きですか？

＊Paul＝il, Marie＝elle と考えて，「名詞主語 S＋動詞 V－代名詞（S を置き換えた代名詞）...?」の語順で並べます．なお，動詞の語尾が母音で終わっている場合（上記の aime のケース）には母音衝突を避けるために -t- を間に置いてから il, elle の主語を書き加えます．

〔2〕否定疑問文 interrogation négative ④

否定疑問文も同じ要領で作ることができます．

1 **Tu n'as pas d'enfants ?**
テュ ナ パ ダンファン

お子さんはいないの？

2 **Est-ce que tu n'as pas d'enfants ?** 同上（頻度は低い）
エ ス ク テュ ナ パ ダンファン

3 **N'as-tu pas d'enfants ?** 同上
ナ テュ パ ダンファン

否定疑問文に対する肯定には Si ［スィ］（日本語では「いいえ」に相当します），否定には Non ［ノン］（「はい」に相当）を用います．この返答を実際の会話では混同してしまいがちですので注意！

▷ **Si, j'ai des enfants.** いいえ，います．
スィ ジェ デザンファン

＊「Si＋肯定」の内容を導く．

▷ **Non, je n'ai pas d'enfants.** ええ，いません．
ノン ジュ ネ パ ダンファン

＊「Non＋否定」の内容を導く．

〔3〕付加疑問文 ④

付加疑問文（相手の答えが予測できる問い「～ですね?」）の形は文末に ..., n'est-ce pas ?［ネスパ］（あるいは ..., non ?［ノン］）を添えます．

Tu as des enfants, n'est-ce pas ? 君には子どもがいるよね？
テュ ア デザンファン ネ ス パ

▷ **Oui, j'ai deux enfants.** ええ，2人います．
ウィ ジェ ドゥザンファン

◆ 28 ◆ aller / venir

　英語の *go, come* に相当するのが aller [アレ], venir [ヴニール] です．語尾が〈-er, -ir〉で終わっていますが，第3群不規則動詞（☞ p.58）です．まず，直説法現在の活用を見てみましょう．

〔1〕直説法現在の活用 ⑤

―― **aller** ――
je vais　[ジュ　ヴェ]	nous allons　[ヌザロン]
tu vas　[テュ　ヴァ]	vous allez　[ヴザレ]
il va　[イル　ヴァ]	ils vont　[イル　ヴォン]

―― **venir** ――
je viens　[ジュ　ヴィヤン]	nous venons　[ヌ　ヴノン]
tu viens　[テュ　ヴィヤン]	vous venez　[ヴ　ヴネ]
il vient　[イル　ヴィヤン]	ils viennent　[イル　ヴィエンヌ]

〔2〕用例

　それぞれ，英語の *go*「行く」，*come*「来る」に直接呼応する例をあげますと，こんな例があげられます．

Je vais à l'école.　　　　　私は学校に行く（通う）．
ジュ　ヴェ　ア　レコール

＊英語では *go to school*「学校（授業）に行く」ですが，仏語では aller à l'école と定冠詞 l' が必要です．

Je viens de Dijon.　　　　　私はディジョンの出身です．
ジュ　ヴィヤン　ドゥ　ディジョン

　しかし，aller, venir はもっと幅広く用いられます．p.36 で見たように aller は挨拶で使われます（健康状態が「～である」の意味）．⑤

▶ **Comment allez-vous?**　　　お元気ですか？
　コマンタレ　　　　ヴ

▷ **Je vais très bien.**　　　　とても元気です．
　ジュ　ヴェ　トレ　ビィヤン

70　(*soixante-dix*)

〔3〕**近接未来** futur proche ④

「(これから) 〜するところです，〜しようとしている」(近接未来)，あるいは意志，予定などの意味で．

> **aller**（現在形の活用）＋不定法

＊不定法 infinitif とは動詞の原形のこと（辞書に載っている形）．

Le train va arriver dans un instant.
ル トラン ヴァ アリヴェ ダンザンナンスタン

列車がもうすぐ来ます．

ただし，まったく同じ形で，「〜しに行く（目的）」の意味にもなりますので，ご注意ください．

Je vais chercher Paul à la gare.
ジュ ヴェ シェルシェ ポール ア ラ ガール

私は駅にポールを迎えに行きます．

＊「近接未来」と「〜しに行く」の違いは p. 223 を参照ください．

〔4〕**近接過去** passé récent ④

「〜したばかりである」(近接過去) には以下の形（juste「ちょうど」で強調されることもあります）．

> **venir**（現在形の活用）＋**de (d')**＋不定法

Il vient (juste) d'arriver à Paris.
イル ヴィヤン ジュストゥ ダリヴェ ア パリ

彼は（ちょうど）パリに着いたばかりです．

＊近接過去の時制が半過去（☞ p. 158）になることがあります．また，移動を表わす自動詞は現在形で近い過去を表わすことがあります．（☞ p. 85）

ただし，〈**venir**＋不定法〉の形ですと「〜しに来る（目的）」の意味になりますので，注意してください．

Tu viens déjeuner chez moi ?
テュ ヴィヤン デジュネ シェ モワ

家にお昼を食べに来ませんか？

◆ 29 ◆ 前置詞と冠詞の縮約

前置詞 à「～へ，～に」, de「～の，～から」に続いて，定冠詞 le, les をともなう名詞が来ると「冠詞の縮約」が起こります．たとえば，カフェオレ café au lait ［キャフェ オ レ］に使われている〈au〉の形がそれです．

〔1〕 前置詞 à, de と定冠詞の縮約 contraction ⑤

à+le → **au** ［オ］	de+le → **du** ［デュ］
à+les → **aux** ［オ］	de+les → **des** ［デ］

上記の組み合わせになる場合に形が変わるのです．

Il habite au Japon. 彼は日本に住んでいる．
イラビットゥ　オ　ジャポン

この文章は英語の *He lives in Japan.* に相当する文ですが，フランス語には国名にも男女の別がありました．そして，日本は男性名詞です．そこで，「日本に」と表現する際に，もし冠詞の縮約という現象がなければ，à le Japon となりますね（「日本」は唯一無二の名詞ですから定冠詞を使います）．しかし，上記の表にあるように「前置詞 à+定冠詞 le」は〈au〉となるのがルールです．また，

Vous venez du Canada ? カナダのご出身ですか？
ヴ　ヴネ　デュ　カナダ

も，英語では *Do you come from Canada ?* となる文例ですが，(×) de le Canada → (○) du Canada と冠詞が縮約されます．

しかし，たとえば以下のような場合に縮約は起こりません．

à la mode 流行している
ア ラ　モードゥ　　　　　　→ 定冠詞が女性形です．

rentrer de l'école. 学校から戻る
ラントゥレ ドゥ　レコール　　→ de l' は縮約しません．

72 (*soixante-douze*)

〔2〕冠詞の縮約と部分冠詞・不定冠詞 ④

すでにお気づきの方もおいでかもしれませんが，左記〈du, des〉は部分冠詞や不定冠詞の複数形とまったく同じ形です．これを混同しないでください．下記の2つの du を見てください．

du café　　　　　　　　　　コーヒー
デュ キャフェ　　　　　　　　　→「量」を表す部分冠詞

le plat *du* jour　　　　　　　お勧め料理（その日の料理）
ル プラ デュ ジュール　　　　　→ de+le jour の縮約

たとえば，Je prends [ジュ プラン]「私は〜を飲む（食べる）」(☞ p. 75) に上記の例をあてはめれば，こんな例文が作れます．

Je prends du café.　　　　　　コーヒーを飲む．
Je prends le plat du jour.　　　お勧め料理を食べる．

〔3〕国名・都市名と前置詞 ⑤④

国名・都市名を用いて「〜に，〜で，〜へ」と表現するケースで使われる前置詞をマトメて見ておきますと，以下のようなパターン化が可能です．

女性名詞の国・母音ではじまる男性の国	**en**	[アン]
男性名詞の国（単数）	**au**	[オ]
男性名詞の国（複数）	**aux**	[オ]
都市名	**à**	[ア]（無冠詞で）

Elle habite en France, à Lyon.
エラビットゥ アン フランス ア リヨン
　　　　　　　　　　　彼女はフランスのリヨンに住んでいる．

Vous allez en Iraq ?　　　　イラクに行きますか？
ヴザレ アンニラック

＊au ではなく音の関係で en を用います．

Il est au Japon.　　　　　　彼は日本にいる．
イレ ト ジャポン

Tu vas aux Etats-Unis ?　　　君はアメリカに行くの？
テュ ヴァ オゼタズユニ

＊[ozetazyni] となる読みに注意．

◆ 30 ◆ faire / prendre

-er, -ir で終わる規則動詞以外の動詞は不規則動詞です．そのなかにいくつか大切な動詞がありますが，たとえば，「〜をする」「行う」「作る」の意味を持つ **faire** [フェール]，「とる」「食べる（飲む）」「乗る」の意味を持つ **prendre** [プランードル] は頻度の高い重要動詞です（faire は日常頻度が 3 位，prendre は 11 位の動詞です）．

〔1〕直説法現在の活用 ⑤

直説法現在の活用は下記のようになります．

── faire ──	── prendre ──
je　fais　ジュ フェ	je　prends　ジュ プラン
tu　fais　テュ フェ	tu　prends　テュ プラン
il　fait　イル フェ	il　prend　イル プラン
nous faisons　ヌ フゾン	nous prenons　ヌ プルノン
vous faites　ヴ フェットゥ	vous prenez　ヴ プルネ
ils　font　イル フォン	ils　prennent　イル プレンヌ

＊nous faisons [ヌ フゾン] の発音は例外的に fai- と綴って [フ] の音，[フェ] とは読みません．

以下基本的な用法を見ていきましょう．

〔2〕faire の用例

(1) する，行うの意味で ⑤

Qu'est-ce que vous faites (dans la vie) ?
ケ　ス　ク　ヴ　フェットゥ　ダン ラ ヴィ

ご職業は何ですか？

Qu'est-ce que vous faites ce soir ?
ケ　ス　ク　ヴ　フェットゥ　ス　ソワール

今晩何をしますか？

(2) 非人称構文で ④

Il fait beau aujourd'hui. 今日は晴れです．
イル フェ ボ オージョルデュイ

(3) 〈faire+不定法〉「～させる」(使役) ③②

Je fais venir mon fils chez moi. 息子を自宅に来させます．
ジュ フェ ヴニール モン フィス シェ モワ

＊(1) の具体的な解説は p.104 で，(2) は p.106 で，(3) については p.200 でそれぞれ別途解説をしています．

〔3〕 prendre の用例

(1) 乗り物に「乗る」の意味で ⑤④

Il prend l'avion pour aller à Paris.
イル プラン ラヴィオン プール アレ ア パリ

彼はパリ行きの飛行機に乗る．

(2) 「食べる」「飲む」の意味で ⑤④

Je prends le petit déjeuner. 朝食をとります．
ジュ プラン ル プティ デジュネ

Vous prenez de la bière? ビールを飲みますか？
ヴ プルネ ドゥ ラ ビエール

＊「食べる」⑨ manger [マンジェ] (☞ p.80)，「飲む」㊶ boire [ボワール] という動詞もあります．(□の番号は巻末の活用表番号)

(3) 「(風呂などに) 入る，浴びる」の意味で ④

Il ne prend pas de douche. 彼はシャワーをあびません．
イル ヌ プラン パ ドゥ ドゥーシ

〔4〕 prendre と同型活用の動詞 ④

なお，prendre と同じ活用をする動詞として，apprendre [アプラーンドル]「学ぶ，教える」，comprendre [コンプラーンドル]「理解する」(日常頻度30位) など，prendre に接頭辞がついた単語がいくつかあります．

J'apprends le français. フランス語を学んでいます．
ジャプラン ル フランセ

Je ne comprends pas. (おっしゃることが) わかりません．
ジュ ヌ コンプラン パ

＊この文は相手の話・質問が不明のときに使います．Je ne sais pas. [ジュ ヌ セ パ] は「(答えを) 知りません」の意味で用います．

◇ 補遺 D ◇ 冠詞の補足説明

すでに，◆16◆で3種類の冠詞の形と基本的な用法を見ましたが，細かい用法には触れていません．ここで再確認しながら，3つの冠詞の用法を少し細かくチェックしておきましょう．

〔1〕 不定冠詞の用法 article indéfini 5

数えられる名詞に用いて，初めて聞き手に名詞を提示するとき，「任意の1つ」，あるいは「いくつか」の意味を表し，「ある～」「いくつかの～」となります．たとえば，こんな会話で．

▶ **Tu as une voiture ?**　　　君は車を持ってる？
　テュ ア ユヌ ヴォワテュール

▷ **Non, je n'ai pas de voiture.**　　いいえ，持っていません．
　ノン ジュ ネ パ ドゥ ヴォワテュール

＊否定文中での冠詞の変形については p.67 を参照．

ところで，**複数名詞の前に形容詞が置かれると，不定冠詞複数 des が de に変わります．**

〔2〕　de＋形容詞複数形＋名詞複数形　4

たとえば，Elle a une jolie poupée.［エラ ユヌ ジョリ プペ］「彼女はかわいい人形を持っている」の〈une jolie poupée〉を複数名詞に変えると，不定冠詞が〈de〉，

Elle a de jolies poupées.　彼女はかわいい人形を持っている．
エラ ドゥ ジョリ プペ

となります．des jolies poupées とはなりません．

＊ただし，この約束を軽視しているフランス人もいます．なお，形容詞の意味が名詞に吸収されているような単語の場合（形容詞と名詞の結合度が高い「合成語」の場合）には，des をそのまま使います．3 2
例：un petit pain → des petits pains　小型のロールパン（プチパン）
　アン プティ パン　デ プティ パン

〔3〕 **定冠詞の用法** article défini

英語の *the* と同じく既に話題にのぼった名詞，あるいはそれとわかる「例の~」「あの~」の意味で使われる冠詞です．ほかに下記の用法が基本的な使い方です．

(1) 限定されている名詞に 5

Voilà un vélo.　　　　　**C'est le vélo de Paul.**
ヴォワラ　アン　ヴェロ　　　　　セ　ル　ヴェロ　ドゥ　ポール
あそこに自転車があります．　ポールの自転車です．

*de Paul「ポールの」と名詞が限定されているため，自転車に定冠詞を用います．(☞ Q & A p. 215)

(2) 唯一のものを表す名詞に 4

Le soleil se lève à l'est.　　太陽は東から昇る．
ル　ソレイユ　ス　レーヴ　ア　レストゥ
　　　　　　　　　　　　　　　◆代名動詞（☞ p. 124）

(3) 総称「~というもの（全体）」の意味で 4 3 (☞ p. 78)

Marie aime les fleurs.　　マリーは花が好きです．
マリー　アーム　レ　フルール

〔4〕 **部分冠詞の用法** article partitif 5

不定冠詞が名詞の「数」を問題にするのに対して，部分冠詞は数えられない名詞に用いて，全体量の一部「いくらかの（若干量の）~」という「量」を意味します．

Du vin rouge, s'il vous plaît.　赤ワインをください．
デュ　ヴァン　ルージュ　スィル　ヴ　プレ

また，抽象名詞の前で程度を表します（これも抽象的な概念を「量」としてとらえた表現です）．

Elle a de la patience.　　　彼女は忍耐力がある．
エラ　ドゥ　ラ　パスィアーンス

*部分冠詞は「総称」を表す定冠詞の前に「部分」を表す前置詞 de が付いてできあがった冠詞です．
la patience（忍耐というもの）→ de+la patience（忍耐というものの一部）

(*soixante-dix-sept*) 77

◇ 補遺 E ◇ 総称・冠詞の省略

〔1〕総称を表す冠詞

総称（全体）générique「～というもの」を表す場合，数えられる名詞には定冠詞複数形を，数えられない名詞には定冠詞単数を用いるというのが通常です．4

Les voitures sont très pratiques. 車はとても便利なものだ．
レ ヴォワチュール ソン トレ プラティック

Le vin rouge est bon pour la santé. 赤ワインは健康によい．
ル ヴァン ルージュ エ ボン プール ラ サンテ

しかし，下記の例文のように，もし他のものとの対比を意識したり，単語の抽象度が増せば，数えられる名詞でも定冠詞単数を用いますし（概念として考えられたとき），逆に，物質・抽象名詞であっても多様な種類が想定される場合には定冠詞複数が用いられるケースもあります（具体物ととらえる視点）．3 （☞ Q&A p.216）

La femme est un être énigmatique pour l'homme.
ラ ファム エタンネートゥル エニグマティック プール ロム
男にとって女というものは謎の存在だ．

また，好き嫌いを表わすときに，形状を意識して，全体を食べるか部分を食べるかによって単複をわけて考える語もあります．3 2

J'aime les tomates. トマトが好きです．
ジェーム レ トマットゥ
 ◆個数を食べるもの

J'adore le melon. メロンが大好きです．
ジャドール ル ムロン
 ◆全体の一部を食べるもの

＊ヨーグルト yaourt [ヤゥール] は le yaourt, les yaourts 両方可．「米」riz [リ] など粒状の食べ物では単数（豆を除く）を使って総称を表します．

代表的に「～というものはどれ1つとっても（誰でも）」という意味になると，総称でも不定冠詞が使われる場合もあります．3 2

Un Français aime le vin. フランス人ならワインが好きです．
<small>アン　フランセ　エーム　ル　ヴァン</small>

*不定冠詞 un のニュアンスが生きていて，「(もしその当該の1人物が) フランス人なら，(当然) 他のフランス人と同じく」の含みを持った文章です．

> *cf.* Les Français aiment le vin.　　[レ　フランセ　エーム　ル　ヴァン]
> Le Français aime le vin.　　[ル　フランセ　エーム　ル　ヴァン]

上記は「フランス人というもの (全員)」の意味で使われています．通例は複数が使われ，「フランス人なら皆」という含み．単数は他国の人と対比するような文脈で用いられます．

〔2〕冠詞を省略する例

(1) 国籍，身分，職業などを表す名詞が属詞 (英語の補語に相当) として使われたケース．⑤ (☞ p. 49)

Je suis français(e).　　私はフランス人です．
<small>ジュ スュイ フランセ(セーズ)</small>

(2) 呼びかけ．⑤

Bonjour docteur.　　(医者に対して) 先生，こんにちは
<small>ボンジュール　ドクトゥール</small>

(3) 動詞とともに成句をつくる例．⑤ (☞ p. 239)

avoir {
- **chaud** [ショ] 暑い
- **froid** [フロワ] 寒い
- **faim** [ファン] お腹がすいた
- **soif** [ソワフ] 喉が渇いた
- **raison** [レゾン] 正しい
}

(4) 前置詞を先立てて，他の名詞の性質を限定する形容詞に近い働きをする場合，あるいは副詞句を構成する場合．④

une pièce d'or 金貨　　　**avec plaisir** 喜んで
<small>ユヌ ピエス ドール</small>　　　<small>アヴェック プレズィール</small>

(5) 数量副詞＋**de**＋無冠詞名詞のケース．④③ (☞ p. 120)

Il y a peu de touristes cet été. この夏は観光客が少ない．
<small>イリア　プー　ドゥ　トゥーリストゥ　セテテ</small>

◇ 補遺 F ◇ 第1群規則動詞の変則的活用

◆22◆ で第1群規則動詞（-er 動詞）の直説法現在の活用形を確認しました．しかし，第1群規則動詞のなかには音声上の理由で口調を整えるために，p.58 に記した一覧とは違う語幹をとる動詞があります．

〔1〕直説法現在で nous の活用が変則的になる例 ④

〈 -cer：[ス] の音を保つ 〉　　　　〈 -ger：[ジュ] の音を保つ 〉
nous -çons：-c- を -ç- に　　　　**nous -geons**：-e- を挿入

例：**commencer** [コマンセ] 始める　　　　**manger** [マンジェ] 食べる

je commence	nous commen*çons*	je mange	nous man*geons*
ジュ　コマンス	ヌ　　コマンソン	ジュ　マンジュ	ヌ　　マンジョン
tu commences	vous commencez	tu manges	vous mangez
テュ　コマンス	ヴ　　コマンセ	テュ　マンジュ	ヴ　　マンジェ
il commence	ils commencent	il mange	ils mangent
イル　コマンス	イル　コマンス	イル　マンジュ	イル　マンジュ

Nous commençons tout de suite ce travail.
ヌ　　　　コマンソン　　　　トゥトゥスュイットゥ　ス　トラヴァイユ

　　　　　　　　　　　　　　　私たちはその仕事をすぐに始めます．

Nous ne mangeons pas de poisson.
ヌ　ヌ　　マンジョン　　パ　ドゥ　ポワッソン

　　　　　　　　　　　　　　　私たちは魚は食べません．

＊他に annoncer [アノンセ]「予告する」，placer [プラッセ]「置く」，prononcer [プロノンセ]「発音する」，あるいは nager [ナジェ]「泳ぐ」，changer [シャンジェ]「変える」，voyager [ヴォワイヤジェ]「旅行をする」等の動詞があります．なお，上記は巻末の動詞活用表 ⑧ 〜 ⑨（活用表の pp. 8-9）に該当する動詞です．活用表の右頁，右端にある「同型」の欄を参照ください．

〔2〕直説法現在で nous, vous の語幹と je, tu, il(s) の語幹が異なる例 ④③ （巻末活用表の ⑩～⑮ に該当する動詞）

(1) **-e+子音字 (n, s, v...)+er**：[エ] の音を保つために．
je, tu, il(s) で -è- と綴ります．

(2) **-é+子音字+er**：「閉じたエ」の音を「開いたエ」の音にするために．
je, tu, il(s) で -è- と綴ります．

(3) **-eler, -eter** の大半：l, t の子音字を重ねる．
je, tu, il(s) で -ll-, -tt- と綴ります．
＊ただし，語尾が (3) と同じでも，geler [ジュレ]「凍る」, acheter [アシュテ]「買う」のように (1) の活用形をとる動詞があります（動詞活用表 ⑩）．

(4) **-oyer, -uyer**：[ワイ][ユイ] の音を [イ] とするために．
je, tu, il(s) で -y-を -i- と綴ります．

(5) **-ayer**：2つの動詞活用を持つ．
je, tu, il(s) で -y- をそのままにする活用形と，-i- と綴りを変える2つの活用形を持ちます．

(1) **mener** [ムネ] 導く
je mène　　nous menons
tu mènes　 vous menez
il mène　　ils mènent

(2) **espérer** [エスペレ] 期待する
j'espère　　nous espérons
tu espères　vous espérez
il espère　　ils espèrent

(3) **jeter** [ジュテ] 捨てる
je jette　　nous jetons
tu jettes　 vous jetez
il jette　　ils jettent

(4) **employer** [アンプロワイエ] 雇う
j'emploie　　nous employons
tu emploies　vous employez
il emploie　　ils emploient

(5) **payer** [ペイエ] 払う：je paye, tu payes... とする活用形と (4) と同じく je paie, tu paies... の活用とがあります．

(*quatre-vingt-un*) 81

◇ 補遺 G ◇　文の要素と文型

　文章を構成する諸要素は，動詞に対してどのように機能するかによって次のように分類されます．

〔1〕 文の要素　phrase ④
(1) **主語** sujet：動詞の表す行為の主体のことで，名詞・代名詞または名詞相当語がその役割をはたします．日本語では通例，「～は，～が」と訳される語です．
(2) **動詞** verbe：文章（あるいは節）の動作・状態・変化を表す語です．
(3) **直接目的補語** complément d'objet direct：他動詞に前置詞なしで直接意味を与える語（主に，人や物）のことで，日本語では通常，「～を」と訳されます．なお，簡略に直接補語（あるいは直接目的語）と表記しているテキストもあります．
(4) **間接目的補語** complément d'objet indirect：他動詞に，主に前置詞 à（あるいは de）を介して間接的に意味を与える語のこと．日本語では通常「～に」と訳されます．簡略に間接補語（間接目的語）と表記しているテキストもあります．
(5) **属詞** attribut：主語または直接目的補語の属性を表す語（その性質や特性，職業や身分などを説明する語）です．属詞の役目をはたすものには，名詞・代名詞・形容詞・不定法などがあります．
(6) **状況補語** complément circonstanciel：さまざまな付帯状況を表す語のこと．主に副詞，前置詞句など．具体的には，場所・時間・手段・原因・目的などを表します．なお，以下の文型には関係のない，修飾語とみなされます．

〔2〕 文型　type de phrase ④ ③
　フランス語は上記 (1)～(5) の文の構成要素（さまざまな修飾語＝文の枝葉を省いた形）から，右の6つの基本文型に分類して考えることができます．

1 文型　S+V

Le soleil brille.
ル　ソレィユ　ブリーュ

太陽は輝く．

＊この動詞は完全自動詞と呼ばれます．英語の第1文型と同じ文型です．

2 文型　S+V+A

Je suis heureux(se).
ジュ　スュィ　ウルー(ルーズ)

私は幸せです．

＊不完全自動詞（属詞を必要とする動詞のこと）．je＝heureux(se)（主語＝属詞の関係）が成り立ちます．英語でSVC（補語）と考える文型に相当します．

3 文型　S+V+COD

J'aime le jazz.
ジェーム　ル　ジャズ

私はジャズが好きです．

＊統計的に世界の主要な63言語のうち，SVOの文型をとる言語は32％，日本語と同じくSOVとなる言語は48％あります．

4 文型　S+V+COI

Il obéit à ses parents.
イロベィ　ア　セ　パラン

彼は両親に従う（親のいいつけを守る）．

＊間接他動詞（自動詞と分類している辞書もある）と呼ばれます．

5 文型　S+V+COD+COI

Je donne une rose à Marie.
ジュ　ドンヌ　ユヌ　ローズ　ア　マリー

私はマリーにバラをあげる．

＊英語では間接目的語の考え方がフランス語と違うために，上記のパターンは3文型とみなされます．

6 文型　S+V+COD+A

Je trouve cette fille très jolie.
ジュ　トゥルーヴ　セットゥ　フィーユ　トレ　ジョリ

私はあの少女をとてもかわいいと思う．

＊cette fille＝jolie（直接目的補語＝属詞）の関係が成り立つ文型．

(quatre-vingt-trois)

◇ 補遺 H ◇　直説法現在の射程

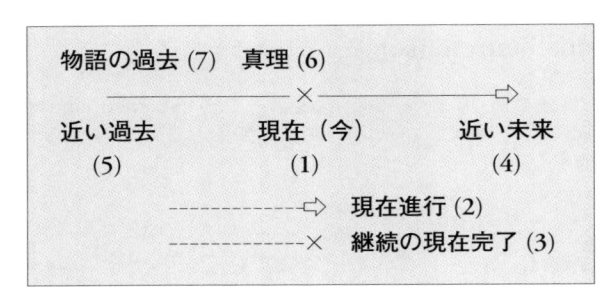

直説法 mode indicatif (☞ p.142) の現在は，かならずしも現実の時間＝現在を表現するとは限りません．以下の (1) ～ (7) といった過去から未来までも包含した時制です．

```
物語の過去 (7)　真理 (6)
――――――――――×――――――――――⇨
近い過去　　　　現在（今）　　　近い未来
 (5)　　　　　　 (1)　　　　　　　 (4)
　　　　-------------⇨　現在進行 (2)
　　　　-------------×　継続の現在完了 (3)
```

(1) 現実の時間に則したそのままの表現ですので特別な説明は不要だと思われます．⑤

Maintenant, il travaille à Paris.
マントゥナン　　イル　トラヴァィユ　ア　パリ

いま，彼はパリで働いています．

(2) 英語の〈 *be* 動詞 (*is, am, are*)＋*-ing*〉，＝現在進行形「～している」という時制も，フランス語は直説法現在を用います．⑤

Il joue du piano.　　　彼はピアノを弾いています．
イル　ジュ　デュ　ビィャノ

＊現在進行形の訳がつけられるのは，ある一定時間行為が継続する動詞です．上記の例を (1) と考えれば「ピアノを弾く」という訳も可能です．なお，継続中の動作であることを明示するには〈être en train de＋不定法〉を用います．

(3) 英語の現在完了の継続「(ずっと) ～している」(過去にはじまり現在も続いている事柄) を現在形で表します．④ ③

J'habite à Kyoto depuis dix ans.
ジャビットゥ　ア　　　　　デュピュィ　ディズアン

10 年前から京都に住んでいます．

＊左記の例文を英語では *I have lived in Kyoto for ten years.* と現在完了で書きます．

(4) 近い未来を表すにはすでに p.71 で見た〈**aller+不定法**〉を使うこともできますが，直説法現在でも表現することが可能です．また，確定的な未来を表わす場合も現在形が使えます．④③

Elle part demain matin. 彼女は明日の朝出発します．
<small>エル　パール　ドゥマン　マタン</small>

(5) 近い過去も直説法現在で表すことがあります（近接過去は p.71 で見た〈**venir de+不定法**〉の形も使うことができます）．③

Elle sort à l'instant. 彼女はたった今出ていった．
<small>エル　ソール　ア　ランスタン</small>

＊sortir, partir「出発する」, arriver「到着する」など移動を表わす自動詞にこの用法が使われます．

また，上記の他に (6) 普遍的な事実（真理や諺，格言など）を表す場合（超時的現在 présent absolu と呼ばれる）⑤，あるいは (7) 過去の事柄（歴史的事象・物語など）を記述する際に，描写に生彩を与え，読み手を引きつけるための時制（歴史的現在 présent historique, あるいは説話的現在 présent narratif, présent de narration などと呼ばれる）② としても使われます．

(6) **La terre tourne.** 地球はまわる．
<small>ラ　テール　トゥルヌ</small>

Le temps, c'est de l'argent. 時は金なり．
<small>ル　タン　セ　ドゥ　ラルジャン</small>

(7) 単純過去（☞ p.194）に代わって用いられる現在形と言い換えることができます．

Le roi quitte la France et entre en Italie.
<small>ル　ロワ　キットゥ　ラ　フランス　エ　アントル　アンニタリィ</small>
王はフランスを離れ，イタリアへ入った．

動詞の法・時制の頻度順について

フランス語の動詞で最も使用頻度の高い法・時制は？

活用が煩雑なフランス語の動詞をどこまで覚えればよいのか——学習効率を考えるうえで，この点を考えてみることはけっして無意味ではないと思います．

もちろん，動詞によって例外はありますし，あるパターンばかり使われる動詞もあります．たとえば，mourir「死ぬ」であれば，直説法現在で使われる例は稀です．また，plaire「（人の）気に入る」という動詞は，〈s'il vous plaît〉〈s'il te plaît〉の成句で使われるケースが圧倒的に頻度が高い．

しかし，こうした個々の動詞の差を踏まえたうえで，通常の会話に使われる代表的な法と時制の頻度順を考えていきますと，おおむね以下のようになるようです．

> (1) 直説法現在，不定法
> (2) 直説法複合過去
> (3) 命令法
> (4) 直説法半過去
> (5) 直説法単純未来，近接未来，条件法現在，接続法現在
> (6) 直説法大過去
> (7) 条件法過去，直説法前未来
> (8) その他（接続法過去，単純過去など）

cf. **Dictionnaire de fréquence des mots du français parlé**

＊(1)～(4)までの法と時制で，会話の約85％が展開します．

本書で学習する順番は上記の通りではありませんが，この時制は忘れてもかまわない（？），ここはまだ習得しなくても大丈夫（?!），そんな指標として使えるかもしれません．

第 3 章 初級文法

> 入門文法を踏まえつつ，31 課〜50 課までは主に仏検 4 級レベル〜 3 級レベルの文法を扱います（一部 5 級レベルに相当する文法事項もあります）．進度の目安は，初級用文法教科書・文法講読書で約 3 か月を過ぎた段階から学習する内容です．

◇ 仏検合格のための文法基準目安表 ◇

本書の掲載順に 50 課まで文法をチェックしていった場合に**どの頁まで進めば，仏検の合格率がどの程度になるかを示した表**です．

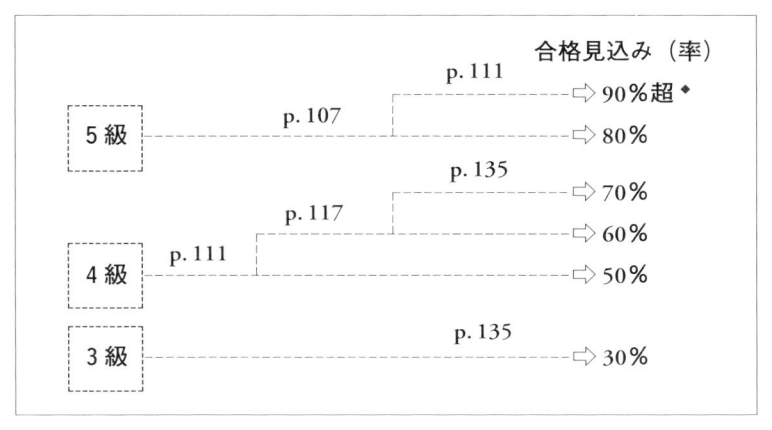

```
                                              合格見込み（率）
                                p. 111
                          ┌─────────────── ⇨ 90％超 ◆
                    p. 107│
  ┌─────┐ ──────────────┘──────────────── ⇨ 80％
  │ 5 級 │
  └─────┘                         p. 135
                          ┌───────────────── ⇨ 70％
                    p. 117│
                   ┌──────┘──────────────── ⇨ 60％
  ┌─────┐  p. 111 │
  │ 4 級 │────────┘───────────────────────── ⇨ 50％
  └─────┘

  ┌─────┐              p. 135
  │ 3 級 │────────────────────────────────── ⇨ 30％
  └─────┘
```

◆ 仏検 5 級に本書 ◆ **43** ◆ で扱っている比較表現が出題されることがあります．（◆ **48** ◆ の命令法も 5 級の範囲です）

英文参照・速攻文法整理 III

31課から50課までの文法の重要ポイントを英語の例文と照らしながら展望していきます.

---
⑧
How old are you? ⇨ **Quel âge avez-vous ?**
何才ですか？　　　　　　ケラージュ　アヴェヴ

⇨ **疑問形容詞** (☞ p. 94)

　　　how → quel (quelle, quels, quelles)

◇英語の *what, how* に相当する仏語の疑問詞（疑問形容詞と呼びます）は〈quel〉という形を用います. 形容詞ですから修飾する名詞に応じて形が変わります.

◆「年齢」をたずねるのに英語では〈*be* 動詞〉を使いますが, 仏語では〈avoir〉です. 他に, 疑問形容詞を使った下記のような表現が初級レベル必須の表現です.

例：*What time is it?*　　　　→ **Quelle heure est-il ?**
　　何時ですか？　　　　　　　　ケルール　　エティル

　　What is the weather like? → **Quel temps fait-il ?**
　　　　　　　　　　　　　　　　　　ケル　タン　フェティル
　= *How is the weather?*
　　天気はどうですか？

＊時間・天候を表す疑問文には il（英語の *it* に相当）を主語とした非人称表現を用います.（☞ p. 106）

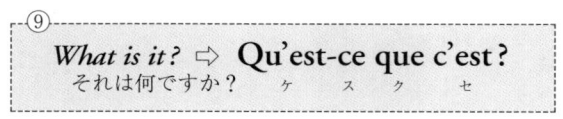

---
⑨
What is it? ⇨ **Qu'est-ce que c'est ?**
それは何ですか？　ケ　ス　ク　セ

⇨ **疑問代名詞** (☞ p. 104)　　　*what* → qu'est-ce que

◇人・物に対して「誰（が）（を）」「何（が）（を）」とたずねる場合には疑問代名詞を用います. いささか複雑な展開をする疑問詞ですが, 基本例文をしっかり覚えれば大丈夫.

⑩
> ***I love you.***   ⇨ **Je vous aime.**
> あなたを愛しています．　ジュ　ヴゼーム

⇨ **補語人称代名詞**（☞ p. 112）　　*you* → **vous**

◇英語と仏語では代名詞（目的格）「～を（に）」（仏語では補語人称代名詞と呼びます），その置き位置が違います．

例：*I love Mary.*　　*Mary* = *her*　→　*I love her.*
　　J'aime Marie.　Marie = la (l')　→　Je l'aime.
　　ジェーム　マリー　　　　　　　　　　　　ジュ　レーム

原則　| 補語人称代名詞は動詞の「前に」置きます．

⑪
> ***Don't smoke here.***　⇨　**Ne fumez pas ici.**
> ここでタバコを吸わないで．　ヌ　フュメ　パ　イスィ

⇨ **命令文**（☞ p. 127）　*Don't*＋動詞原形　→ **Ne**＋活用動詞＋**pas**
⇨ **副詞**（☞ p. 128）　　　　　　　*here* → **ici**

◇命令文は動詞の原形（仏語では不定法・不定詞と呼びます）ではなく，原則的に現在形の動詞活用から主語を省く形で作ります．その動詞を〈ne (n')…pas〉ではさめば否定命令文になります．

例：
Look!　　　（君）　　　　　**tu regardes**　　→ **Regarde！**
見なさい，ほら　　　　　　　　　　　　　　　　　　　ルギャルドゥ
　　　　　　　（あなた）
　　　　　　　（あなたがた）**vous regardez**　→ **Regardez！**
　　　　　　　　　　　　　　　　　　　　　　　　　　ルギャルデ

Let's look!　（私たち）　**nous regardons** → **Regardons！**
（さあ）見てみよう　　　　　　　　　　　　　　　　　　ルギャルドン

＊2人称単数 tu に対する命令では語末の〈-s〉が省かれる動詞が大半です．なお，nous に対する命令は英語の〈*let's*〉「～しよう，～しましょう」に相当するものです．

英文参照・速攻文法整理 IV

⑫
> *She is as old as I.* ⇨ **Elle est aussi âgée que moi.**
> 彼女は私と同じ年です．　エレトッスィ　アジェ　ク　モワ

⇨ **比較級**（☞ p. 116）　　　　　　　*as ... as* → aussi ... que
⇨ **人称代名詞強勢形**（☞ p. 115）　　*I* → moi

◇英語が原則的に，形容詞・副詞に〈er〉つけて比較級を表すのに対して，仏語では形容詞・副詞を下記の同等・優等・劣等比較の形ではさむ形で展開します．

$$A+動詞+\begin{Bmatrix} \textbf{aussi} \\ \textbf{plus} \\ \textbf{moins} \end{Bmatrix}+形容詞／副詞+\textbf{que}\ B \begin{matrix} → ① \\ → ② \\ → ③ \end{matrix}$$

① **aussi ... que**　　同等比較　　AはBと同じく〜
② **plus ... que**　　優等比較　　AはBよりも〜
③ **moins ... que**　　劣等比較　　AはBより〜ない

◇英語では *I*（あるいは *me*）と主格（あるいは目的格）で表される比較の対象を仏語では下記の強勢形を用います．

主語	je	tu	il	elle	nous	vous	ils	elles
強勢形	**moi**	**toi**	**lui**	**elle**	**nous**	**vous**	**eux**	**elles**
	モワ	トワ	リュイ	エル	ヌ	ヴ	ゥ	エル

⑬
> *I get up at six o'clock.* ⇨ **Je me lève à six heures.**
> 私は6時に起きる．　ジュ　ム　レーヴ　ア　スィズール

⇨ **代名動詞**（☞ p. 124）　　　　*get up* → me lève (se lever)

◆（活用）-er 動詞の特殊形．（☞ p. 80）

⇨ **前置詞** (☞ p. 102)　　　　　　*at*　　　→ **à**
⇨ **数詞** (☞ p. 96) **時刻** (☞ p. 106)　*six o'clock*　→ **six heures**

◇英語の動詞＋再帰代名詞（*oneself*）に相当する形を持つ動詞を（再帰）代名詞＋動詞 → 代名動詞と呼びます．日常の反復的行為を中心にこの動詞が仏語では頻繁に登場します．

◇時刻は英語と同じく，非人称構文で表します．

　例：*It is five o'clock.* → **Il est cinq heures.**
　　　　5時です．　　　　　　イレ　　サンクール

　また，疑問形容詞に前置詞が添えられ，代名動詞を使った下記の表現は疑問文の定番です．(☞ p. 134)

　例：*What time do you go to bed?*
　　　　　　　　　　→ **A quelle heure vous couchez-vous?**
　　　　　　　　　　　　ア　ケルール　ヴ　クシェ　ヴ
　　　　　　　　　　　　何時に寝ますか？

⑭
> *I want to go to France.* ⇨ **Je veux aller en France.**
> 　私はフランスに行きたい．　　ジュ　ヴザレ　アン　フランス

⇨ **動詞 vouloir** (☞ p. 122)　　*want to*　→ **veux (vouloir)**
⇨ **動詞 aller** (☞ p. 70)　　　 *go*　　　→ **aller**
⇨ **前置詞** (☞ p. 73)　　　　　 *to*　　　→ **en**

◇英語の助動詞に相当する大切な仏語があります（後ろに不定法を導きます）．

　例：*can*　　　　→ **pouvoir**　［プーヴォワール］　〜できる
　　　must　　　→ **devoir**　　［ドゥヴォワール］　〜しなければならない
　　　be able to　→ **savoir**　　［サヴォワール］　　〜できる

◇国名と前置詞（「〜に（へ）」の意味で）
〈**en**＋女性名詞（あるいは母音で始まる男性名詞）〉
〈**au**＋男性名詞〉　＊au は〈à＋le〉の縮約．(☞ p. 72)

　例：*go to England*　→ **aller en Angleterre**　　イギリスへ行く
　　　live in Japan　 → **habiter au Japon**　　　 日本に住む

(quatre-vingt-onze) 91

◆ 31 ◆ 疑問副詞

英語の 5 W 1 H に相当する語，つまり疑問詞をフランス語では「疑問副詞」「疑問形容詞」「疑問代名詞」と称します．質問することで相手から得たい情報が副詞で表される語，形容詞で表される語，そして名詞で表される場合をそれぞれ上記のように呼ぶためです．まず，疑問副詞から見ていきます．

〔1〕 疑問副詞 adverbe interrogatif ５ ４

quand カン	いつ	**depuis quand** デュプュイ カン	いつから
où ウ	どこ	**d'où** ドゥ	どこから
combien コンビィヤン	いくら	**combien de** コンビィヤン ドゥ	いくつ
pourquoi プルクワ	なぜ	**comment** コマン	どのように

＊depuis quand, d'où は前置詞＋疑問副詞の形．いくつと数をたずねるときには，〈**combien de**＋名詞（主に複数）〉の形を用います．なお，疑問副詞は日常会話で単独で（1 語だけで）使われることがあります．

〔2〕 用例 ５ ４

疑問副詞は文頭に置かれ，主語と動詞を倒置した形で用いられます．５

Quand partez-vous ?　　　いつ出発しますか？
カン　　パルテ　　ヴ

＊ただし，日常語では，以下のように表現するケースが大半です．

　Quand est-ce que vous partez ? ［カンテスク　ヴ　パルテ］
　Vous partez quand ? ［ヴ　パルテ　カン］

quand est-ce que は [カンテスク] とリエゾンされます．また，疑問詞を最後に置く疑問文は会話で頻繁に使われる形です．

なお，この例文に登場する動詞 partir [パルティール]「出発する」は不規則動詞で直説法現在の活用は下記の通りです（巻末動詞活用表 [18]）．

je pars [ジュ パール]	nous partons [ヌ パルトン]
tu pars [テュ パール]	vous partez [ヴ パルテ]
il part [イル パール]	ils partent [イル パルトゥ]

Depuis quand êtes-vous à Paris ?
[デュピュイ カン エットゥ ヴ ア パリ]

いつからパリにいるのですか？

Où avez-vous mal ?
[ウ アヴェ ヴ マル]

どこが痛みますか？

* **avoir mal à**＋定冠詞＋身体部

の形で「〜が痛い」の意味になる成句を作ります．上記の質問に対して，たとえば，「頭（胃／歯）が痛い」なら，J'ai mal à la tête (à l'estomac / aux dents). [ジェ マラ ラ テットゥ (ラ レストマ／オ ダン)] という答えになります．

D'où venez-vous ?
[ドゥ ヴネ ヴ]

どちらのご出身ですか？
（どちらからおいでですか？）

Combien coûte ce livre ?
[コンビィヤン クートゥ ス リーヴル]

この本はいくらですか？

Combien de frères avez-vous ?
[コンビィヤン ドゥ フレール アヴェ ヴ]

ご兄弟は何人ですか？

Pourquoi pleure-t-elle ?
[プルクワ プルルテル]

なぜ彼女は泣いているのですか？

Comment faire ?
[コマン フェール]

どうしたらよいのだろう？

＊〈Comment faire ?〉の不定法〈faire〉は疑問詞とともに活用せずに用いられた「不定法の動詞的用法」です．[3] (☞ p. 134)

◆ 32 ◆ 疑問形容詞

〔1〕疑問形容詞 adjectif interrogatif

疑問形容詞とは，たとえば，英語の *What time is it?* に使われる *what* に相当する単語で，形容詞「何の，どんな」として働くケースと代名詞「何」として働くケースとがあります．名詞の性・数に応じて下記の4つの形をとりますが，リエゾンが生じるケースを除いて，単独の読みは**すべて同じ** [kεl ケル] となります．

男性単数	女性単数	男性複数	女性複数
quel	**quelle**	**quels**	**quelles**

＊複数形は母音（または無音の h）の前でリエゾンします．

〔2〕用例

(1) 形容詞として働く場合には下記のパターンをとります．

> **Quel(le)(s)＋名詞＋動詞＋主語 ?** [5]

Quel âge avez-vous ? あなたは何歳ですか？
ケラージュ アヴェ ヴ

Quelle musique aimez-vous ? どんな音楽が好きですか？
ケル ミュズィック エメ ヴ

＊âge「年齢」は男性名詞（単数），musique「音楽」は女性名詞（単数）ですので，それぞれ疑問形容詞の綴り字が quel, quelle となる理屈です．

Nous sommes quel jour ? 何曜日ですか？
ヌ ソム ケル ジュール

＊上記のように疑問形容詞を文尾に置く疑問文は会話で用います．なお，曜日・日付を表現するときには，Nous sommes（あるいは On est [オンネ]〔on については（☞ p. 110）〕）を使います．

左記の文は jour「日」の意味であることから，日付をたずねる文と錯覚しがちです．ちなみに，日付をたずねる場合には
　Quelle date sommes-nous? [ケル ダットゥ ソム ヌ]
　Le combien sommes-nous? [ル コンビィヤン ソム ヌ]
といった言いまわしを用います．（☞ p. 101）

(2) 代名詞として働く場合には下記のパターンになります．

> **Quel(le)(s)＋動詞 (être)＋主語 ?** ④

Quel est ton poids?
ケレ　トン　ポワ
体重はどの位なの？

Quelle est votre adresse?
ケレ　ヴォートゥル　アドレス
住所はどちらですか？

＊主語 poids「体重」は男性名詞（単数），adresse「住所」は女性名詞（単数）ですので，上記の例文はそれぞれ quel, quelle と主語の性・数に一致した形になります．

(3) 感嘆文にも使われます．④ ③

Quelles belles fleurs!
ケル　ベル　フルール
なんて美しい花でしょう！

＊英語の *What beautiful flowers (they are)!* に相当する感嘆文です．fleurs が女性名詞（複数）ですので，疑問形容詞が quelles となります．なお，形容詞 belle については p. 53 で確認してください．

Quel monde il y a!
ケル　モーンドゥ　イリア
なんてすごい人出だ！

＊通常，感嘆文では主語と動詞を明示しない形が多いのですが，上記のようにS＋V と続くケースもあります．

(*quatre-vingt-quinze*)

◆ 33 ◆ 数詞 ①

〔1〕基数 1〜20 nombres cardinaux ⑤

フランス語の数は，日本語や英語などに比べてかなり複雑な数え方をします．中世のノルマン侵略の影響で，いわば 20 進法的な考え方が現在も残っているためです（古代ローマ時代の記数法の残存も加わっています）．まず，1〜20 までの基数を見ていきます．

1	un [アン] une [ユヌ]	11	onze [オーンズ]
2	deux [ドゥ]	12	douze [ドゥーズ]
3	trois [トロワ]	13	treize [トレーズ]
4	quatre [キャトゥル]	14	quatorze [キャトーズ]
5	cinq [サンク]	15	quinze [カーンズ]
6	six [スィス]	16	seize [セーズ]
7	sept [セットゥ]	17	dix-sept [ディセットゥ]
8	huit [ユイットゥ]	18	dix-huit [ディズユイットゥ]
9	neuf [ヌフ]	19	dix-neuf [ディズヌフ]
10	dix [ディス]	20	vingt [ヴァン]

  *1 は不定冠詞と同じく，男性名詞を数えるときに un が，女性名詞を数えるときに une が使われます．

 **母音ではじまる名詞の前に置かれるとリエゾンがおこなわれます．
   例：six_hommes [スィゾム] 6人の男　neuf_ans [ヌヴァン] 9歳

***単独で数詞を発音すると 5〜10 までの数字は語末の子音を読みます．ただし，子音ではじまる名詞の前に置かれたとき，6, 8, 10 は語末の子音字を発音しません．ただし，100 [サン] との混同を避ける意図から 5 は読むことがあります．(☞ Q & A p.213)
   例：six personnes [スィ ペルソンヌ] 6人　cinq francs [サン(ク) フラン] 5フラン

〔2〕基数 21〜69 ④

21 以降は足し算の発想で展開していきます．ただし，21, 31, 41, 51, 61 のときだけ〈et un〉[エ アン]（＋1）となります．他は単純に基数を並べていくだけです（書くときには間にトレ・デュニオンを書き添えます）．

21	**vingt et un(une)**	[ヴァンテーアン(ユヌ)]
22	**vingt-deux**	[ヴァントゥドゥ]
23	**vingt-trois**	[ヴァントゥトロワ]
30	**trente**	[トラントゥ]
31	**trente et un(une)**	[トランテーアン(ユヌ)]
40	**quarante**	[キャラントゥ]
41	**quarante et un(une)**	[キャランテーアン(ユヌ)]
50	**cinquante**	[サンカントゥ]
51	**cinquante et un(une)**	[サンカンテアン(ユヌ)]
60	**soixante**	[ソワサントゥ]
61	**soixante et un(une)**	[ソワサンテーアン(ユヌ)]
65	**soixante-cinq**	[ソワサントゥサンク]
69	**soixante-neuf**	[ソワサントゥヌフ]

〔3〕基数 70～100 ④

ところが，この先の数字は不思議な展開をしていきます．70＝**60＋10**，71＝**60＋11** … 80＝**4×20**，81＝**4×20＋1** … 99＝**4×20＋19**（**10＋9**）という形になるのです．

70	**soixante-dix**	[ソワサントゥディス]
71	**soixante et onze**	[ソワサンテーオーンズ]
72	**soixante-douze**	[ソワサントゥドゥーズ]
80	**quatre-vingts**	[キャトゥルヴァン]
81	**quatre-vingt-un(une)**	[キャトゥルヴァンアン(ユヌ)]
90	**quatre-vingt-dix**	[キャトゥルヴァンディス]
91	**quatre-vingt-onze**	[キャトゥルヴァンオーンズ]
99	**quatre-vingt-dix-neuf**	[キャトゥルヴァンディズヌフ]
100	**cent**	[サン]

＊**80** は **quatre-vingts** と語末に〈s〉を書きますが，81～99 は〈s〉を書き添えません．

◆ 34 ◆ 数詞 ②

〔1〕基数 101〜10.000.000 ④③

101以降の数字は下記のように展開します（なお，カナ発音は初出の単語だけに付しました）.

101	cent un
102	cent deux
199	cent quatre-vingt-dix-neuf
200	deux cents
201	deux cent un
300	trois cents
500	cinq cents
900	neuf cents
999	neuf cent quatre-vingt-dix-neuf
1.000	mille [ミル]
1.001	mille un
1.100	mille cent
2.000	deux mille
10.000	dix mille
20.000	vingt mille
100.000	cent mille
1.000.000	un million [アン ミリヨン]
10.000.000	dix millions

* cent, million では deux cents, dix millions といった具合に複数の〈s〉を書きますが，「201」deux cent un のように端数がつく数詞の場合には〈s〉は不要です.

** mille は元々が複数形に由来する語ですので，deux mille, cent mille という端数のないキリのいい数字でも〈s〉を付けません.

＊＊＊1000以降は3桁ごとに新しい単位を使う展開です．

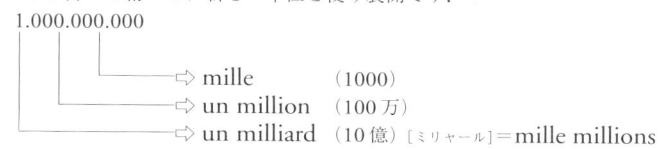

```
1.000.000.000
    │   │   │
    │   │   └─▷ mille       (1000)
    │   └─────▷ un million  (100万)
    └─────────▷ un milliard (10億) [ミリャール] ＝ mille millions
```

千の位どりには〈,〉virgule [ヴィルギュル] ではなく〈.〉point [ポワン] を用います．〈,〉は小数点以下を表します．ヨーロッパ式の書き方と，日本式の表記が逆ですので注意してください．

〔2〕序数 nombres ordinaux ④ (☞ p. 133)

「～番目(の)」を表す序数は下記の原則で作ります．

原則 **基数＋ième**

1er (ère)	premier	[プルミエ]	première [プルミエール]
2e	deuxième	[ドゥズィエム]	second(e) [スゴン(スゴーンドゥ)]
3e	troisième	[トロワズィエム]	
4e	quatrième	[キャトゥリエム]	
5e	cinquième	[サンキエム]	
6e	sixième	[スィズィエム]	
7e	septième	[セッティエム]	
8e	huitième	[ュイティエム]	
9e	neuvième	[ヌヴィエム]	
10e	dixième	[ディズィエム]	

＊1番目には上記の形（男・女の別があります）を用いますが，21, 31…といった数字の序数には unième [ユニエム] の形を使います．
　例：vingt et unième [ヴァンテユニエム]　21番目(の)
＊＊2番目には second, seconde という別形があります．
＊＊＊語末が e で終わるものは e を落とし，cinq は語末に u を加え，neuf は f を v に変えて序数にします．

◆ 35 ◆ 曜日・月・季節

〔1〕曜日・月・四季 [5] [4]

　日常会話で不可欠な曜日・月・季節をマトメておくことにします．曜日も月も季節もすべて男性名詞で，語頭は小文字で書かれます．なお，月は英語と綴りの似ている語がありますが語の終わり（9月〜12月）が違います．

--- 曜日 jours de la semaine ---

月曜	lundi	[ランディ]	金曜	vendredi	[ヴァンドゥルディ]
火曜	mardi	[マルディ]	土曜	samedi	[サムディ]
水曜	mercredi	[メルクルディ]	日曜	dimanche	[ディマンシ]
木曜	jeudi	[ジュディ]			

--- 月 mois ---

1月	janvier	[ジャンヴィエ]	7月	juillet	[ジュイエ]
2月	février	[フェヴリエ]	8月	août	[ウ(ウットゥ)]
3月	mars	[マルス]	9月	septembre	[セプタンブル]
4月	avril	[アヴリル]	10月	octobre	[オクトーブル]
5月	mai	[メ]	11月	novembre	[ノヴァンブル]
6月	juin	[ジュアン]	12月	décembre	[デッサンブル]

--- 四季 quatre saisons ---

春	printemps	[プランタン]	秋	automne	[オトンヌ]
夏	été	[エテ]	冬	hiver	[イヴェール]

〔2〕曜日・月・季節に関する注意事項 [4]

(1) (a)「○曜日に」と言いたいときに前置詞は不要です．

Je pars dimanche.　　　　私は日曜日に出発します．
ジュ　パール　　ディマンシ

Le samedi, elle va au bureau.
<ruby>ル サムディ エル ヴァ オ ビュロ</ruby>

毎土曜日に彼女は出勤します．

＊曜日に定冠詞がつくと「毎○曜日」の意味になります．なお，不定冠詞 un がつくと「ある○曜日」の意味です．

(b) 曜日をたずねる質問は，すでに触れたように

Quel jour (de la semaine) sommes-nous?
<ruby>ケル ジュール ドゥ ラ スメーヌ ソム ヌ</ruby>

何曜日ですか？

の形を用います（de la semaine は省略できます）．

jour［ジュール］が「日」を意味する単語なので上記の文章を「(今日は) 何日ですか？」と質問と取り違えないように．ちなみに，日付をたずねるには，たとえば下記の疑問文で．

On est le combien?   今日は何日ですか？ (☞ p. 94, 110)
<ruby>オンネ ル コンビィヤン</ruby>

(2) (a)「○月に」と表現する場合には前置詞 en（または au mois de）をつけます．

en [au mois de] janvier   1月に(は)
<ruby>アン オ モワ ドゥ ジャンヴィエ</ruby>

(b) 年月日を表現する場合には $\boxed{\text{le}＋日＋月＋年}$ の順（日本語とは逆の順番）で表現し，定冠詞 le をつけます．

le 11 septembre 2001   2001年9月11日
<ruby>ル オーンズ セプタンーブル ドゥミルアン</ruby>

＊「○月1日」を表すときには1日を序数にします．

le 1er janvier［ル プルミエ ジャンヴィエ］ 1月1日

(3)「春に」には前置詞 au を添え，「夏に，秋に，冬に」には前置詞 en をつけます．季節はすべて男性名詞なのですが，「春」だけが子音ではじまり，他の季節は母音または無音の h ではじまっているためにこの違いが生じます．

au printemps   春に
<ruby>オ プランタン</ruby>

en été, en automne, en hiver   夏に，秋に，冬に
<ruby>アンネテ アンノトンヌ アンニヴェール</ruby>

◆ 36 ◆ 基本前置詞

前置詞とは文中の語と語の文法的な関係を示し，補語となる要素を導く不変化語のことです．フランス語で使われる基本的な前置詞の用例をここでチェックしておくことにしましょう（仏検4級レベルの前置詞が中心です）．

〔1〕前置詞 à と de の基本的な用法 préposition ④

(1) **à** （au, aux → 冠詞の縮約（☞ p. 72））

  (a) 場所・時間：～に，～へ
    aller au Canada　カナダに行く　　**à sept heures**　7時に
    アレ　オ　カナダ　　　　　　　　　　　ア　セットゥール

  (b) 所属・手段：～の，～に属する，～によって
    C'est à Jean.　それはジャンのです．　**à pied**　徒歩で
    セタ　ジャン　　　　　　　　　　　　　　ア　ピエ

  (c) 用途・対象：～のために，～に
    une tasse à café　コーヒーカップ
    ユヌ　タス　ア　キャフェ
    Elle téléphone à son ami.　彼女は友だちに電話する．
    エル　テレフォヌ　ア　ソナミ

  (d) à+不定法：～すること（を），～すべき
    apprendre à conduire　車の運転を習う
    アプランードル　ア　コンデュイール

(2) **de** （du, des → 冠詞の縮約（☞ p. 72））

  (a) 所有・所属．行為の主体・材料：～の，～（製）の
    le livre de Marie　マリーの本（☞ Q & A p. 215）
    ル　リーヴル　ドゥ　マリー
    une plaque de marbre　大理石板
    ユヌ　プラック　ドゥ　マルブル

  (b) 数量・程度・部分：～の，～のなかの（☞ 数量副詞 p. 120）
    un voyage de trois jours　3日間の旅
    アン　ヴォワイヤージュ　ドゥ　トロワ　ジュール

(c) 起点・原因・手段：〜から，〜で

   sortir de sa chambre 彼(彼女)の部屋から出る

(d) **de**＋**不定法**：〜すること

   Défense d'entrer 立ち入り禁止

   cesser de fumer タバコを吸うのをやめる

〔2〕その他の基本的前置詞の例[4]

(1) **en**：場所・時・様態「〜に，〜で」

   aller en France フランスに行く　　**en avion** 飛行機で

   ＊通常は無冠詞名詞の前で用いられます．

(2) **dans**：場所・時間・状態「〜のなかに(で)，〜後に，〜の間に，〜の状態に」

   dans ma chambre 私の部屋に　　**dans six mois** 半年後に

(3) **pour**：方向・目的「〜に向かって，〜のために」

   partir pour Paris パリに向かって出発する

   l'art pour l'art 芸術のための芸術

(4) **avec**：「〜とともに・〜で」⇔ **sans**：「〜なしで」

   avec mes amis 友だちと一緒に　　**sans sucre** 砂糖なしで

(5) **sur**：「〜の上に」⇔ **sous**：「〜の下に」

   sur (sous) la table テーブルの上に(下に)

(6) **chez**：「〜の家に(で)，〜の店に(で)」

   chez moi 私の家に(で)　　**chez le dentiste** 歯医者に

◆ 37 ◆ 疑問代名詞 ①

「誰」とか「何」とか，名詞で表される情報を得る場合に下記の疑問代名詞を用います．

◇ 疑問代名詞 pronom interrogatif ⑤ ④

たずねる対象が「人」か「物」か，そして文中の働きに応じて次の種類があります．

		主　語	直接目的補語・属詞
人	単純形	誰が **Qui** キ	誰(を) **Qui**（倒置） キ
	複合形	**Qui est-ce qui** キ エ ス キ	**Qui est-ce que** キ エ ス ク
物事	単純形	何が	何(を) **Que**（倒置） ク
	複合形	**Qu'est-ce qui** ケ ス キ	**Qu'est-ce que** ケ ス ク

◆ 複合形の仕組み（考え方）

「誰」→ **Qui**　｜　est-ce　｜　**qui** ←「主語」
「何」→ **Qu'**　｜　　　　　｜　**que** ←「直接目的補語」

＊通例，疑問代名詞は文頭に置かれますが〈Tu cherches qui ?〉（右頁 (2) の例文参照）といった日常会話の語順もあります．（☞ p. 134）主語の「誰が・何が」の後ろには動詞が置かれます．また，「誰を・何を」の単純形 (Qui, Que) の後ろでは，主語と動詞の「倒置」が起こります．あわせて，「誰を・何を」の que は母音または無音の h ではじまる語が来ると qu' とエリズィヨン（☞ p. 21）されます．

(1) 主語「誰が」をたずねる場合（単純・複合両形が可能）．

Qui chante ? **Qui est-ce qui chante ?**
誰が歌っていますか？

(2) 直接目的補語「誰を」をたずねる場合（両形が可能）．

Qui cherches-tu ? **Qui est-ce que tu cherches ?**
君は誰を探していますか？

(3) 属詞「誰」をたずねる場合（単純形を用います）．

Qui est ce monsieur ? この方はどなたですか？

(4) 主語「何が」をたずねる場合（単純形はありません）．

Qu'est-ce qui vient de tomber ? 何が落ちてきたの？

(5) 直接目的補語「何を」をたずねる場合（両形が可能）．

Que cherchez-vous ? あなたは何を探しているのですか？

Qu'est-ce que vous cherchez ?

(6) 属詞「何(に)」をたずねる場合（両形が可能）．

Que devient-il ? **Qu'est-ce qu'il devient ?**
彼は何になるのですか？

(7) 間接目的補語や状況補語をたずねる場合

人：「**前置詞＋qui**［キ］＋**V–S**（**倒置**）」
物：「**前置詞＋quoi**［クワ］＋**V–S**（**倒置**）」

De qui parles-tu ? 誰のことを話しているの？

A quoi penses-tu ? 何を考えているの？

est-ce que を用いる形もあります．

Avec qui est-ce que tu voyages ? 誰と旅行するの？

◆ 38 ◆ 非人称表現 ①

　形式上の主語 il を主語とし，3人称単数形にしか用いられない動詞を非人称動詞，〈**非人称の il＋動詞（3人称単数形）**〉の文を非人称構文 construction impersonnelle と呼びます．

〔1〕**天候・気候を表す表現**

(1) **faire**

　Quel temps fait-il aujourd'hui ?
　ケル　タン　フェティル　オージュルデュイ
　　　　　　　　　　　　　　　　　今日はどんな天気ですか？

　il fait＋形容詞 ⑤

　　Il fait beau (mauvais).　良い(悪い)天気です．
　　イル　フェ　ボ　　モヴェ

　　Il fait chaud (froid).　暑い(寒い)です．
　　イル　フェ　ショ　フロワ

　il fait＋部分冠詞＋名詞 ④ ③

　　Il fait du vent.＝Il y a du vent.　風が吹いています．
　　イル　フェ　デュ　ヴァン

(2) 非人称動詞としてしか使われない動詞（本来的）の例 ⑤ ④ ③

　　pleuvoir [プルヴォワール]　→ **Il pleut.** [イル　プル] 雨がふる．
　　neiger [ネジェ]　　　　　→ **Il neige.** [イル　ネージュ] 雪がふる．
　　venter [ヴァンテ]　　　　→ **Il vente.** [イル　ヴァントゥ] 風が吹く．

〔2〕**時間を表す表現**　être を用いた時刻の表示

　Quelle heure est-il ?＝Vous avez l'heure ?
　ケルール　　　　エティル
　　　　　　　　　　　　　　　何時ですか？

　◆ 時刻の表示　**Il est ... heure(s)＋分**　○時△分です． ⑤ ④

　　Il est une heure.　　　　1時です．
　　イレ　　ユヌール

Il est deux heures dix.　　2時10分です．
_{イレ　　ドゥーズール　　ディス}

　＊「2時」は，douze heures ［ドゥーズール］「12時」と発音がまぎらわしい．そこで，通例「昼（夜）の12時」には Il est midi (minuit). ［イレ　ミディ（ミニュイ）］が使われます．

Il est trois heures vingt.　　3時20分です．
_{イレ　　トロワズール　　ヴァン}

◆「○時15分」「○時半」には，接続詞 et を添えて，et quart ($^1/_4$)，et demi(e) ($^1/_2$) の形を使います．（☞ Q & A p.234）

Il est quatre heures et quart.　　4時15分です．
_{イレ　　キャトゥルール　エ　カール}

Il est cinq heures et demie.　　5時半です．
_{イレ　　サンクール　エ　ドゥミ}

◆「△分前」には前置詞 moins を使いますが，「15分前」のときには le quart（定冠詞あり）になります．

Il est six heures moins cinq.　　6時5分前です．
_{イレ　　スィズール　モワン　サンク}

Il est sept heures moins le quart.　　7時15分前です．
_{イレ　　セットゥール　モワン　ル　カール}

◆ 時刻を24時間で表記する方法もよく使われます．③

Il est dix-sept heures.　　17時です．＝午後5時．
_{イレ　　ディセットゥール}

Il est vingt heures trente.　　20時30分です．＝午後8時30分
_{イレ　　ヴァントゥール　トラントゥ}

　＊24時間で表記する場合には et demie, et quart といった表記は用いず，30, 15 と分をそのまま添えます．

　なお，12時間で時刻を表記する際に，午前○時・午後×時を明示するためには下記のような表現を添えて使います．④

Il est six heures du matin.　　午前6時です．
_{イレ　　スィズール　デュ　マタン}

Il est dix heures du soir.　　午後10時です．
_{イレ　　ディズール　デュ　ソワール}

　＊ただし，午後1時〜4時・5時までは，du soir ではなく，de l'après-midi ［ドゥ　ラプレミディ］の表記を添えます．

◆ 39 ◆ 非人称表現 ②

天候・時間を表す非人称表現に続いて，それ以外の大切な非人称の表現をチェックしていきます．

◇ その他の非人称表現の例

(1) **falloir**　　**il faut**＋不定法 ④　～しなければならない
　[ファロワール]　　**il faut**＋名詞 ④　　～が必要である

＊falloir は非人称動詞としてしか用いません．

Il faut aller chez le dentiste.
　イル　フォタレ　シェ　ル　ダンティストゥ
　　　　　　　　　　　　　　歯医者に行かなければならない．

Il faut un parapluie pour sortir.
　イル　フォ　アン　パラプリュイ　プール　ソルティール
　　　　　　　　　　　　　　外出するには傘が必要です．

(2) **il est**＋形容詞＋**de**＋不定法 ④ ③

〈il＝de＋不定法〉，つまり形式主語 il の意味上の主語が〈de＋不定法〉となる文章です．

Il est facile de résoudre ce problème.
　イレ　ファッスィルドゥ　レズードゥル　ス　プロブレム
　　　　　　　　　　　　　　この問題を解くのは簡単だ．

これは英語で *It is easy to solve this problem.* と書ける表現．口語では〈**C'est**＋形容詞＋**de**＋不定法〉の形もよく使われます．「その質問に答えるのは難しい」ならこんな風に．

C'est difficile de répondre à cette question.
　セ　ディフィスィル　ドゥ　レポーンドゥル　ア　セットゥ　ケスティオン

＊上記 résoudre（日常では不定法・複合過去時制（☞ p.144）で用いる）②，répondre ④ ③ の直説法現在の活用は下記のようになります．

　㊷ résoudre「解く」　　　　　　　㉘ répondre「返事をする」

je résous	nous résolvons	je réponds	nous répondons
ジュ レズー	ヌ レゾルヴォン	ジュ レポン	ヌ レポンドン
tu résous	vous résolvez	tu réponds	vous répondez
テュ レズー	ヴ レゾルヴェ	テュ レポン	ヴ レポンデ
il résout	ils résolvent	il répond	ils répondent
イル レズー	イル レゾルヴ	イル レポン	イル レポンドゥ

(3) p. 37 で触れた〈**il y a**〉も非人称表現の代表です．疑問副詞（☞ p. 92）（あるいは数量副詞（☞ p. 120））を用いた疑問文を示せば，こんな例があげられます．5 4 (☛ Q & A p. 222)

Combien de lettres y a-t-il dans l'alphabet français?
コンビィヤン ドゥ レートゥル イアティル ダン ラルファベ
フランセ
フランス語のアルファベは何文字ありますか？

「26文字」Il y a vingt-six lettres. ［イリア ヴァンスィ レートル］が答えです．なお，〈**Il y a**〉を倒置した〈**y a-t-il**〉の語順，母音字衝突をさける〈**-t-**〉の挿入に注意してください．

*〈il y a＋時間の表現〉で英語の *ago* に相当する「いまから〜前に」の意味でも使われます．4 3

　　il y a une semaine　1週間前に　　il y a longtemps　久しく
　　イリア ユヌ スメーヌ　　　　　　　イリア ロンタン

**〈il y a＋期間＋que＋S＋V（直説法）...〉で，「〜してから...になる」という意味の時の経過を表します．3 2

　　Il y a deux ans que j'habite ici.　ここに住んで2年になります．
　　イリア ドゥザン ク ジャビットゥ イスィ

なお，上記の〈il y a〉を〈voilà〉としても同じ意味です．
　　＝Voilà deux ans que j'habite ici.

(4) 意味上の主語（形式主語）として 3 2

たとえば，**arriver** ［アリヴェ］「到着する；（出来事が）起こる」，**venir** ［ヴニール］「来る；（考えが）浮かぶ」など主に移動・出現のニュアンスを表す動詞にこの形式が多く見られます．(☛ Q & A p. 226)

Il arrive souvent des accidents dans ce carrefour.
イラリーヴ スヴァン デザクスィダン ダン ス キャルフール
あの交差点ではよく事故が起きる．

＝Des accidents arrivent souvent dans ce carrefour.

*ただし，上記の例は il y a を用いるほうが自然．

◆ 40 ◆ 不定代名詞

漠然と不特定の内容を指し示す代名詞を総称して，不定代名詞 pronom indéfini と呼びます．その代表は，漠然と「人は」という意味や他の主語人称代名詞（☞ p. 38）の代わりに使われる下記の on（主語としてしか用いず，後に続く動詞は3人称単数形で活用します）と tout です．

〔1〕不特定の人を指す on ④

漠然と「人は」「人々は」「誰かが」の意味で使われます．

En France, on aime bien manger.
アン　フランス　オンネーム　ビィヤン　マンジェ

フランスでは，みんな食べるのが好きだ．

＊on は母音または無音の h ではじまる語の前でリエゾン（☞ p. 20）します．なお，上記の例文〈aimer (bien)＋不定法〉は「～するのが好きだ」という言いまわし．

On frappe à la porte.
オン　フラップ　ア　ラ　ポルトゥ

誰かがドアをノックしている．
→ 誰か来た．

〔2〕特定の人を指す on ④ ③ （☞ Q & A p. 229）

on がさまざまな主語人称代名詞の代役を努めます．会話では nous「私たち」の代わりに on を頻繁に使います．

Alors, on y va ?
アロー　オニヴァ

じゃ，行きますか？

＊〈on y va ?〉は家を出かける際に，または席を立つ際などに相手に声をかける決まり文句で，on が nous の代用になっている例です．

On n'a pas peur de vous.
オン　ナ　パ　プール　ドゥ　ヴ

あなた(たち)なんか恐くありません．

＊この文は〈on＝je〉とみなすことができる例です．

なお，on は口調を整えるために，que, si, où, et といった語の後で l'on [ロン] となることがありますが意味・用法は同じです．

〔3〕 tout ④③

tout は大きくわけて下記の4つの用法が重要です.

(1) 名詞として働きます.

Tout va bien.
トゥ ヴァ ビィャン
すべてがうまく行っています.

Vous êtes tous d'accord?
ヴゼットゥ トゥス ダコール
みんな賛成ですか?
◆〈être d'accord〉賛成する

*不定代名詞と呼ばれる用法で, 性・数に応じて下記の不定形容詞 (2) に準じて形が変わります. ただし, 複数形が tous [トゥス] と発音される点が下記の表とは違います.

(2) 形容詞として働きます.

(a) 冠詞または指示形容詞・所有形容詞を介して名詞と結ばれ, 単数形は1つのものに付いて「〜中(じゅう)」, 複数形は2つ以上のものに付いて「すべての〜」の意味で用います.

toute la journée 1日中 **tous les élèves** すべての生徒
トゥットゥ ラ ジュルネ   トゥ レゼレーヴ

(b) 名詞と直結して単数は「(個として)どんな〜も」, 複数は「(全体として)あらゆる〜」の意味で使われます.

Tout homme est mortel. どんな人も死ぬべきものだ.
トゥトム エ モルテル

男性単数	女性単数	男性複数	女性複数
tout	**toute**	**tous**	**toutes**
トゥ	トゥットゥ	トゥ	トゥットゥ

cf. 〈**tous (toutes)**＋**les**＋時間・距離の名詞〉「〜毎に」

例: **tous les deux ans** [トゥ レ ドゥザン]「2年毎に」

(3) 副詞として:「まったく, 非常に」.

C'est tout naturel.
セ トゥ ナチュレル
それはごく当然のことです.

*子音ではじまる形容詞女性形の前では toute(s) にします.

(4) 副詞句の例.

tout à coup 突然   **tout de suite** すぐに
トゥタク   トゥトゥスュイットゥ

◆ 41 ◆ 補語人称代名詞 ①

◆12◆ で主語になる人称代名詞について確認しましたが，ここでは下記の代名詞（英語の *me, you, him, her...* などの目的格に相当する語）を見ていきます．

〔1〕補語人称代名詞 pronom personnel (complément) ④

主語	直接目的補語	間接目的補語
je	me [ム] (m')	
tu	te [トゥ] (t')	
il	le [ル] (l')	lui [リュィ]
elle	la [ラ] (l')	lui [リュィ]
nous	nous [ヌ]	
vous	vous [ヴ]	
ils	les [レ]	leur [ルール]
elles	les [レ]	leur [ルール]

＊me, te, le, la は母音または無音の h ではじまる語の前でエリズィヨンをして，m', t', l', l' となります．なお，上記のように直接・間接目的補語で形が違うのは3人称だけで，3人称の直接目的補語 le, la (l') は「物」を対象としても用います．(☞ p. 255)

〔2〕直接目的補語・間接目的補語 ④

直接目的補語：前置詞なしに直接動詞と結びつく語．

間接目的補語：通例，前置詞〈à〉と間接的に動詞と結びつく語．

そして，補語人称代名詞の間接目的補語はそれ自身のうちに前置詞〈à〉を含んでいる形です．下記の例を参照ください．

例：**à**＋人（間接目的補語） → 補語人称代名詞の間接目的補語

à Pierre ピエールに → **lui** 彼に
ア　ピエール　　　　　　　　リュィ

112 (*cent douze*)

〔3〕補語人称代名詞の置き位置 ① 4 3

英語では「私はあなたが好きです」を〈*I love you.*〉〈主語＋動詞＋人称代名詞（目的格）〉の順で並べます．しかし，フランス語では左頁の**補語人称代名詞を動詞の前に**置きます．

$$\boxed{\text{主語}＋(\text{ne})＋\text{補語人称代名詞}＋\text{動詞}＋(\text{pas})}$$

＊命令文の例．(☞ p. 127)

以下の例をもとに語順をチェックしてみましょう．

> **Il donne ce cadeau à sa mère.**
> イル　ドヌ　ス　カドー　ア　サ　メール
> 　　　　　　　　　　　　彼はそのプレゼントを母にあげる．
> ◆ ce cadeau → 直接目的補語（3人称単数）＝ **le**
> 　à sa mère → 間接目的補語（3人称単数）＝ **lui**

(a) 肯定文

→ Il *le* donne à sa mère.　　　　　　それを

→ Il *lui* donne ce cadeau.　　　　　　彼女に

(b) 否定文

→ Il ne *le* donne pas à sa mère.　　　それをあげない．

→ Il ne *lui* donne pas ce cadeau.　　彼女にあげない．

(c) 倒置の疑問文（肯定・否定）

→ *Le* donne-t-il à sa mère ?　　　　それを母にあげますか？

→ Ne *lui* donne-t-il pas ce cadeau ?
　　　　　　　　　　　　　彼女にそのプレゼントをあげませんか？

この例文で，直接目的補語と間接目的補語の両方を代名詞に置くと

Il *le lui* donne.　　　　　　彼はそれを彼女にあげる．
イル　ル　リュイ　ドヌ

の語順になります．この2つの補語人称代名詞の位置を逆にした語順（×）Il lui le donne.「彼は彼女にそれをあげる」とは言えません．その点について引き続き，次の課で扱います．

◆ 42 ◆ 補語人称代名詞 ②

補語人称代名詞の置き位置について引き続き見ていきます．

〔1〕 補語人称代名詞の置き位置 ② ④ ③

3人称の直接目的補語 (le, la, les) は，間接目的補語とともに用いることができます．ただし，置き位置は決まっています．

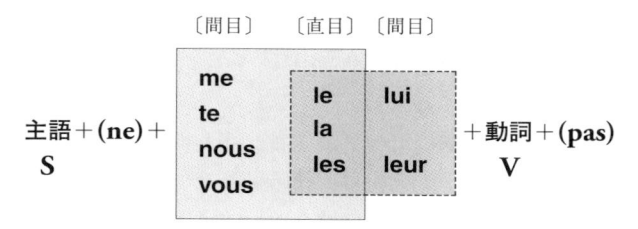

〔間目〕 〔直目〕〔間目〕

	〔間目〕	〔直目〕	〔間目〕	
主語＋(ne)＋ S	me te nous vous	le la les	lui leur	＋動詞＋(pas) V

＊命令文のケースは p. 127 を確認ください．

(1) 1・2人称の間接目的補語とともに用いられるとき（上記の細線で囲まれた部分・語順）

Je vous prête ce dictionnaire.
ジュ　ヴ　プレットゥ　ス　ディクスィヨネール

　　　　　　　　　私はあなたにこの辞書を貸します．

→ **Je vous le prête.** ◆「あなたに・それを」の語順

(2) 3人称の間接目的補語とともに用いられるとき（上記の点線で囲まれた部分・語順）

Je montre cette photo à Marie.
ジュ　モントゥル　セットゥ　フォト　ア　マリー

　　　　　　　　　私はその写真をマリーに見せる．

→ **Je la lui montre.** ◆「それを・彼女に」の語順

＊ただし，日常会話で上記のように2つの代名詞を並べて文章を作ることはそうあることではありません．物を指す ça や cela (☞ p. 118) を用いて以下のように表現する方が普通です．(☞ p. 255)
例：Alors, je te prête ça.　じゃ，これ君に貸すよ．
アロール　ジュ　トゥ　プレットゥ　サ

〔2〕人称代名詞の強勢形

動詞から独立して人称代名詞を用いるケースでは，下記の強勢形（ここにアクセントが置かれるためにこの名で呼ばれる）を用います．

主　語	je	tu	il	elle	nous	vous	ils	elles
強勢形	**moi**	**toi**	**lui**	**elle**	**nous**	**vous**	**eux**	**elles**
	モワ	トワ	リュィ	エル	ヌ	ヴ	ゥ	エル

(1) 主語や目的補語を強調する（同格）⑤

Moi, j'aime le thé. 私（ですか），私は紅茶が好きです．
モワ　ジェーム　ル　テ

(2) 前置詞の後で ⑤

Vous venez chez moi avec elle ?
ヴ　ヴネ　シェ　モワ　アヴェッケル

あなたは彼女と一緒に私の家に来ますか？

Je te présente à elle. ③　私は君を彼女に紹介します．
ジュトゥ　プレザントゥ　ア　エル

〔注意〕上記の例では〈à elle〉は lui にはできません．「私は**君を**〔直目〕**彼女に**〔間目〕紹介します」と「人」を対象とした2つの目的補語を用いると左頁の「置き位置」から外れるからです．

なお，penser [パンセ]「思う」，songer [ソンジェ]「考える」，tenir [トゥニール]「愛着をもっている」などの動詞では，〈à+人〉→〈à+強勢形〉の形を常に用いなくてはなりません．（☛ Q & A p. 230）

(3) 属詞として（C'est の後で）⑤

▶ **Qui est-ce ?**　　▷ **C'est moi.**
キ　エ　ス　　　　　　セ　モワ
誰ですか（どなた）？　　私です．

(4) -même の形で（英語の *oneself* に相当）④

Elle n'est plus elle-même. 彼女はもう以前の彼女ではない．
エル　ネ　プリュ　エルメーム

＊「強勢形人称代名詞＋même(s)」で「〜自身」の意味．

(5) 比較の文章の que の後で ⑤ ④ （☞ p. 116）

(6) 強調構文等の主語として ④ ③ （☞ p. 156）

(cent quinze) 115

◆ 43 ◆ 比 較

比較級と最上級の基本的なポイントを整理します．

〔1〕 比較級 comparatif ⑤ ④

$$A+V+\begin{Bmatrix} \text{plus} & [プリュ] \\ \text{aussi} & [オッスィ] \\ \text{moins} & [モワン] \end{Bmatrix} + \begin{Bmatrix} 形容詞 \\ 副\ 詞 \end{Bmatrix} + \text{que B} \quad \begin{matrix} 優等+ \\ 同等= \\ 劣等- \end{matrix}$$

(1) 優等比較（A は B より〜である）A ＞ B

Sophie est plus grande que Jeanne.
ソフィー エ プリュ グラーンドゥ ク ジャンヌ
ソフィーはジャンヌより背が高い．

＊これまで通り，形容詞は名詞の性・数に一致します．上記の例文では，主語が女性ですので形容詞は grande となります．

Il parle plus vite que moi. 彼は僕より早口です．
イル パルル プリュ ヴィットゥ ク モワ

＊vite「急いで」は副詞ですので不変化です．なお，que の後ろに人称代名詞が置かれるときには強勢形（☞ p. 115）をとります．

(2) 同等比較（A は B と同じ〜です）A＝B（☞ Q & A p. 231）

Elle chante aussi bien que lui.
エル シャントゥ オッスィ ビィヤン ク リュィ
彼女は彼と同じくらい歌がうまい．

(3) 劣等比較（A は B ほど〜ではない）A ＜ B

Paul est moins intelligent que toi.
ポール エ モワン アンテリジャン ク トワ
ポールは君ほど頭がよくない．

なお，名詞の比較の場合には前置詞 de をともなって，plus de 〜（より多くの〜）autant de 〜（と同じくらいの）moins de 〜（より少ない〜）という形を用います．③（☞ p. 121）

J'ai plus de livres que vous.
ジェ プリュ ドゥ リーヴル ク ヴ
私はあなたよりたくさん本を持っている．

＊bon [ボン]，bien [ビィヤン] など特殊な優等比較級・優等最上級を持つ語については p. 135 を参照ください．

〔2〕**最上級** superlatif ④ ③

$$S+V\ldots+定冠詞+\begin{Bmatrix}\textbf{plus}\\\textbf{moins}\end{Bmatrix}+\begin{matrix}形容詞\\副詞（常に \textbf{le}）\end{matrix}\ \ [+\textbf{de}\ldots]\ \ \begin{matrix}優等＋\\劣等－\end{matrix}$$

〈le, la, les〉

(1) 優等最上級（S は … のなかで最も〜である）

Pierre est le plus grand de la famille.
ピエール　エル　プリュ　グラン　ドゥ ラ　ファミーユ

　　　　　　　　　　　ピエールは家族のなかで1番背が高い．

　上記は形容詞が主語の属詞の例（名詞をともなわないケース）ですが，名詞をともなう場合には注意が必要です．

L'hiver est la saison la plus froide de l'année.
リヴェール　エ ラ　セゾン　ラ　プリュ フロワッドゥドゥ　ラネ

　　　　　　　　　　　　冬は1年で最も寒い季節です．

　＊上記のように「名詞＋定冠詞＋plus＋形容詞」の順になり，結果，名詞を限定する定冠詞と最上級の定冠詞の2つが必要になります（英語では *the coldest season* ですが）．ただし，名詞に前置される形容詞のケースなら，たとえば，「最も美しい都市」→〈la ville la plus belle〉と〈la plus belle ville〉の2通りのパターンが可能です．

(2) 劣等最上級（S は … のなかで最も〜ではない）

C'est ma voiture qui roule le moins vite.
セ　マ　ヴォワテュール　キ　ルール　ル　モワン　ヴィットゥ

　　　　　　　　　　　1番走るのが遅いのは僕の車だ．

　＊副詞の場合には常に定冠詞 le を用います．c'est … qui は強調．（☞ p. 156）

◇ 追記（注意）③

(1) 比較級の強調「ずっと」には bien や beaucoup を最上級の強調「断然〜」には du monde［デュ　モーンドゥ］を用います．

Il est bien plus sévère que vous.
イレ　ビィヤン　プリュ　セヴェール　ク　ヴ

　　　　　　　　　　　彼はあなたよりずっと厳格です．

(2) 最上級で定冠詞を所有・指示形容詞にする例もあります．

C'est ma plus belle robe.
セ　マ　プリュ　ベル　ロブ

　　　　　　　それは私の持っている1番美しいドレスです．

(*cent dix-sept*) 117

◆ 44 ◆ 指示代名詞

初級文法 ◆25◆ で確認した「この，その，あの」を表す指示形容詞に対して，人・物あるいは観念などを「これ，それ，あれ」などと指し示す代名詞があります．

〔1〕性・数に関係のない指示代名詞 pronom démonstratif ⑤ ④

すでに p. 63 で見た C'est「それは～です（→ ce + est の形）」の表現に使われている ce が，指示代名詞の単純形と呼ばれるものです．

(1) **ce** [ス]：être の主語として，あるいは関係代名詞の先行詞として用います．（関係代名詞の用例は（☞ p. 23））

　　C'est mon vélo. 　　　　これは私の自転車です．
　　　セ　モン　ヴェロ

　　Ce sont des montres. 　　それらは時計です．
　　ス　ソン　デ　モントゥル

　　C'est Pierre que j'aime. 　私が愛しているのはピエールです．
　　セ　ピエール　ク　ジェーム

　＊この〈c'est ... que〉の表現は強調構文．（☞ p. 156）

(2) **ceci** [ススィ], **cela** [スラ]／**ça** [サ]：名詞と同じように独立的に用いられます．原則として ceci「近いもの(こと)」, cela「遠いもの(こと)」を指します．なお，ça は cela の代わりに日常会話で頻繁に用いられる語です．

　　Ceci est plus petit que cela. 　これはあれよりも小さい．
　　ススィ　エ　プリュ　プティ　ク　スラ

　　Ça va comme ça? 　　　　こんな具合でいいですか？
　　サ　ヴァ　コム　　サ

　＊Ça va? は p. 36 で見たように「元気ですか？」とたずねる表現だけでなく，さまざまな状況で幅広く「(それで)いいですか？」の意味で使われます．comme ça は「こんな風に，こんな具合に」の意味．

〔2〕性・数変化する指示代名詞 ④③

男性単数	女性単数	男性複数	女性複数
celui	**celle**	**ceux**	**celles**
スリュィ	セル	ス	セル

- 「指示の ce＋3人称の人称代名詞強勢形 lui, elle, eux, elles」の形をとっています.

  原則的に既出の名詞を受け,その性・数に一致して用いられます.たとえば,下記のような例があります.

(1) 前置詞 de によって限定される名詞の反復をさけます.

Voici mon cahier et celui de Paul.
ヴォワスィ　モン　カイエ　エ　スリュィ　ドゥ　ポール

＝le cahier de Paul

　　ここに僕のノートとポールのそれ(ノート)がある.

Ma cravate est noire.　Celle de Louis est verte.
マ　クラヴットゥ　エ　ノワール　　セル　ドゥ　ルイ　エ　ヴェルトゥ

＝la cravate de Louis

　　私のネクタイは黒です.ルイのは緑です.

＊既出の名詞なしに,celui qui... / ceux qui... の形で不特定の「人・人々」の意味を表すことがあります(英語の *those who* に相当する表現).

(2) -ci / -là をつけて,遠近・対立・前後などを示します.

Voilà deux maisons: préférez-vous celle-ci ou celle-là?
ヴォワラ　ドゥ　メゾン　　プレフェレ　ヴ　セル スィ　ウ　セル ラ

　　あそこに家が2軒あります.こちらとあちら,どちらをお選びですか?

＊なお,前者・後者の訳をつける場合に,英語の *this, that* と同じく,〈～-ci〉が後者〔当該箇所から近い語句〕を,〈～-là〉が前者〔遠い語句〕を指すことに注意.(☛ Q & A p.233) また,対比なしで「物」や「近くにいる人」などを指示して celui-là が単独でよく使われます.たとえば,店で,〈Celui-là, s'il vous plaît.〉[スリュィ ラ スィル ヴ プレ]「それをください」といった指で示す動作とともに用います.

◆ 45 ◆ 数量副詞

人・物の「多い，少ない」，あるいは程度を表す「かなり」など数・量にかかわる大まかな表現，比較を表す副詞（数量副詞 adverbe de quantité）をマトメます．初級用の文法用テキストでは随時説明するパターンが大半なのですが，学習効率を考え一括して扱います．

〔1〕大まかな数・量を表す ５４３ (☛ Q & A p. 219)

beaucoup ボクー	たくさん	**beaucoup de livres** ボクー ドゥ リーヴル	たくさんの本
un peu アン プー	少し	**un peu d'argent** アン プー ダルジャン	少しの金
peu プー	ほとんど〜ない	**peu de cheveux** プー ドゥ シュヴ	ほんのわずかな髪
assez アッセ	かなり，十分	**assez de temps** アッセ ドゥ タン	かなりの時間
trop トロ	あまりにも	**trop de loisirs** トロ ドゥ ロワズィール	あまりに多くの暇
combien コンビィヤン	いくつの（いくら）	**combien de frères** コンビィヤン ドゥ フレール	何人の兄弟

単独で使うときには上記の左列を使いますが，上記右列のように前置詞 de をともなって名詞を修飾する形でよく使われます．

原則　**数量副詞＋de＋無冠詞名詞**

Il a beaucoup de soucis. 彼には心配事がたくさんある．
イラ　ボクー　ドゥ　ススィ

J'ai peu d'amis. 僕にはほとんど友だちがいない．
ジェ　プー　ダミ

*bien [ビィャン] は単独で「上手に，うまく，よく；順調に；非常に」といった意味に使われますが，〈bien du (de la, des)＋名詞〉で「たくさんの～」の意味で使われます．

　　例：bien du monde　たくさんの人＝beaucoup de monde

**un peu は量（数えられない名詞）に用いて「少量の」の意味で，数えられる名詞の前で「いくつか」の意味では quelques [ケルク], plusieurs [プリュズィユール] を用います．(☛ Q & A p.220)

　　例：quelques amis　数人の友だち

〔2〕比較を表す ③

p.116 で見た，名詞をともなう比較表現，plus de…, autant de…, moins de… あるいは le plus de… などの言いまわしも数量副詞に相当します．

Elle a moins de patience que lui.
　　　　　　　　　　　　　　　　彼女は彼ほど辛抱強くない．

C'est ce chanteur qui a le plus d'admirateurs.
　　　　　　　　　　　最も多くのファンがいるのはその歌手です．

*C'est … qui [セ キ] は強調構文です．(☞ p.156)

数量単位を表す名詞の例：〈数…＋de＋無冠詞名詞〉③

une tasse de café	1杯のコーヒー
un verre de vin rouge	1杯の赤ワイン
deux morceaux de pain	パン2枚
trois feuilles de papier	3枚の紙

◆ 46 ◆ vouloir / pouvoir / devoir / savoir

　表題の 4 つの〈-oir 型〉動詞は，pouvoir を除いて後ろに名詞をとる形もありますが，不定法を従えて用いられるケースが多い動詞です．順に，英語の〈*want (to), can, must, be able to*〉などに類した助動詞的な働きをします．

〔1〕活用（直説法現在） ④

(1) **vouloir**：～したい

je	veux	nous	voulons
	ジュ ヴー		ヌ ヴュロン
tu	veux	vous	voulez
	テュ ヴー		ヴ ヴュレ
il	veut	ils	veulent
	イル ヴー		イル ヴール

(2) **pouvoir**：～できる

je	peux	nous	pouvons
	ジュ プー		ヌ プヴォン
tu	peux	vous	pouvez
	テュ プー		ヴ プヴェ
il	peut	ils	peuvent
	イル プー		イル プーヴ

(3) **devoir**：～しなくてはならない

je	dois	nous	devons
	ジュ ドワ		ヌ ドゥヴォン
tu	dois	vous	devez
	テュ ドワ		ヴ ドゥヴェ
il	doit	ils	doivent
	イル ドワ		イル ドワーヴ

(4) **savoir**：～できる

je	sais	nous	savons
	ジュ セ		ヌ サヴォン
tu	sais	vous	savez
	テュ セ		ヴ サヴェ
il	sait	ils	savent
	イル セ		イル サーヴ

〔2〕用例 ④ ③

(1) **Je veux aller en France.**　　私はフランスに行きたい．
　　ジュ ヴザレ アン フランス

  ＊「要求・欲求・願望」を表しますが，少々強い言いまわしですので，「～したいのですが」と丁寧な表現にするには〈Je voudrais [ジュ ヴドゥレ]…〉という条件法（☞ p. 175）を使います．

　　Voulez-vous manger des gâteaux ?
　　ヴレ ヴ マンジェ デ ガドー

　　　　　　　　　　　　　　　　　　　　ケーキを食べませんか？

  ＊〈Voulez-vous [Veux-tu] ＋不定法？〉の疑問文で「勧誘」「依頼」の意味で使います．

なお，名詞（直接目的補語）をともない「～を望む，欲しがる」の意味でも使われます．

Je veux un peu de repos. 私は少し休みたい．

(2) **Vous pouvez venir demain ?** 明日来られますか？

Est-ce que je peux fumer ? タバコを吸ってもいいですか？

=**Puis-je fumer ?**

＊この動詞は「可能・許可・可能性（～かもしれない）」といった意味で使われます．なお，1人称の疑問文（倒置形）には（×）〈Peux-je ?〉ではなく〈Puis-je ?〉を用います．

(3) **Tu dois téléphoner à Paul.**

君はポールに電話しなくてはならない．

＊「義務・必要・確信のある推量（～するに違いない）・予定（～することになっている）」などに用います．また，否定文では「禁止（～してはならない）」の意味になります．

例：Tu ne dois pas parler comme ça. そんな口の聞き方をするな．

(4) **Vous savez nager ?** あなたは泳げますか？

＊savoir「～できる」と (2) の pouvoir は混同されやすい単語です．前者は「学んで身につけている，習得している」の意味，後者は「ある条件のもとで可能である」の意味．たとえば，風邪をひいていたり，頭が痛くて，

Je sais nager, mais aujourd'hui, je ne peux pas nager.

「私は泳げますが，今日は泳げません」といった使いわけで．

なお，savoir は後ろに名詞をともなって「（物事を）知っている」の意味でも使われます．(☞ p. 131)

Il ne sait pas la grammaire. 彼は文法がわかっていない．

◆ 47 ◆ 代名動詞

　フランス語の学習を進めていくと，いくつかの難所に出会います．一概には言えませんが，入門レベルでは多くの方々がまずは発音で，名詞の男女の別で，さらに動詞活用で，頭を悩ませるに違いありません．そんななか，初級レベルの方たちがつまずく難所といえば，ここで扱う代名動詞が代表例です．

　代名動詞とは，主に，主語と同じ再帰代名詞 se（英語の *oneself* に相当）をともなう動詞で，英語で代名動詞に相当する例として，*seat*「(人を)座らせる」→ *seat oneself*「自分自身を座らせる → 座る」があげられます．主語の動作が「自分を(に)」再帰する動詞です．ただし，英語とは違い，再帰代名詞が動詞の前に置かれます．たとえば，こんな動詞が代表例．

　　coucher [クシェ] 寝かす → **se coucher** [ス クシェ] 寝る

　そして，主語の人称に応じて se が下記のように変化します（英語の *oneself* が *myself, yourself*... と形を変えるのと同じことです）．(☞ Q & A p. 222)

〔1〕代名動詞の活用（直説法現在）verbe pronominal ④

se coucher [ス クシェ]「寝る」

je me couche ジュ ム クーシュ	nous nous couchons ヌ ヌ クション
tu te couches テュ トゥ クーシュ	vous vous couchez ヴ ヴ クシェ
il se couche イル ス クーシュ	ils se couchent イル ス クーシュ

＊代名動詞を辞書で調べる場合には，見出し語 coucher を調べ，同じ見出し語内で，代名動詞の指示（あるいは se coucher〔代名動詞の不定法〕）を探れば容易に見つかります．なお，再帰代名詞の形は，3人称（単数・複数）の se を除いて，補語人称代名詞（目的補語）(☞ p. 112) とまったく同じです．

なお，否定文，疑問文（倒置形），あるいは否定疑問文（倒置）は下記の語順になります．

否定文　　：**je ne me couche pas** [ジュ ヌ ム クーシュ パ]
倒置形　　：**te couches-tu ?** [トゥ クーシュ テュ]
否定倒置形：**ne se couche-t-il pas ?** [ヌ ス クーシュティル パ]

〔2〕種類・用法 ④ ③

*下記 (1) (2) は再帰代名詞が直接目的補語になる場合と間接目的補語となる場合があります．しかし，(3) (4) は se を直接目的補語と考えます．

(1) 再帰的：「自分を（に）」と動作が再帰する．

Je me lève à six heures.　　私は6時に起きる．
ジュ ム レーヴァ ア スィズール
　　　　　　　　　　　　　　　me → 直接目的補語
　◆ **lever**「起こす」→ 私は6時に自分(私)を起こす

Je me lave la figure.　　私は顔を洗う．
ジュ ム ラーヴ ラ フィギュール
　　　　　　　　　　　　　　　me → 間接目的補語
　◆ **laver**「洗う」→ 私は自分の(ために)顔を洗う

(2) 相互的：主語が複数（あるいは on ）で，再帰代名詞が「お互いを（に）」と相互作用しあう関係を表したもの．

Nous nous regardons sans rien dire.
ヌ ヌ ルギャルドン サン リィヤン ディール
　　　　　　　　　　　　　　私たちは何も言わずに見つめ合う．

*お互いを l'un l'autre, お互いに l'un à l'autre などを付加して相互的用法を明示することがあります．（☞ Q & A p. 224）

(3) 受動的：主語が3人称「物」で，受動的な意味「〜られる（される）」を表すもの．（☞ Q & A p. 232）

La porte se ferme.　　ドアが(ひとりでに)閉まる．
ラ ポルトゥ ス フェルム

(4) 本質的：代名動詞の形しかない動詞，あるいは従来の動詞が代名動詞として別途独立した意味を有するもの．

se moquer (de) [ス モケ(ドゥ)]（〜を）馬鹿にする，からかう
se souvenir (de) [ス スーヴニール(ドゥ)]（〜を）思い出す
s'en aller [サンナレ] 立ち去る

◆ 48 ◆ 命令法

命令法（命令文）は，現用では，現在あるいは未来に行われる行為を対象とした「現在形＝単純形」が中心です（「過去形＝複合形（前未来のニュアンス（☞ p. 166））」は現在では稀な表現）．命令の文章を構成するのに，英語では動詞の原形を用いますが，フランス語では多くが直説法現在の活用形を使います．

〔1〕命令文（現在）の作り方 impératif

直説法現在の tu, nous, vous から主語を省いた形が通例．⑤

---
chanter [シャンテ] 歌う

2人称単数　tu chantes　→　Chante !　歌って
　　　　　　　　　　　　　　シャントゥ

1人称複数　nous chantons　→　Chantons !　歌いましょう
　　　　　　　　　　　　　　　シャントン

2人称単数　vous chantez　→　Chantez !　歌ってください
（複数）　　　　　　　　　　シャンテ

＊語尾が -er と綴られる動詞，ならびに ouvrir 型（巻末の動詞活用 ㉓）は2人称単数形の語尾の〈s〉が省かれます．

＊＊中性代名詞（副詞的代名詞）en, y を従える際の〈s〉の復活については p. 179 を参照してください．

avoir, être, savoir などの命令文は特別な形をとります（接続法現在（☞ p. 184）から形を作ります）．④③

---
avoir	être	savoir
Aie エ	Sois ソワ	Sache サシュ
Ayons エィヨン	Soyons ソワィヨン	Sachons サシヨン
Ayez エィエ	Soyez ソワィエ	Sachez サシェ

〔2〕否定命令文 ⑤ ④

通常の否定文に準じて，ne (n') ... pas (plus, jamais) で動詞をはさみます．

Ne fumez pas ici.
ヌ　フュメ　パ　イスィ

ここでタバコを吸わないで．

〔3〕命令文の補語人称代名詞の置き位置 ④ ③

すでに，p. 113 で触れたように，補語人称代名詞の置き位置は「動詞の直前」が原則です．ところが，**肯定命令文**では，つねに動詞の後ろに置かれます．

> 動詞（命令法）-補語人称代名詞

上記の語順をトレ・デュニオン〈-〉(☞ p. 7) でつなぎます．なお，me, te の代わりに肯定命令文では moi, toi（強勢形）を用います．

Téléphonez-moi, s'il vous plaît.
テレフォネ　モワ　スィル　ヴ　プレ

どうぞ，私に電話してください．

＊たとえば「彼が私に電話する」なら〈Il me téléphone.〉［イル ム テレフォヌ］と動詞の前に補語人称代名詞が置かれます．しかし，肯定命令では上記のように後ろに置かれます．なお，〈s'il vous plaît.〉は英語の *please* に相当する表現で，とても使いでのある一言です．

Lève-toi tout de suite !
レーヴ　トワ　トゥトゥスュイットゥ

すぐに起きなさい．

＊上記は代名動詞 se lever が命令文になった例です．

Donnez-les à votre frère.
ドネ　レ　ア ヴォートゥル フレール

兄(弟)にそれらをあげなさい．

＊me → moi, te → toi 以外の補語人称代名詞は，そのまま動詞の後ろに置きます．

ただし，**否定命令文**の場合には，補語人称代名詞は動詞の前に置かれます．

Ne me dérangez pas.
ヌ　ム　デランジェ　パ

私の邪魔をしないで．

◆ 49 ◆ 副　詞

　副詞は修飾語と呼ばれ，動詞・形容詞などを補足・説明する語です．性・数一致しない不変化語．

〔1〕 副詞の働きと置き位置 adverbe ⑤④ (☞ Q & A p. 218)

(1) 動詞の修飾（一般に動詞の直後に）

　　Il marche *lentement*.　　彼はゆっくり歩く．
　　　イル　マルシュ　ラントゥマン

　＊複合形のときは過去分詞の前に置かれます（綴り字の短かい副詞が中心）．

(2) 形容詞の修飾（一般に修飾する形容詞の直前で）

　　Elle est *très* gentille.　　彼女はとても親切です．
　　　エレ　トレ　ジャンティーユ

(3) その他の副詞の修飾（一般に修飾する副詞の直前で）

　　Papa se lève *très* tôt.　　パパはとても早く起きる．
　　　パパ　ス　レーヴ　トレ　トー

(4) 文の修飾（通常は文頭に置かれる）

　　***Malheureusement*, je suis occupé(e).**
　　　マルルーズマン　　　　　　ジュ　スュイゾキュペ
　　　　　　　　　　　　　あいにく私はとても多忙です．

〔2〕 副詞の意味上の種類

(1) 場所の副詞の例 ④

> **ici** [イスィ] ここに　　　　　**là** [ラ] あそこに
> **devant** [ドゥヴァン] 前に　　**derrière** [デリエール] 後ろに
> **près** [プレ] 近くに　　　　　**loin** [ロワン] 遠くに

　＊devant, derrière は前置詞の用法もあります．〈Passez devant.〉[パッセ ドゥヴァン]「どうぞお先に」なら副詞，〈Il y a un arbre devant l'église.〉[イリア アンナルブル ドゥヴァン レグリーズ]「教会の前に木がある」なら前置詞です．

　　Il habite près de la gare.　彼は駅の近くに住んでいる．
　　　イラビットゥ　プレ　ドゥ　ラ　ガール

(2) 時・頻度の副詞の例（状況補語（☞ p. 82）でもある）.⑤

> **maintenant** [マントゥナン] 今　　**demain** [ドゥマン] 明日
> **aujourd'hui** [オージュルデュィ] 今日　**hier** [イェール] 昨日
> **ce matin** [ス マタン] 今朝
> **toujours** [トゥジュール] いつも　**souvent** [スヴァン] しばしば
> **de temps en temps** [ドゥタンザンタン] ときどき

　Tu es toujours en retard.　　君はいつも遅刻だ.
　トゥ エ トゥジュール アン ルタール

(3) 様態の副詞の例 ⑤ ④

> **bien** [ビィヤン] よく　　　　**mal** [マル] 悪く
> **vite** [ヴィットゥ] 速く　　　**lentement** [ラントゥマン] ゆっくり
> **ensemble** [アンサンブル] 一緒に

　Il parle mal l'anglais.　　　彼は英語を話すのが下手だ.
　イル パルル マル ラングレ

(4) 量・程度の副詞の例（数量副詞（☞ p. 120））④ ③

> **environ** [アンヴィロン] およそ　　**à peine** [ア ペーヌ] わずかに
> **tout à fait** [トゥタフェ] まったく

　Nous sommes tout à fait de ton avis.
　ヌ　ソム　　　トゥタフェ　　ドゥ　トナヴィ

　　　　　　　　　　　　　　　私たちは君とまったく同意見です.

(5) 推定の副詞の例 ⑤ ④

> **peut-être** [プテートゥル] たぶん, もしかすると
> **sans doute** [サン ドゥットゥ] おそらく, きっと

　▶ Tu peux venir?　来られるかい？　▷ Peut-être. たぶんね.
　　テュ プー ヴニール　　　　　　　　　　プテートゥル

(*cent vingt-neuf*)　129

◆ 50 ◆ 重要動詞

　これまでに本書内（補遺を含む）で直説法現在の活用について触れた動詞は，都合，27動詞になります．しかし，これまでにとりあげなかった動詞にも，頻度の高い大切な動詞があります．そこで，以下，初級レベルで覚えておきたい必要最低限の動詞を巻末の『動詞活用表』の表番号で指示し，例文を付しますので，必要に応じてご参照ください（なお，これまで見た文法ができるだけ複数登場するように例文を作りましたので，初級レベルの文法の確認にもなるはずです）．

◇ 頻度の高いその他の重要動詞 ④③

23　ouvrir [ウヴリール] 開く

Ouvre-moi la porte, s'il te plaît.　ドアを開けてください．
　ウーヴル　モワ　ラ　ポルトゥ　スィルトゥ　プレ

◆ 直説法現在の活用が第1群動詞に準ずる変わり種．命令法2人称単数で〈s〉をつけない動詞です．(☞ p. 126)

28　rendre [ラーンドゥル] 返す；〔6文型 (☞ p. 83)〕A（目的語）をB（属詞）にする

Je sais rendre ma vie agréable.
　ジュ　セ　ラーンドゥル　マ　ヴィ　アグレアーブル
　　　　　　　　　　　　　　　人生を楽しくするすべを知っている．

＊prendre 29 の活用と混同しないこと．

32　dire [ディール] 言う

Je te le dis quand même : je t'aime.
　ジュトゥル　ディ　カン　メム　ジュ　テーム
　　　　　　それでも君にこう言おう，愛しているよ．（シャンソンの歌詞）

＊補語人称代名詞を2つ重ねた例．(☞ p. 114) この表現では le（それを）＝je t'aime の構造になっています．

33　lire [リール] 読む　　**40　écrire** [エクリール] 書く

Cet enfant sait déjà lire et écrire.
　セッタンファン　セ　デジャ　リール　エ　エクリール
　　　　　　　　　　　その子どもはすでに読み書きができます．

*〈savoir＋不定法〉「～できる」の意味ですが，pouvoir「～できる」との違いは？（☞ p. 123）

36 **plaire** ［プレール］（人の）気に入る

De l'eau minérale, s'il vous plaît.
ドゥ　ロー　ミネラル　スィル　ヴ　プレ

ミネラルウォーターをください．

*直説法現在の3人称単数の活用〈plaît〉の綴りに注意．〈s'il vous plaît.〉は英語の *please* →〈*if it pleases you*〉と同じ表現で，「依頼，勧告」などで幅広く用います．

41 **boire** ［ボワール］飲む；（酒を）飲む

Elle boit et fume.
エル　ボワ　エ　フュム

彼女は酒もタバコもやります．

*boire は「（液体を）飲む」こと，prendre は「（広く一般に）飲食する：（薬を）飲む」こと．

43 **connaître** ［コネートゥル］（人・場所を）知っている

Vous connaissez Sophie ?
ヴ　コネッセ　ソフィー

ソフィーをご存じですか？

*connaître は「（人・場所を）知っている」あるいは「物事を知っている」の意味．前者の意味では savoir は使いません．（☞ p. 123）接続詞 que, si で導かれる文章，不定法をともなう表現は savoir のみ可．（☞ p. 241）

45 **croire** ［クロワール］思う，（話，言葉を）信じる

Ne croyez pas cette dame.
ヌ　クロワイエ　パ　セットゥ　ダム

あの女性の言うことを信じてはいけません．

*否定命令文です．（☞ p. 127）

47 **mettre** ［メートル］（物を）置く：着る

Mets ton manteau !
メ　トン　マントー

コートを着なさい．

*2人称単数の命令文でも〈s〉を省きません．

57 **voir** ［ヴォワール］見る，見える

On voit la mer de cette fenêtre.
オン　ヴォワ　ラ　メール　ドゥ　セットゥ　フネートゥル

あの窓から海が見える．

(cent trente et un) 131

◇ 補遺 I ◇　数詞に関する補足

◆ **33▪34** ◆ で見た数詞（数形容詞とも呼びます）に関する注意事項や具体的用法をマトメてチェックしていきます．

〔1〕発音上の注意 ⑤

(1) 〈**基数詞＋名詞**〉はひとまとめで発音されます．

J'ai vingt ans.　　　　　　　　私は20歳です．
ジェ　ヴァンタン

＊vingt ans をリエゾンせずに読むことはありません．

(2) six, huit, dix の語末の子音字は単独で読むときには発音されますが，後ろに子音字が来ると発音されません．（☛ Q & A p. 213）

Je dois écrire six lettres.
ジュ　ドワ　エクリール　スィ　レートゥル

　　　　　　　　　　　　　　6通の手紙を書かなくてはなりません．

(3) huit の語頭は「有音の h」ですので，エリズィヨンはしません．（☛ Q & A p. 212）また，onze も同様に母音字省略されませんし，先行の語とのリエゾンも行われません．（☛ Q & A p. 214）

le onze janvier　　　　　　1月11日
ル　オーンズ　ジャンヴィエ

　　　　　　　→（×）**l'onze** は用いません．

〔2〕基数詞の用法

(1) 数を表します：形容詞的用法 ⑤

Il est une heure moins cinq.　1時5分前
イレ　ユヌール　　　　モワン　サンク

Voilà un homme et quatre femmes.
ヴォワラ　アンノム　エ　キャトゥル　ファム

　　　　　　　　　　　あそこに1人の男と4人の女がいる．

(2) 数字を表します：加減乗除 ④ ③

deux plus trois égale [égalent, font] cinq　2 ＋ 3 ＝ 5
ドゥ　プリュス　トロワズェガル　　エガル　　フォン　　サンク

132　(*cent trente-deux*)

(3) 日付・年号 ④

en 2010　2010年に　　=en deux mil dix
アン ドゥミルディス
　　　　　　　　　　　　=en deux mille dix

＊西暦年号を表すときだけ，〈mille〉の代わりに〈mil〉を用いるのが通例です．ただし，現用では〈mille〉を使うこともままあります．

〔3〕注意すべき序数詞の用法 ④ ③

(1) すでに触れたように，1番目には premier(ère) を用いますが，21, 31 … の 1 の位には unième を用います．

le vingt et unième (XXIe) siècle　21世紀
ル　ヴァンテユニエム　　　　　　　　スィエークル

(2) 建物の「階」étage [エタージュ] を表す序数に注意．

Il habite au premier étage.　彼は2階に住んでいる．
イラビットゥ　オ　プルミエ　エタージュ

＊フランス語では1階を rez-de-chaussée [レッドゥショセ] と称します．そのため「1番目の階」が日本語の2階に相当することになり，以下，序数がひとつずれる計算になります．(☞ p. 243)

(3) 分数　原則は〈分子を基数，分母を序数 (s)〉の順で

2/5 → deux cinquièmes [ドゥ サンキエム] 5分の2

ただし，**1/2 = un demi**（あるいは **une moitié**）
　　　　　　　アン　ドゥミ　　　　　　　　　　ユヌ　モワティエ

1/3 = un tiers　　　　　　　**1/4 = un quart** と表します．
アン　ティエル　　　　　　　　　アン　カール

〔4〕その他の数詞 ③

(1) 倍数表現の例

double 2倍　　**triple** 3倍　　**quadruple** 4倍
ドゥーブル　　　　トリプル　　　　クワ[カ]ドゥリュプル

＊〈基数詞＋fois [フォワ]〉の表現もあります．

(2) 概数

douzaine 約12（1ダース）　　**vingtaine** 約20
ドゥゼヌ　　　　　　　　　　　　ヴァンテヌ

＊〈基数詞＋aine〉の形で作ります．

(cent trente-trois) 133

◇ 補遺 J ◇　疑問詞・特殊な比較級・最上級

　ここでは，疑問詞 interrogatif に対する追記と比較・最上級の特殊形について見ていきます．

〔1〕疑問詞（疑問副詞・形容詞・代名詞）について

(1) 通常の置き位置は文頭です．しかし，会話では必ずしも文頭に置かれるケースばかりとは限りません．5
　たとえば，「何歳ですか」とたずねる疑問文の場合，

Quel âge avez-vous? でも **Vous avez quel âge?**
ケラージュ　アヴェ　ヴ　　　　　ヴザヴェ　　ケラージュ

と疑問詞を後ろに置く形でも両方許容されます．

(2) 疑問詞に前置詞をともなう表現にも注意が必要です．5

A quelle heure te lèves-tu?　何時に起きる？
ア　ケルール　トゥ　レーヴ テュ

＊たとえば，〈 (Je me lève) à sept heures. 〉「7時に（起きる）」の下線部分を打診するのですから，前置詞 à が必要になります．

D'où venez-vous?　　どこからいらしたのですか？
ドゥ　ヴネ　　ヴ
　　　　　　　　　　　　＝（出身）お国はどちらですか？

＊英語なら〈 *Where do you come from?* 〉となる表現ですが，フランス語は疑問詞の前に前置詞を置きます．

(3) 「**疑問詞＋不定法**」の表現 4 3
　不定法の動詞的用法と呼ばれる形で，下記の例のように，主語なしで使われる用法があります．（☞ p. 188）

Que faire?　　　　どうしたらいいのか？
ク　フェール

Comment dire?　　どう言ったらいいのか？
コマン　　ディール

＊話者のとまどい，迷いを表わす疑問文のケースです．

〔2〕比較級・最上級の特殊な形

原 級	優等比較級	優等最上級
bon	**meilleur(e)** [メィュール]	定冠詞＋**meilleur(e)**
bien	**mieux** [ミュー]	**le mieux**
mauvais	**pire** [ピール]	定冠詞＋**pire**
petit	**moindre** [モワーンドゥル]	定冠詞＋**moindre**
beaucoup	**plus** [プリュ]	**le plus**
peu	**moins** [モワン]	**le moins**

(1) bon の優等比較級は通常，上記の形を用います．④③

Ce vin est meilleur que celui-là.
ス ヴァン エ メィュール ク スリュィ ラ

このワインはあれよりも良い．

＊上記の例文を plus bon とはしません．ただし，bon と他の形容詞を比較する文や成句の一部では優等比較でも plus bon を使います．

Ce restaurant est plus ou moins bon.
ス レストラン エ プリュズモワン ボン

このレストランはまあまあおいしい．

(2) bien の優等比較級には mieux を使います．④

Elle sait mieux nager que moi.
エル セ ミュー ナジェ ク モワ

彼女は私よりも上手に泳ぐ．

(3) pire, moindre は比喩的・抽象的な意味を表すときに使われます．通常は plus mauvais, plus petit の形を用います．③②

Elle est plus petite que moi.
エレ プリュ プティットゥ ク モワ

彼女は私よりも背が低い．

Le moindre bruit me dérange.
ル モワーンドゥル ブリュィ ム デラーンジュ

ほんの微かな音でも私の邪魔だ．

(4) beaucoup, peu の比較級・最上級を優等（劣等）比較・最上級を構成する副詞 plus, moins と混同しないように．③②

Il travaille plus que toi.
イル トラヴァィユ プリュ(ス) ク トワ

彼は君よりもよく(多く)勉強する．

自己診断:フランス語会話力

　◆**00**◆ に記したように,文法とは「読み,書くためのコツ」なのですが,同時に,「話す」ためにも強力な援軍になります.ところが,**文法を文章を通じて理解し,暗記するという考え**がないために,目で見ればかなりのレベルの内容に対応できるのに,ごく簡単なことでも聞き取れない,話せないという人たちが大勢います.

　そこで,以下,現在の**あなたの口頭発言能力を確認する簡単な**チェックを以下に記します.

◇ 下記の質問にフランス語で対応できますか? ◇

(1) 「元気?」「何とおっしゃいましたか?」「ありがとう」「お願いします」「いいえ,無理です」「なるほど」「よくわかりません」など,相手との接点を作る表現が言える.

(2) 「私は〜です」「すみません,〜はどこにありますか?」「〜が欲しいのですが」という決まり文句が自在に使える.

(3) 動詞 **être, avoir, aller, faire, pouvoir** のすべての活用が言えて,書ける.

(4) 1〜100 までの数字が自在に使える.

(5) **savoir, connaître, partir, sortir, arriver, manger, boire, attendre, commencer** といった日常最重要動詞を使った例文がそれぞれの動詞に 2〜3つ,簡単に作れる.

(6) **grand, petit** など,基本的な形容詞,ならびに基本的な色に関する形容詞が使える.

(7) フランス語に関する話題になって「フランス語は難しいですね」「残念ですが,まだ,あまり話をする機会がなくて...」といった対応ができる.

(8) 「どこ?」「右に」「いくらですか?」「ほんの少し」といった場所・方向・時間・数量に関する表現に困らない.

　上記 8 つの質問に難なく答えられれば,**基礎日常会話完成レベル (仏検 3 級準備) に近い**ところまで来ています.

第 4 章　中級文法

初級文法を踏まえつつ，51 課～82 課までは主に仏検 3 級レベル～2 級レベルの文法を扱います（4 級レベルに相当する文法事項もあります）．目安は，初級用文法教科書・文法講読書で半年を過ぎた段階から学習する内容です．

なお，これからは動詞（時制の広がり）がポイントになりますので，本書内で必要に応じて巻末の動詞活用表の番号を □ で示します．適時，巻末付録を参照ください．また，カナ発音は動詞の活用部分のみに記しました．

◇ 仏検合格のための文法基準目安表 ◇

本書の掲載順に 82 課まで文法をチェックしていった場合にどの頁まで進めば，仏検の合格率がどの程度になるかを示した表です．

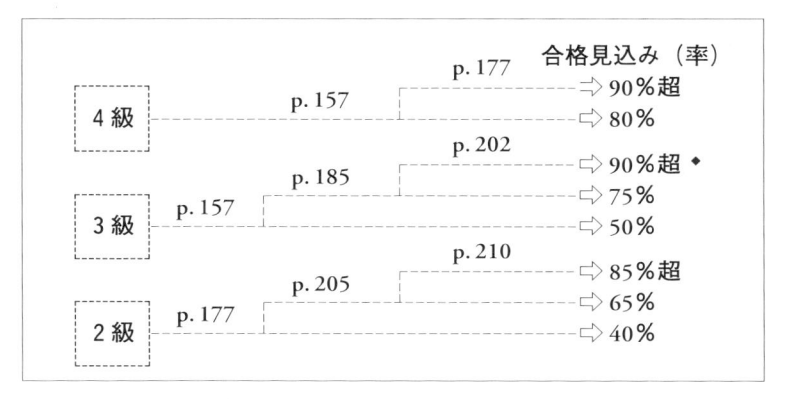

		合格見込み（率）
4 級	p. 157 / p. 177	⇨ 90％超 / ⇨ 80％
3 級	p. 157 / p. 185 / p. 202	⇨ 90％超 ◆ / ⇨ 75％ / ⇨ 50％
2 級	p. 177 / p. 205 / p. 210	⇨ 85％超 / ⇨ 65％ / ⇨ 40％

◆ ただし，3 級受験には ◇ 補遺 K ◇ も必須事項です．

英文参照・速攻文法整理 V

51 課から 82 課までの**文法の重要ポイント**を英語の例文と照らしながら展望していきます．

---
⑮

Have you visited Paris? ⇨ **Avez-vous visité Paris ?**
パリを訪れたことがありますか？

⇨ **複合過去**（☞ p.144）　　　　*have visited* → avez visité

◇フランス語で，過去を表現する場合には以下の 2 つのいずれかの形を用います．

1) **助動詞 avoir の現在形＋過去分詞**：他動詞と大半の自動詞
2) **助動詞 être の現在形＋過去分詞**：一部の自動詞と代名動詞

そして，この過去（複合過去と呼ばれます）は「～した」という「点の過去」（☞ p.160）とともに，⑮のように英語の現在完了の「経験・完了」に相当する表現にも用いられます．

---
⑯

When I called him, he was taking a shower.
私が電話をしたとき，彼はシャワーを浴びていた．

⇨ **Quand je lui ai téléphoné, il prenait une douche.**

⇨ **接続詞**（☞ p.209）　　　　　　*when* → quand
⇨ **複合過去**（☞ p.144）　　　　　*called* → ai téléphoné
⇨ **補語人称代名詞**（☞ p.112）　　*him* → lui
⇨ **半過去**（☞ p.158）　　　　　　*was taking* → prenait

◇複合過去「点の過去」と半過去「線の過去」（英語の過去進行形に類した表現）の違いを表す典型的な例文です．

```
━━━━━━╌╌╌●━━━━━━━━━━━━ ＋ ━━━━━━━━⇨
         └╌╌╌╌╌⇨ 電話した（現在）
         └╌╌╌╌╌⇨ シャワーを浴びていた
```

138　(cent trente-huit)

- **半過去**　　　　je **-ais**　　　tu **-ais**　　　il **-ait**
  （活用語尾）　　nous **-ions**　vous **-iez**　ils **-aient**

⑰
> ***When I arrived at the station, the train had left.***
> 私が駅に着いたとき，列車は出発してしまっていた．
>
> ⇨ **Quand je suis arrivé(e) à la gare, le train était parti.**

⇨ **複合過去**（☞ p. 145）　　　　*arrived*　→　suis arrivé(e)
⇨ **大過去**（☞ p. 162）　　　　　*had left*　→　était parti

◇複合過去と大過去「過去のある時点よりも前に完了している行為」
（英語の過去完了に相当）の違いを表す例文です．

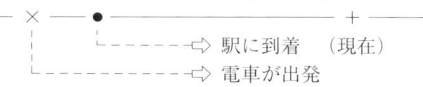

```
————×——●————————+————⇨
       └──────⇨ 駅に到着　（現在）
       └──────────⇨ 電車が出発
```

◇大過去は下記の形で作ります．

〈助動詞（avoir / être）の半過去＋過去分詞〉

⑱
> ***If you work hard, you will pass the examination.***
> 一生懸命に勉強すれば，その試験に受かるでしょう．
>
> ⇨ **Si tu travailles bien, tu réussiras à cet examen.**

⇨ **si 条件を表す接続詞**（☞ p. 175）　*if*　　　　→　si
⇨ **単純未来**（☞ p. 164）　　　　　　 *will pass*　→　réussiras

◇「助動詞（*will / shall*）＋動詞の原形」という展開で未来を作る英語
に対して，仏語では動詞を未来形（単純未来と呼びます）に活用
して使います．

- 単純未来の語尾は〈-r＋avoir の現在形活用（nous avons, vous avez の〈av〉は省きます）〉で展開します．

  単純未来　　　　je **-rai**　　　tu **-ras**　　　il **-ra**
  （活用語尾）　　 nous **-rons**　vous **-rez**　ils **-ront**

英文参照・速攻文法整理 VI

> ⑲
> *She is loved by everybody.*
> 彼女は皆に愛されている．
> ⇨ **Elle est aimée de tout le monde.**

⇨ **受動態** (☞ p. 168)　　　　　*is loved* → est aimé(e)

◇受動態は下記の要領で作ります．

　　S（主語）　＋　**V**（他動詞）　＋　**O**（直接目的補語）

　　S（主語）　＋　**être の活用形**　＋　**過去分詞**　＋〔**par / de** S'〕
　　　　　◆ 過去分詞は主語の性・数に一致

◇仏語には他に受動的表現として，代名動詞 (☞ p. 125) や On を主語にした文章 (☞ p. 110) もあります．

> ⑳
> *I have some friends who live in Paris.*
> 私にはパリに住んでいる友人がいます．
> ⇨ **J'ai des amis qui habitent à Paris.**

⇨ **不定冠詞複数** (☞ p. 46)　　　*some* → des
⇨ **関係代名詞** (☞ p. 150)　　　*who* → qui

◇英語は先行詞が「人であるか物であるか」によって，関係代名詞をわけなくてはなりません．しかし，仏語では通常「人・物」の違いは視野に入れません．⑳の〈qui〉は主語の関係代名詞に使われます．下記の句は先行詞が物の例です．

　　the bus which leaves at noon　　正午発のバス
　　　　　　　　→ **le bus qui part à midi**
　　　　　　　　　　ル　ビュス　キ　パール　ア　ミディ

140　(*cent quarante*)

㉑
> ***If he were richer, he would buy this picture.***
> もし彼がもっと金持ちなら，この絵を買うだろうに．
> ⇨ **S'il était plus riche, il achèterait ce tableau.**

⇨ **条件法現在** (☞ p.174)　　　*would buy* → **achèterait**
⇨ **指示形容詞** (☞ p.64)　　　*this* → **ce**

◇㉑は条件法（英語の仮定法に相当）を用いた例文です．
〈**Si**＋**S**＋半過去…，**S**＋条件法現在…〉が基本パターンで現在の事実に反する仮定（英語の仮定法過去に相当）する文章になります．なお，語尾活用は〈-r＋半過去の語尾〉の形になります．

◆ 条件法現在　　je **-rais**　　tu **-rais**　　il **-rait**
　（語尾活用）　nous **-rions**　vous **-riez**　ils **-raient**

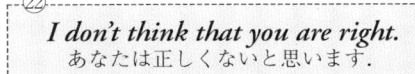

㉒
> ***I don't think that you are right.***
> あなたは正しくないと思います．
> ⇨ **Je ne crois pas que vous ayez raison.**

⇨ **接続法現在** (☞ p.184)　　　*are* → **ayez**

◇仏語では接続詞 que に導かれる従属節中で，行為・状態を頭のなかで考えられたものとして扱い，話者の主観・不確実な希望などを述べる時制（接続法）があります．

㉓
> ***She told me that she loved me.***
> 彼女は私を好きだと言った．
> ⇨ **Elle m'a dit qu'elle m'aimait.**

⇨ **話法・時制照応** (☞ p.190)

◇いわば，文法事項の総決算といった内容です．

◆ 51 ◆ 法と時制

　ここからは動詞が大きな軸になります．そこで，その基本となる「法」と「時制」について簡単にマトメをしておきます．例文の多くは文法の先どりなのですが，フランス語の全体像を理解するための前提となるものです．

〔1〕**法** mode

(1) **直説法** mode indicatif は現在の事柄を現在で表し，過去の行為を過去で表すという，客観的な事象を表す法です．⑤④

　Il *est né* à Paris en 1960.　彼は 1960 年パリに生まれた．

(2) **条件法** mode conditionnel は非現実の仮定・推測，過去における未来，語気緩和などを表す法です．④③

　S'il faisait beau, j'*irais* en promenade.
　　　　　　　　　　　　　晴れていれば，散歩にでかけるのに．

(3) **接続法** mode subjonctif は話者の主観的・感情的な事柄を表す法です．③

　Je souhaite que tu *réussisses* ton examen.
　　　　　　　　　　　　　君が試験に合格するよう祈っています．

(4) **命令法** mode impératif は命令はもちろん，希望なども表す法です．⑤④

　N'*ayez* pas peur !　心配しないで（怖がることはありません）．

(5) **不定法** mode infinitif は性・数・法などの観念を持たず，名詞的な働きや動詞的な働きをする法．辞書に載っている形，活用以前の原形のことです．③

　Voir Naples et *mourir.*　　《諺》ナポリを見て，死ね．

(6) **分詞法** mode participe は行為「〜している；〜した」を表して，名詞を修飾して形容的に使われます．副詞的用法もあります．④③

Il y a beaucoup d'étudiants *apprenant* le français.
フランス語を学んでいる学生がたくさんいます．

〔2〕**時制** temps

上記 (1) 〜 (6) にはそれぞれ下記の時制があります．

(1) **直説法**には助動詞を用いない**単純時制** temps simple として，すでに見た**現在** présent の他に，**単純未来** futur simple ④ (☞ p.164)，**半過去** imparfait ④③ (☞ p.158)，**単純過去** passé simple ② (☞ p.194) があります．

助動詞 (être / avoir) とともに時制を作る**複合時制** temps composé として，**複合過去** passé composé ④ (☞ p.144)，**前未来** futur antérieur ③ (☞ p.166)，**大過去** plus-que-parfait ③ (☞ p.162)，**前過去** passé antérieur ③② (☞ p.195) があります．

(2) **条件法**には**現在** présent ④③ (☞ p.174) と**過去** passé ④③ (☞ p.176) があります．

(3) **接続法**には**現在** présent ③ (☞ p.184)，**過去** passé ③② (☞ p.186)，**半過去** imparfait (☞ p.187)，**大過去** plus-que-parfait (☞ p.187) があります（接続法の半過去・大過去は仏検では扱われません）．

(4) **命令法** ⑤④ と (5) **不定法**には**現在** présent ③（単純形とも呼ばれます）(☞ p.188) と**過去** passé（複合形とも呼ばれます）(☞ p.189) とがあります．

(6) **分詞法**には**現在** présent ④③ (☞ p.170) と**過去** passé ④③ (☞ p.146) があります．

◆ 52 ◆ 複合過去 ①

　過去（正式には直説法複合過去と称されます．なお，書き言葉に使われる単純過去（☞ p. 194）という形もあります）の文章を組み立てるには，avoir と être の直説法現在の活用形（☞ p. 56）と過去分詞を使います．

> (1) **avoir** （直説法現在の活用形）＋**過去分詞**
> (2) **être** （直説法現在の活用形）＋**過去分詞**

(1) はすべての他動詞と大半の自動詞に，
(2) は**往来発着・移動のニュアンスを持つ自動詞**と**すべての代名動詞**（☞ p. 148）で用います．
　なお，avoir, être は助動詞という扱いになります．

〔1〕複合過去の活用　passé composé de l'indicatif ④

　上記のパターンを2つの動詞（parler / aller）を例に確認していくことにします．
(1) 助動詞に〈avoir〉をとる例
例：**parler** 話す　　過去分詞：**parlé** [パルレ]

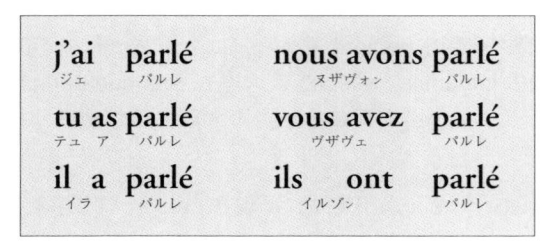

j'ai parlé ジェ　パルレ	nous avons parlé ヌザヴォン　パルレ
tu as parlé テュ ア　パルレ	vous avez parlé ヴザヴェ　パルレ
il a parlé イラ　パルレ	ils ont parlé イルゾン　パルレ

＊不定法が〈-er〉の語尾で終わる動詞の過去分詞は〈-é〉の形になります．詳しくは，p. 147 を参照ください．
(2) 助動詞に〈être〉をとる例
例：**partir** 出発する　　過去分詞：**parti** [パルティ]

je suis parti(e) _{ジュ スュイ パルティ}	nous sommes parti(e)s _{ヌ ソム パルティ}	
tu es parti(e) _{テュ エ パルティ}	vous êtes parti(e)(s) _{ヴゼットゥ パルティ}	
il est parti _{イレ パルティ}	ils sont partis _{イル ソン パルティ}	
elle est partie _{エレ パルティ}	elles sont parties _{エル ソン パルティ}	

助動詞に être を用いる場合には，**過去分詞が主語の性・数に一致**します．つまり，主語に応じて，女性の場合には〈e〉を複数の場合には〈s〉を付けなくてはなりません．

◆ 助動詞に être をとる自動詞の例 （☞ Q & A p. 226）

aller	[アレ]	行く	venir	[ヴニール]	来る
arriver	[アリヴェ]	到着する	partir	[パルティール]	出発する
entrer	[アントレ]	入る	sortir	[ソルティール]	外出する
monter	[モンテ]	昇る	descendre	[デサーンドゥル]	降りる
naître	[ネートゥル]	生まれる	mourir	[ムーリール]	死ぬ
rester	[レステ]	とどまる	tomber	[トンベ]	落ちる

〔2〕否定文・疑問文の語順 ④

(1) 否定文は下記の語順になります．

> ne (n')+助動詞 (avoir / être)+pas+過去分詞

例：**je n'ai pas parlé**　　私は話さなかった

(2) 倒置の疑問文は下記の語順になります．

> 助動詞 (avoir / être)−主語+過去分詞

例：**est-il parti…?**　　彼は出発しましたか？

＊否定倒置形は〈ne+助動詞−主語+pas+過去分詞〉の語順をとります．

◆ 53 ◆ 複合過去 ②

　複合過去の用法は細かく分類していきますと日常会話での前未来（☞ p.166）の代用や単純過去（書き言葉）の拡大的な用法（現在では書き言葉でも複合過去が使われています．なお，1991年からフランスのリセでは授業で単純過去（☞ p.194）を扱っていません）など，多岐に渡りますが，実用的な意味で必要な主な用法は下記の2つです．

〔1〕複合過去の主要な用法 ④

(1) 時間的な継続のない一時的な過ぎ去った過去の行為「～した」（点的な過去）を表します（話されている現在を含む時期に行われた行為，たとえば，「今日・今月・今年」といった単語とともに表現される「～した，だった」も包含します）．

Il a regardé la télé hier soir. 彼は昨晩テレビを見た．

Il n'a pas fait froid aujourd'hui. 今日，寒くはなかった．

(2) 現在において完了した行為「～してしまった」（英語の現在完了の完了・結果）・現在までに経験した行為「～したことがある」（経験）を表します．

＊英語の現在完了の継続には直説法現在を用います．（☞ p.84）

Paul est sorti vers midi.
　　　　　　　　　　　ポールは昼頃出かけました（今，いません）．

N'es-tu jamais allé(e) à Paris ?
　　　　　　　　　　　君はパリへ行ったことがないのですか？

〔2〕過去分詞の作り方 ④

　語尾の形に着目すると -é, -i, -u, -s, -t の5つの形があります．それを動詞（不定法）とのつながりで整理してみることにしましょう．

- 第 1 群規則動詞（aller を含む）→ **-é**
  - 7 parler　話す　→ **parlé**　[パルレ]
  - 16 aller　行く　→ **allé**　[アレ]
- 第 2 群規則動詞 → **-i**
  - 17 finir　終わる　→ **fini**　[フィニ]
  - 17 choisir　選ぶ　→ **choisi**　[ショワズィ]
- 基本不規則動詞：**avoir / être** → 特殊
  - 1 avoir → **eu** [ュ]　　2 être → **été** [エテ]
- 第 3 群不規則動詞

  -ir 型の大半 → **-i** / -ir 型の一部 → 例外
  - 18 sortir　外出する　→ **sorti**　[ソルティ]
  - 18 partir　出発する　→ **parti**　[パルティ]
  - 21 venir　来る　→ **venu**　[ヴニュ]
  - 25 mourir　死ぬ　→ **mort**　[モール]

  -oir 型の大半 → **-u**
  - 54 pouvoir　できる　→ **pu**　[ピュ]
  - 57 voir　見る　→ **vu**　[ヴュ]

  -re 型動詞 → **-u** · **-r** · **-t** など
  - 29 prendre　とる　→ **pris**　[プリ]
  - 47 mettre　置く　→ **mis**　[ミ]
  - 32 dire　言う　→ **dit**　[ディ]
  - 31 faire　する　→ **fait**　[フェ]
  - 33 lire　読む　→ **lu**　[リュ]
  - 28 vendre　売る　→ **vendu**　[ヴァンデュ]
  - 44 naître　生まれる　→ **né**　[ネ]（特殊）

＊過去分詞の用法：複合過去などの複合時制を作ったり，受動態を作る（☞ p.168）だけでなく，形容詞として働きます．
　① 他動詞の過去分詞：受動的な意味　② 自動詞の過去分詞：完了の意味

　① C'est un film apprécié.　　（これは）高く評価されている映画です．
　② Ses yeux sont rougis par les larmes. 彼(女)の目が涙で赤くなった．

◆ 54 ◆ 複合過去 ③（代名動詞）

　代名動詞の複合過去は助動詞に〈être〉を使いますが，再帰代名詞が直接目的補語になる場合には，過去分詞をその補語に性・数一致させなくてはなりません．間接目的補語の場合には性・数の一致は行いません．この点がいささか厄介です．

〔1〕**活用**　例：**se coucher**「寝る」（活用表 ⑥）④③

je me suis couché(e)	nous nous sommes couché(e)s
ジュ ム スュイ クシェ	ヌ ヌ ソム クシェ
tu t'es couché(e)	vous vous êtes couché(e)(s)
テュ テ クシェ	ヴ ヴゼットゥ クシェ
Il s'est couché	ils se sont couchés
イル セ クシェ	イル ス ソン クシェ
elle s'est couchée	elles se sont couchées
エル セ クシェ	エル ス ソン クシェ

つまり，下記の語順になります．

> 主語＋se（再帰代名詞）＋être（活用形）＋過去分詞

否定文は，〈se＋être（活用形）〉の部分を **ne (n') … pas** ではさみます．

　例：**je ne me suis pas couché(e)**　　私は寝なかった

また，倒置疑問文の場合には下記の語順になります．

> 再帰代名詞＋être（活用形）＋主語人称代名詞＋過去分詞

　例：**s'est-elle couchée…?**　　　　　彼女は寝ましたか？
　　　ne s'est-elle pas couchée…?　　彼女は寝ませんでしたか？

〔2〕 直接目的補語との性・数一致 ４３

> (1) se が直接目的補語 → 過去分詞は性・数一致
> (2) se が間接目的補語 → 過去分詞は性・数一致なし

p. 125 で触れているように，代名動詞では se（再帰代名詞）が直接の場合と間接の場合とがありますが，前者の場合のみ，過去分詞が直接目的補語（つまりは主語）と性・数一致します．

(1) 再帰代名詞が直接目的補語の例

Marie s'est levée à six heures ce matin.
マリーは今朝6時に起きた．

se lever は「自分を起こす → 起きる」の意味となる代名動詞ですから，〈se〉は直接目的補語です．したがって，過去分詞が性・数一致して levé+〈e〉と綴られます．

Marie s'est levée à six heures ce matin.

(2) 再帰代名詞が間接目的補語の例

Marie s'est brossé les dents à six heures ce matin.
マリーは今朝6時に歯を磨いた．

se brosser les dents「自分において（→ 自分の）歯を磨く」となる代名動詞ですから，〈les dents〉「歯を」が直接目的補語で，〈se〉「自分において（自分の）」は間接目的補語となります．したがって，(1) の例文のような性・数一致はしません．

ただし，この文法は煩雑でフランス人でも苦手な人が大勢います．性・数一致する代名動詞の方が数は多いので，原則「性・数は一致する」と覚え，ただし，身体部を付した文章では注意すると考えるのも乱暴ながらひとつの方策と言えるかもしれません．

◆ 55 ◆ 関係代名詞 ①

　関係代名詞とは，先行する名詞（先行詞）を修飾する形容詞のグループ（形容詞節）を導く，いわば接着剤の役割をはたす言葉です．
　たとえば「私は5つの言語を話せる人を知っています」という文を例に考えてみましょう．日本語では，常に「形容詞節＋名詞」，すなわち「5つの言語を話せる → 人」という語順になります．ところが，フランス語ではその順が逆です．「名詞＋形容詞節」の順，「人 ← 5つの言語を話せる」となるのです．この ← に相当する部分に関係代名詞が必要になります．

Je connais une personne qui peut parler cinq langues.

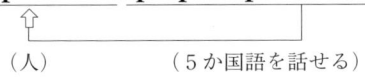

　　　　　　　（人）　　　　　（5か国語を話せる）

- qui... 以下の節が une personne（先行詞）を修飾．そして，上記の文は，次のように構成されたと考えられます．

　une personne (elle peut parler cinq langues)
　　　　　　　　→ elle を関係代名詞 qui とする
　une personne qui peut parler cinq langues

- elle（主語）を qui と置き換えるために，qui は主格（主語）の関係代名詞と呼ばれます．

〔1〕関係代名詞の形 ① pronom relatif ④

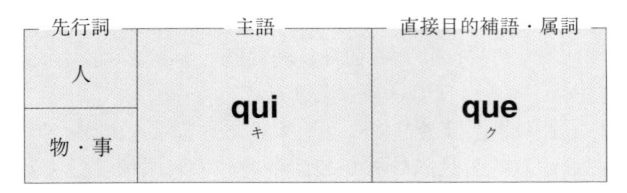

先行詞	主語	直接目的補語・属詞
人	**qui**	**que**
物・事	キ	ク

＊疑問代名詞（☞ p.104）と同じ単語を用いますが，先行詞の「人・物」の別は関係代名詞の扱いには関係しません．

〔2〕用例

(1) **主格：qui**　先行詞が形容詞節の主格（主語（☞ p.82））になる場合には，左頁の例文のように qui を用います．ただし，**先行詞は「人でも物でも」かまいません**（英語の主格の関係代名詞 *who, which, that* を包括します）．④

Tu connais la fille qui est là-bas ?
　　　　　　　　　　　　　　　あそこにいる少女を知ってる？
Je veux voir le livre qui est là.　そこにある本を見たい．

(2) (a) **直接目的格：que**　先行詞が形容詞節の目的格（直接目的補語（☞ p.82））になる場合は，関係代名詞 que を用います．**先行詞は「人でも物でも」かまいません**（英語の目的格の関係代名詞 *whom, which, that* を包括します）．④

l'homme que tu as vu　　　　　君が会った男
la voiture que tu as achetée　君が買った車

＊関係代名詞 que を用いると，直接目的補語が動詞に先行することになります．複合時制で直接目的補語が過去分詞に先行すると，過去分詞をその直接目的補語に性・数一致させます．③（☞ p.202）

Tu as acheté la voiture.　　　　　君は車を買った．
　→ 直接目的補語は過去分詞の後（性・数一致なし）
C'est la voiture que tu as achetée ?　あれが君の買った車ですか？
　→ 直接目的補語が過去分詞の前（性・数一致）

(b) **属詞：que**　先行詞が形容詞節の属詞（☞ p.82）（英語の補語に相当）となる場合にも que を用います（英語の *that* に相当します）．③ ②

Pauvre femme que je suis !
　　　　　　　　　　　　　私はなんと哀れな女なのだろう！

◆ 56 ◆ 関係代名詞 ②

前課に引き続いて，関係代名詞を見ていきます．

〔1〕 関係代名詞の形 ② pronom relatif

(1) **場所・時：où**　先行詞が場所や時を表す場合に用います（英語の関係副詞 *where, when* に相当）．④

Paris est la ville où j'ai habité pendant deux ans.
　　　　パリは私が2年間住んでいた都市です．

Voilà le moment où on doit partir.
　　　　ほら，もう出発しなければならない時間です．

＊疑問副詞で「どこ？」には où を用い，「いつ？」には quand を用いました．(☞ p. 92) また，英語では先行詞が場所のときには *where*，時であれば *when* を使います．しかし，「場所・時」を表すフランス語の関係代名詞には où を使います．ご注意ください．

(2) **前置詞 de を含む：dont**　先行詞と形容詞節が前置詞 de で結ばれる場合に用います．先行詞は「人でも物でも」かまいません（英語の *of which, of whom* 等に相当）．④③

Je ne connais pas le film dont vous parlez.
　　　　私はあなた（たち）が話題にしている映画を知りません．

→ Je ne connais pas le film.　Vous parlez *du film*.

＊parler de... 「～について話す，話題にする」．(☞ p. 192)

J'ai un ami dont le père est médecin.
　　　　私には父親が医者をしている友人がいる．

→ J'ai un ami.　Son père (= Le père *d'un ami*) est médecin.　(son「彼の」を「（その）友人の」と考えます)．

＊*cf. I have a friend whose father is a doctor.*
ただし，先行詞が場所・時を表す場合には，通常 d'où を用います．③②
C'est un village d'où on a une belle vue sur la mer.
　　　　そこは海がよく見渡せる村です．(☞ p. 153)

〔2〕 関係代名詞が前置詞に先立たれる場合

主語の種類と働きに応じて下記のような種類があります. ③ ②

種類＼働き	間接目的補語・状況補語	前置詞 de の場合
人	前置詞+**qui**	**dont**
物	前置詞+**lequel** (次頁)	**dont**
場所・時	(前置詞)+**où**	**d'où, dont**
事柄	前置詞+**quoi**	**dont**

＊上記〈lequel〉のパターンについては次課で扱います.

用例

Ta femme connaît la jeune fille avec qui tu as voyagé ? 奥さんは君がいっしょに旅行した娘さんを知ってるの？

→ { Ta femme connaît la jeune fille ?
    Tu as voyagé avec elle (＝la jeune fille).

C'est la ville d'où elle vient.
　　　　　　　　　　　　それは彼女の出身の町です.

Voilà ce à quoi je pense.
　　　　　　　　　　　　それが私の考えていることです.

＊〈penser à...〉「～を考える」(☞ p.192) を先行詞なしに〈c'est, voici, voilà〉の後に使うこともあります.
　C'est bien à quoi je pense.　それこそ私の考えていることです.

◆ 57 ◆ 疑問代名詞 ②／関係代名詞 ③

◆ 37 ◆ ですでに疑問代名詞をチェックしましたが,「2 つ (2 人) あるいはそれ以上の物のなかで誰 (何)」と選択をたずねる性・数変化する疑問代名詞 adjectif interrogatif があります.

〔1〕 疑問代名詞：定冠詞＋疑問形容詞 (☞ p.94) の形

男性単数	女性単数	男性複数	女性複数
lequel	**laquelle**	**lesquels**	**lesquelles**
ルケル	ラケル	レケル	レケル

前置詞 de, à とともに用いると, 定冠詞の縮約 (☞ p.72) に準じて, 下記の形になります.

男性単数	女性単数	男性複数	女性複数
duquel	**de laquelle**	**desquels**	**desquelles**
デュケル	ドゥ ラケル	デケル	デケル
auquel	**à laquelle**	**auxquels**	**auxquelles**
オーケル	ア ラケル	オーケル	オーケル

(1) 主語をたずねます.

Lequel de ces tableaux est le plus beau ?
これらの絵のなかでどれが一番美しいですか？

(2) 直接目的補語をたずねます.

Voici des montres. Laquelle choisissez-vous ?
ここに時計があります. どれをお選びですか？

(3) 間接目的補語・状況補語をたずねます.

Auxquelles de tes amies offres-tu des roses ?
君はガールフレンドのなかの誰にバラをあげるの？

Par laquelle de ces routes va-t-on à Paris ?
どのルート (道) でパリに行きますか？

〔2〕関係代名詞　前置詞＋**lequel** pronom relatif ③②

前課で触れたように，先行詞が「物」で間接目的補語・状況補語の場合には，左記の疑問代名詞を用いて，

〈**前置詞＋lequel, laquelle, lesquels, lesquelles**〉の形を用います．

C'est le projet auquel tu penses en ce moment ?
それが，君の今考えている計画なのですか？

Voilà l'ordinateur avec lequel j'ai envoyé mon courrier électronique.
それは私がメールを送ったコンピュータです．

＊avec… は「道具で」の意味．正規のフランス語では〈e-mail〉や〈mail〉ではなく〈courrier électronique〉を使います．

先行詞の性・数の別をハッキリさせるために，つまり誤解を避け，強調する目的でもこの関係代名詞が使われることがあります．③②

Voilà la fille de M. Renoir, laquelle habite à Paris.
ルノワール氏の娘がいます，彼女はパリに住んでいます．

上記の文章で関係代名詞を qui とすると，先行詞が la fille なのか，それとも M. Renoir になるのか判然としません．それを明示するために laquelle（→ 先行詞は la fille）とした例です，と多くの語学書で紹介されています．そしてそれは文法的に正しい処理です．しかし，実際には少々の曖昧さがあっても〈qui〉を用いるのが通例だと感じます．主語や直接目的補語で lequel 型の関係代名詞を用いるケースは現用ではごくまれだからです．したがって〈前置詞＋lequel〉のパターンだけを覚えれば充分でしょう．

◆ 58 ◆ 強調構文

文章中の特定の語句を強調する方法として，強調構文 phrase emphatique があります．

> (1) 主語を強調する場合 ④
>   **C'est ... qui ...**   [セ...キ...]
> (2) 主語以外の要素（直接・間接目的補語・状況補語）を強調する場合 ④ ③
>   **C'est ... que ...**   [セ...ク...]

下記の例で強調構文を考えてみましょう．

Ma mère⁽ᵃ⁾ a donné cette jupe⁽ᵇ⁾ à Anne⁽ᶜ⁾ hier⁽ᵈ⁾.
　　私の母は昨日あのスカートをアンヌにあげました．

(a) 主語の強調

　　***C'est* ma mère *qui* a donné cette jupe à Anne hier.**
　　　昨日アンヌにあのスカートをあげたのは**私の母**です．

＊強調構文を和訳する際には，通常，文末に強調の語を置くと習います．しかし，これは一つの訳例であって，たとえば，「**私の母**ですよ，昨日アンヌにあのスカートをあげたのは」と訳したとしても強調だとわかります．

(b) 直接目的補語の強調

　　***C'est* cette jupe *que* ma mère a donnée à Anne hier.**
　　　昨日私の母がアンヌにあげたのは**あのスカート**です．

＊**直接目的補語 cette jupe が過去分詞 donné の前に置かれるので，過去分詞が直接目的補語に性・数一致している点に注意してください．**（☞ p. 202）

(c) 間接目的補語の強調

　　***C'est* à Anne *que* ma mère a donné cette jupe hier.**
　　　昨日私の母があのスカートをあげたのは**アンヌ**です．

(d) 状況補語（動詞の表す行為について「いつ・どこで・どのように」行われたかを示す要素（☞ p. 82））の強調

C'est hier *que* ma mère a donné cette jupe à Anne.
　　　　　私の母があのスカートをアンヌにあげたのは**昨日**です．

＊なお，英語の〈*it is … that (who, which)*〉の場合には時制に応じて be 動詞が過去になることがありますが，フランス語では c'est の時制を変える必要はありません．

人称代名詞の強調には強勢形（☞ p. 115）を用います．いささか文法的にすぎる例かもしれませんが，下記の文章で考えてみましょう．

Il⁽ᵉ⁾ me⁽ᶠ⁾ l'⁽ᵍ⁾a présentée.　彼は私に彼女を紹介してくれました．

(e) 主語の強調

C'est lui *qui* me l'a présentée.
　　　　　私に彼女を紹介してくれたのは**彼**です．

(f) 間接目的補語の強調

C'est à moi *qu*'il l'a présentée.
　　　　　彼が彼女を紹介してくれたのは**私に**（対して）です．

(g) 直接目的補語の強調

C'est elle *qu*'il m'a présentée.
　　　　　彼が私に紹介してくれたのは**彼女**です．

強調は他の方法でも行われます．特に副詞による強調は会話で頻繁に使われます．たとえば，こんな例で．

C'est *absolument* sûr !　それは絶対確実です．

▶ C'est vrai, tu viens chez moi ce soir ?　▷ *Mais* oui.
　本当に，今晩我が家にいらっしゃいますか？　　　　　もちろん．

＊上記の mais は副詞です．「しかし」（接続詞）ではありません．

中級

◆ 59 ◆ 直説法半過去

過去において継続中の行為・状態「～していた」, つまり未完了の過去(「完了」parfait ではない「未完了」)を「半過去」imparfait と呼びます. ほぼ英語の過去進行形に類する表現です.

〔1〕**活用** imparfait de l'indicatif ④③

(1) **語尾**　je **-ais**　[エ]　　nous **-ions**　[ィオン]
　　　　　　tu **-ais**　[エ]　　vous **-iez**　[ィエ]
　　　　　　il **-ait**　[エ]　　ils **-aient**　[エ]

この語尾はすべての動詞に共通です.

(2) **語幹**　直説法現在の1人称複数から〈-ons〉を省いた形で, 唯一の例外は être だけで, 語幹が〈ét-〉となります (nous sommes となり〈-ons〉の綴り字で終わりませんから).

例: chanter → **nous *chant*ons** → chant- が語幹

　　je chantais　　　　**nous chantions**
　　ジュ　シャンテ　　　　　ヌ　　シャンティオン
　　tu chantais　　　　**vous chantiez**
　　テュ　シャンテ　　　　　ヴ　　シャンティエ
　　il chantait　　　　**ils chantaient**
　　イル　シャンテ　　　　　イル　シャンテ

　　finir　→ **nous *finiss*ons** → finiss- が語幹
　　avoir　→ **nous *av*ons** → av- が語幹
例外: être ─────────────→ ét- が語幹

〔2〕**用法** ④③

(a) 過去における継続的な行為・状態を表します

Hier, il pleuvait.　　　昨日は1日中雨が降っていた.

Quand il était jeune, il était très beau.
彼は若い頃，とても美男子だった．

◆ quand [カン]「〜のとき」（接続詞）

Quand je suis entré(e) dans sa chambre, il jouait du piano. 私が部屋に入っていったら，彼はピアノを弾いていた．

＊複合過去と半過去の相違については次課で解説を付加します．

(b) 過去における習慣・反復的な行為を表します．

Tous les week-ends, j'allais à la pêche avec mes amis. 毎週末，私は友だちと釣りにでかけたものだ．

(c) 過去における中心となる背景状況を絵画的に描いたり，人の性格や心理の描写，行為の説明などに用いられます．描写の半過去 imparfait descriptif と総称されます．文学作品で頻繁に用いられる用法です．下記はフロベールより．②

La pluie ne tombait plus ; le jour commençait à venir... もう雨は降っていなかった．夜が明けはじめていた...

＊単純過去（☞ p.194）が説話的時制であるのに対して，半過去は描写的な時制とされます．

(d) aller, venir の半過去を用いて，過去における「近接過去・近接未来」（☞ p.71）を表します．

Ma mère allait sortir quand le téléphone a sonné.
母が出かけようとしていたら，電話が鳴った．

(e) 主節が過去のときに従属節中で主節と同時の行為・状態（過去における現在）を表します．詳細は時制照応（☞ p.190）を参照ください．

Elle m'a écrit qu'elle était malade.
彼女は私に病気だという手紙をよこした．

中級

◆ 60 ◆ 複合過去と半過去

複合過去を「点の過去」，半過去を「線の過去」と呼ぶことがあります．下図をご覧ください．

```
          複合過去
 ─────────・─────────+─────────→
      半過去              現在
 ～～～～～～～～～～～─────+─────────→
```

複合過去は過去の1点をとらえた時制ですから「～した」と訳し，半過去は点の連続＝線ととらえた時制ですから「～していた」（習慣を表す場合には「～したものだ」）と訳すと通常は意味をつかまえることができます．しかし，上記のように単純に運ぶとは限りません．なぜなら，この「点と線」が客観的基準ではなく，あくまで話者の視点（主観）によって切りとられるものだからです．

たとえば，数年フランス語を学んだ方でも間違えやすいのは，次のような文章の仏訳をする場合です．

① 「彼は 10 年間フランスに住んでいた」 ③ ②
② 「私が新聞を読んでいたら，母が入ってきた」 ③ ②

まず，① をどう仏訳されますか．これは，「～していた」＝半過去ではなく，複合過去で書かなくてはなりません．

Il a habité en France pendant dix ans.

ならば成立しますが，この動詞を〈habitait〉とすることはできないのです．なぜでしょうか？

たしかに「10年間」と言えば，線でとらえられた過去に見えます．しかし，この文章では 10 年をひとまとめ（＝点）ととらえています．つまり，この 10 年は，起点と終点がハッキリしている期間（限定のある動作）で，「今は住んでいない」＝完了の含みがあるため半過去を使わないからです．半過去は，期間が曖昧な「未完了」に使われるのが原則です．たとえば，

Il habitait en France à cette époque.
その当時彼はフランスに住んでいた．

であれば半過去が使われます．微妙なのですが，「その当時」とは，起点も終点も明確でない曖昧な時期を指すからです．

というわけで，「複合過去か半過去かで迷ったときのルール ①」は，

> ―①―――――――――――――――――――――――――
> 〈（明確な期間）〜していた〉には複合過去を使う．
> ―――――――――――――――――――――――――

では ② をどう書きますか？ 下記の文は不可です．

× Quand je lisais le journal, ma mère est entrée.

○ **Je lisais le journal quand ma mère est entrée.**

と書かなくてはなりません（quand を前から後ろに向かって訳している点に注意してください）．なぜなら，「複合過去か半過去かで迷ったときのルール ②」があるからです．

> ―②―――――――――――――――――――――――――
> **quand の節中では半過去よりも複合過去の形が好まれる．**
> ―――――――――――――――――――――――――

上記を 100% 普遍化することはできませんが，接続詞 quand は瞬間的な動作と結びつきやすく，複合過去と半過去の動作とが対比される ② のような表現（ある状況でなにかが起ったことを伝えるケース）では，通常，複合過去に結びつく力の強い語と言えるからです．

*ただし，Ma mère est entrée quand je lisais le journal. と書くことは可能です（前の動詞と後の動詞の行為の長短に注意．後の方が時間的に長く続く行為であれば半過去が使えます）．ただ，上記の構文（○）がより自然です．なお，主節が「習慣や反復」をあらわすケースや描写の半過去で，quand の節中で半過去を用いる形はよく使われます．（☞ p. 159）

◆ 61 ◆ 直説法大過去

主に過去の完了，過去の過去を表す時制です．

〔1〕活用 plus-que-parfait de l'indicatif ③

形 | 助動詞 (avoir / être) の直説法半過去＋過去分詞

＊助動詞の選択は複合過去に準じます．（☞ p.144）

例：⑦ **aimer**（他動詞の例）

j'avais aimé　　　　　nous avions aimé
ジャヴェゼメ　　　　　　　ヌザヴィオンゼメ

tu avais aimé　　　　　vous aviez aimé
テュアヴェゼメ　　　　　　ヴザヴィエゼメ

il avait aimé　　　　　ils avaient aimé
イラヴェテメ　　　　　　　イルザヴェテメ

㉑ **venir**（往来発着の意味を持つ自動詞の例）

j'étais venu(e)　　　　nous étions venu(e)s
ジェテ　ヴニュ　　　　　　ヌゼティオン　ヴニュ

tu étais venu(e)　　　vous étiez venu(e)(s)
テュ　エテ　ヴニュ　　　　ヴゼティエ　ヴニュ

il était venu　　　　　ils étaient venus
イレテ　ヴニュ　　　　　　イルゼテ　ヴニュ

⑥ **se lever**（代名動詞の例）

je m'étais levé(e)　　　nous nous étions levé(e)s
ジュ　メテ　ルヴェ　　　　ヌ　ヌゼティオン　ルヴェ

tu t'étais levé(e)　　　vous vous étiez levé(e)(s)
テュ　テテ　ルヴェ　　　　ヴ　ヴゼティエ　ルヴェ

il s'était levé　　　　　ils s'étaient levés
イル　セテ　ルヴェ　　　　イル　セテ　ルヴェ

elle s'était levée　　　elles s'étaient levées
エル　セテ　ルヴェ　　　　エル　セテ　ルヴェ

〔2〕用法 ③

(1) 過去における完了

過去のある時点ですでに完了した行為や状態を表します（英語の過去完了に相当する用法）.

Quand il est arrivé à la gare, le train était déjà parti.
彼が駅に着いたとき，列車はすでに出発してしまっていた.

＊つまり，下記の関係です.

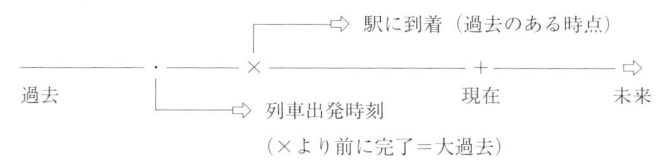

```
                          ⇨ 駅に到着（過去のある時点）
─────・─────×─────────────+─────────⇨
過去   │              現在            未来
       └─⇨ 列車出発時刻
```
（×より前に完了＝大過去）

(2) 過去に先立つ習慣や反復

半過去で表される習慣・反復に先立って行われた習慣や反復行為を表します.

Quand j'avais dîné, j'allais faire une promenade.
私は夕食をすませると，散歩にでかけたものだ.

(3) 過去における過去（時制照応・話法（☞ p.190））

〈主節（現在）＋従属節（過去）〉の文章で，主節が過去時制になると従属節中では大過去（過去における過去）が使われます（英語の過去完了による時制の一致に相当）.

Il *dit* que sa mère *a été* malade cette semaine.
〔現在〕　　　　　〔複合過去〕
彼は今週母が病気だったと言います.

→ Il *a dit* que sa mère *avait été* malade cette semaine.
〔複合過去〕　　　　　〔大過去〕
彼は今週母が病気だったと言いました.

＊英語ならば，*He said that his mother had been sick this week.* に相当する例です.

◆ 62 ◆ 直説法単純未来

フランス語で未来形を「単純未来」futur simple と称します．英語やドイツ語のように助動詞を用いず，動詞の語尾変化によって表します．

〔1〕活用 futur simple de l'indicatif ④

(1) **単純未来の語尾**：すべての動詞に共通です．

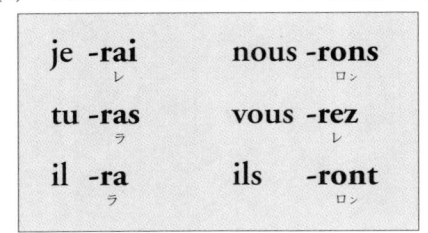

je -rai レ	nous -rons ロン
tu -ras ラ	vous -rez レ
il -ra ラ	ils -ront ロン

語尾の形は〈**-r**＋**avoir 直説法現在の活用**（nous, vous は〈av〉を削除）〉という展開になります．

(2) **単純未来の語幹**

不定法の語尾に準じて語幹を見ていきますが，例外がかなりあります（下記□番号は巻末の動詞活用表の番号）．

不定法語尾　　　作り方

-er ⇨　1人称単数現在形の活用＋語尾

7 aimer	j'aime	→ j'aimerai	［ジェムレ］
10 lever	je lève	→ je lèverai	［ジュ レーヴレ］
11 appeler	j'appelle	→ j'appellerai	［ジャペルレ］
（例外） 12 préférer		→ je préférerai	［ジュ プレフェルレ］
16 aller		→ j'irai	［ジーレ］
15 envoyer		→ j'enverrai	［ジャンヴェレ］

-ir ⇨　不定法語尾の -r だけを除いた形＋語尾

17 finir	fini-	→ je finirai	［ジュ フィニレ］
18 partir	parti-	→ je partirai	［ジュ パルティレ］
23 ouvrir	ouvri-	→ j'ouvrirai	［ジューヴリィレ］

（例外）	24 courir	→ **je courrai**	[ジュ　クーレ]
	21 venir	→ **je viendrai**	[ジュ　ヴィヤンドゥレ]
-re	⇨ 不定法語尾の -re を除いた形＋語尾		
28 attendre	attend-	→ **j'attendrai**	[ジャタンドゥレ]
29 prendre	prend-	→ **je prendrai**	[ジュ　プランドゥレ]
（例外）	31 faire	→ **je ferai**	[ジュ　フレ]
-oir	⇨ 不規則		
	53 devoir	→ **je devrai**	[ジュ　ドゥヴレ]
	62 falloir	→ **il faudra**	[イル　フォードゥラ]
	54 pouvoir	→ **je pourrai**	[ジュ　プーレ]
	56 savoir	→ **je saurai**	[ジュ　ソーレ]
	57 voir	→ **je verrai**	[ジュ　ヴェレ]
	58 vouloir	→ **je voudrai**	[ジュ　ヴードゥレ]
2 être	語幹 se-	→ **je serai**	[ジュ　スレ]
1 avoir	語幹 au-	→ **j'aurai**	[ジョーレ]

〔2〕用法 ④ ③

単純未来の用法は大きくわけて下記の2つに分類できます．

(1) 未来に実現されるはずの事柄を表します．

Paul arrivera à Londres demain.

　　　　　　　　　　　　　　ポールは明日ロンドンに着きますよ．

＊なお，〈Si＋直説法現在，直説法単純未来〉で未来の仮定「～ならば，～でしょう」の意味を表します．（☞ p.175）

(2) 2人称で命令・依頼を表します．

Vous viendrez ce soir à neuf heures ?

　　　　　　　　　　　　　　今晩9時においでくださいますか？

＊なお，現在進行している行為であっても，話者がそれを未確認のままの推定を表すこともあります．

On sonne, ce sera encore lui. 　呼び鈴がなっている，また彼だよ．

◆ 63 ◆ 直説法前未来

英語の未来完了に相当する時制で，未来のある時点で完了している事柄を表現します．

〔1〕**活用** futur antérieur de l'indicatif ③

| 形 | 助動詞 (avoir / être) の単純未来＋過去分詞 |

＊助動詞の選択は複合過去に準じます．(☞ p.144)

例　㉙ **prendre**（他動詞の例）

j'aurai pris　　　　nous aurons pris
ジョレ　　プリ　　　　ヌゾロン　　　プリ

tu auras pris　　　　vous aurez pris
テュ　オラ　プリ　　　　ヴゾレ　　　プリ

il aura pris　　　　ils auront pris
イロラ　　プリ　　　　イルゾロン　　プリ

⑱ **sortir**（往来発着の意味を持つ自動詞の例）

je serai sorti(e)　　nous serons sorti(e)s
ジュ　スレ　ソルティ　　ヌ　　スロン　　ソルティ

tu seras sorti(e)　　vous serez sorti(e)(s)
テュ　スラ　ソルティ　　ヴ　　スレ　　　ソルティ

il sera sorti　　　　ils seront sortis
イル　スラ　ソルティ　　イル　スロン　　ソルティ

elle sera sortie　　elles seront sorties
エル　スラ　ソルティ　　エル　スロン　　ソルティ

〔2〕**用法** ③

未来のある時点までに完了している行為（未来完了）を表します．

Le train sera parti quand tu arriveras à la gare !
　　　　　　　　君が駅に着くときには，列車は出てしまっているだろう．

前ページの例を図示しますと次のようになります．

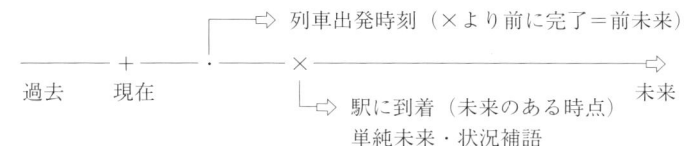

```
                    ┌──⇨ 列車出発時刻（×より前に完了＝前未来）
────────+─────・───×──────────────────⇨
過去   現在        └─⇨ 駅に到着（未来のある時点）      未来
                    単純未来・状況補語
```

＊英語の〈 *The train will have left when you arrive at the station.* 〉に相当する文章．なお，英語では時を表す副詞節中（上記 *when...* 以下）では未来時制を用いませんが（*when you will arrive...* は不可），フランス語にはこの約束はありません．なお，付言すれば，〈 aller＋不定法 〉（近接未来）の形式が，徐々に単純未来形を後退させつつあるのが現状です．

Revenez me voir quand vous aurez appris le français.
　　　　　　　フランス語を勉強し終えたら，私に会いにいらっしゃい．

＊上記のように，前未来は quand やその他の時に関する従属節（☞ p. 209）の後でも，主節でも使われます．

J'aurai écrit cette lettre dans une heure.
　　　　　　　1時間後にはこの手紙を書いてしまっているでしょう．

＊基準となる時間が状況補語〈 dans une heure 〉「1時間後」で表されています．

ただし，〈**être＋形容詞（過去分詞）**〉で，前未来の代わりに単純未来を用いることもあります．être が状態を表すため，時間的な経過を混同することがないと考えられるためです．

J'irai au bureau quand je serai prêt(e).
　　　　　　　準備ができたら会社に行きます．

＊上記は主節も従属節も単純未来が使われています．

また，過去の事実の推定で複合過去に代わって語調を緩和するときにも使われます．

Elle aura manqué le train.
　　　　　　　（きっと）彼女は列車に乗り遅れたのだろう．

◆ 64 ◆ 受動態

「愛する」（能動態）→「愛される」（受動態）という展開は英語と同じ形で展開します．つまり，英語が〈be 動詞の活用＋過去分詞〉の形で受動態を作るように，〈être〉を用いて下記の要領で態を変えます．

> 助動詞 (**être** の活用)＋他動詞の過去分詞...＋[de / par]

〔1〕 能動態から受動態へ voix passive ④

例：① Paul écrit une lettre.　　　　　ポールは手紙を書く．
　　⇨ **La lettre est écrite par Paul.**
　　　　　　　　　　　　　　　手紙はポールによって書かれる．

例：② Tout le monde a respecté cet homme politique.
　　　　　　　　　　　　　　　皆はその政治家を尊敬していた．

　　⇨ **Cet homme politique a été respecté de tout le monde.**　　　　その政治家は皆に尊敬されていた．

注意
- (1) **過去分詞は主語の性・数に一致**します．(☞ p.202)
- (2) **受動態の時制は être によって決定**します．
- (3) 動作主（能動態の主語）「～によって」par と de の別
  - (a) **par**：一般に，一時的な行為を表す場合
  - (b) **de** ：「愛される，尊敬される」など行為が継続的・習慣的な場合

〔2〕 動作主 [par / de...] が明示されない場合 ④③

能動態にしたときに主語が漠然と「人は，人々は」という意味を表す主語代名詞 on (☞ p.110) になるとき．

例 : **Le français est parlé au Québec.** ①
　　　　　ケベック州ではフランス語が話されている．

　⇨ **On parle (le) français au Québec.** ②
　　　　　　　人々はケベック州でフランス語を話している．

　⇨ **Le français se parle au Québec.** ③
　　　　　　フランス語はケベック州で話されている．

＊ただし，② も ① と同じ受動的な訳をつけるのが通例です．

なお，一時的な動作を表す動詞（たとえば，être ouvert「開いている」，être fermé「閉まっている」など）は，現在形では受け身ではなく「結果の状態」（être＋形容詞）と考えます．

　例 : **Ce magasin est ouvert le dimanche.**
　　　　　　　あの店は日曜も開いています．（状態を表す）

cf. **Ce magasin a été fermé à cause d'une panne d'ordinateur.**
　　　　　この店はコンピュータの故障で閉められた．（受け身を表す）

〔3〕**受動態についての補足** 4

　英語に比べて上記の受動態の形はそれほど頻繁には使われません．〈主語 → 動詞 → 目的補語〉と展開する文章（能動態）を好むフランス人の気質と，受動態のニュアンスを〈on〉でも（上記例文②参照），代名動詞（上記例文③参照）でも表現することができるフランス語の広がりがあるためです．

　なお，**フランス語では間接目的補語を受動態の主語にはしません**．英語の〈 *She was given the books by her friend.* 〉に相当するフランス語は不可です．

　（×）Elle a été donnée les livres par son ami(e).

◆ 65 ◆ 現在分詞

現在分詞には単純形と複合形があり，下記の要領で作ります．

〔1〕現在分詞の作り方 participe présent

(1) 現在分詞の語尾は〈**-ant**〉[アン]と綴られます（英語の〈-ing〉に相当）．その語幹は，直説法現在形の1人称複数形と同形になります．④③

例：**donner**　　nous donn*ons*（-ons を -ant に）
　　　　　　　　　　　　　　　　　　　　　　→ **donnant**
　　　　　　　　　　　　　　　　　　　　　　　　ドナン

　　finir　　　nous finiss*ons*（同上）　　→ **finissant**
　　　　　　　　　　　　　　　　　　　　　　　　フィニッサン

　　se lever　nous nous lev*ons*（同上）　→ **se levant**
　　　　　　　　　　　　　　　　　　　　　　　　ス ルヴァン

＊代名動詞の現在分詞では〈se ... ant〉の形のまま用います．再帰代名詞 se を me, te, ... とはしません．

例外：下記の3つの動詞は特殊な現在分詞を使います．

　　être　　→　**étant**　　［エタン］
　　avoir　→　**ayant**　　［エィヤン］
　　savoir　→　**sachant**　［サシャン］

(2) 現在分詞の複合形は，助動詞 ayant, étant に過去分詞を添えた形．③②

例：**aimer**　　単純形 **aimant**　　複合形 **ayant aimé**
　　　　　　　　　　　　　エマン　　　　　　　　　エィヤンテメ

　　aller　　単純形 **allant**　　複合形 **étant allé(e)(s)**
　　　　　　　　　　　　　アラン　　　　　　　　　エタンタレ

＊「～してから，～したので」（動作の完了）の意味で使われます．なお，ayant をとるか，étant をとるかは複合過去の助動詞の基準に準じます．複合形はすべて同じ基準で avoir / être の別を区別します．（☞ p.144）

〔2〕用法

(1) 形容詞的用法:主格の関係代名詞 (☞ p.150) と同じ働きをします.

C'est un chien obéissant à son maître.
= C'est un chien *qui obéit* à son maître.
飼い主の言うことをきく犬(おす)です.

ただし,〈-ant〉の形で,現在分詞から派生して単独の形容詞として扱われる語があります.動詞状形容詞 adjectif verbal と呼ばれます(英語の分詞形容詞に相当).この場合には,修飾する名詞・代名詞に性・数が一致します.(☞ Q & A p.221)

例:**C'est une chienne bien obéissante.**
とても従順な犬(めす)です. → **obéissant(e)**「従順な」

(2) 副詞的用法(分詞構文):原因・理由,条件,譲歩などの意味を表します(接続詞を用いる副詞節に代わる書き言葉.ただし,多くは「原因・理由」で用いられます).

Etant malade, Louise n'est pas venue hier soir.
= Comme elle était malade ◆ comme「～なので」
病気だったので,昨晩,ルイーズは来ませんでした.

Partant tout de suite, tu rattraperais ton ami.
= Si tu pars tout de suite ◆ si「もし～ならば」
すぐに出発すれば,君は友だちに追いつけるだろうに.

Ayant déjeuné, il est allé au cinéma.
= Après qu'il a eu déjeuné ◆ après que「～した後」
昼食を食べてから,彼は映画に行った.

分詞節が独自の主語を持つ例(絶対分詞構文).

Ma mère étant occupée, c'est moi qui fais le ménage. 母は忙しいので,私が掃除をします.

＊従属節の主語は〈ma mère〉で,主節の主語と一致していません.

中級

(*cent soixante et onze*) 171

◆ 66 ◆ ジェロンディフ／過去分詞構文

ジェロンディフ gérondif は，現在分詞の前に前置詞 en を先立てたもので，現在分詞の副詞的用法（☞ p.171）より口語的です．

$$\boxed{\text{en} + \text{現在分詞}\langle\text{-ant}\rangle}$$

接続詞の代用として副詞的に主節の動詞に働き，主節の主語と同じものが主語になります．大半のケースは同時性「〜しながら」を表しますが，手段，譲歩，対立などの意味を帯びることがあります．

〔1〕**用法** ④ ③

(1) **同時性**：「〜しながら」の意味で．

Elle marchait dans le bureau en fumant.
　　　　　　　彼女はタバコを吸いながら事務所内を歩いていた．
＝Pendant qu'elle fumait, elle marchait dans le bureau.

(2) **方法・手段**：「〜して，〜で」の意味で．
条件：「〜すれば」の意味で．
譲歩・対立：「〜しても，〜なのに」の意味で．

Il s'est mis à pleurer en apprenant cette nouvelle.
　　　　　　　彼はその知らせを聞いて泣きだした．
＊se mettre à＋*inf.*「〜しはじめる」の意味．

Tout en travaillant sérieusement, il a échoué à l'examen.　真面目に勉強したのに，彼は試験に失敗した．

＊ジェロンディフの前に tout をつけると同時性が強調され，譲歩・対立の含意になることが大半です．

〔2〕現在分詞との比較 ④③

(1) 現在分詞の分詞構文（副詞的用法（☞ p.171））とジェロンディフとは似ている表現ですが，次のような違いがあります．

   (a) ジェロンディフの方が口語的です．
   (b) 原因・理由を表す表現には，通例，現在分詞を用います．特に，être, avoir, pouvoir を用いた文のケース．
   (c) 手段・条件を表す表現には，ジェロンディフが通例．
   (d) 絶対分詞構文（主節と従属節の主語が違う文章）は通例ジェロンディフには用いません．
   (e) ジェロンディフに複合形はありません．

(2) 〈**現在分詞**＝形容詞的 VS **ジェロンディフ**＝副詞的〉

   例：**J'ai rencontré Pierre revenant de la fac.** -------- ①
   私は大学から戻ってくるピエールに出会った．
   → revenant... 以下は Pierre を修飾する形容詞です．

   ＊J'ai rencontré Pierre qui revenait de la fac. と書き換えられます．

   J'ai rencontré Pierre en revenant de la fac. --- ②
   私は大学から戻ってくるとき，ピエールに出会った．
   → en revenant... の主語は「私」je で，主動詞 ai rencontré を修飾する副詞です．

〔3〕過去分詞による分詞構文 participe passé ③②

過去分詞でも分詞構文（副詞的用法）を構成することがあります．現在分詞の複合形で〈étant〉を省略したものと考えることができます．

Le printemps revenu, tout renaît à l'espérance.
春が戻って，すべてが希望をとり戻す．

＝Le printemps étant revenu, tout renaît à l'espérance.

(☛ Q & A p.234)

◆ 67 ◆ 条件法現在

　直説法は現実の状況を「直に説明する」法ですが，条件法は「事実とは反対の仮定・推定」を表す法です．その時制には，助動詞 (avoir / être) を介さない現在と助動詞を用いる過去があります．

　条件法現在の活用は〈単純未来の語幹（☞ p.164）＋r＋半過去の語尾〉の形で展開します（裏見返しも参照ください）．

〔1〕**活用** présent du conditionnel ④③

	語尾		例：**aimer** 愛する	
je	-rais レ	nous	-rions リオン	**j'aimerais** ジェムレ	**nous aimerions** ヌゼムリオン
tu	-rais レ	vous	-riez リエ	**tu aimerais** テュ　エムレ	**vous aimeriez** ヴゼムリエ
il	-rait レ	ils	-raient レ	**il aimerait** イレムレ	**ils aimeraient** イルゼムレ

その他の動詞の活用の例　　＊□は巻末の動詞活用表番号

　　② être　　　→　**je serais**　［ジュ　スレ］
　　① avoir　　 →　**j'aurais**　［ジョレ］
　　⑯ aller　　 →　**j'irais**　［ジレ］
　　㊿ vouloir　→　**je voudrais**　［ジュ　ヴドゥレ］
　　㉑ venir　　→　**je viendrais**　［ジュ　ヴィャンドゥレ］

〔2〕**用法** ④③
(1) 現在の事実に反する仮定「（もし）〜ならば，…なのに」の意味で使われます．

> **Si**＋主語＋半過去，主語＋条件法現在

Si j'étais riche, j'achèterais cette maison blanche.
　　　　　　　もし金持ちならば，私はあの白い家を買うのに．

174　(cent soixante-quatorze)

＊「金持ちではないので，買えない」という現実を踏まえた表現．英語の〈 *If* +S+V（過去），S+*would* (*should, could, might*)+*do* 〉の展開に相当する形です．

ただし，単なる条件の場合には下記のパターンで．

〈 Si+主語+直説法現在，主語+単純未来 〉

S'il est riche, je l'épouse. ------------------ ①
S'il était riche, je l'épouserais. ---------- ②

① は「彼が金持ちなら，私は結婚します」（ただし，金持ちかどうかは不明），② は「彼が金持ちなら，私は結婚するのに」（実際には，金持ちでないので結婚しない）の意味になります．

なお，下記のように〈si+半過去〉の代わりに別表現（状況補語）を用いる場合があります．

A ta place, j'accepterais son invitation.
僕が君の立場だったら，彼（彼女）の招待を受けるのに．

→ à ta place=si j'étais à ta place.

＊〈Si+半過去〉を単独で使う例．（☞ p.177）

(2) 語気緩和，推測，反語などを表します．

Je voudrais aller au cinéma avec vous.
あなたと映画に行きたい．

＊〈je veux〉という直説法現在よりも丁寧で，通常用いられる表現．「もしできれば～」の含みがあるからです．

Il est absent : serait-il malade ?
彼は欠席しています．病気なのだろうか？

(3) 時制としての条件法で「過去における未来」を表します．詳しい説明は p.190 を参照ください．

Il m'a dit qu'il partirait le lendemain.
彼は私に翌日出発するだろうと言った．

◆ 68 ◆ 条件法過去

前課に引き続き、条件法の過去を見ていきます.

〔1〕活用 passé du conditionnel ④③

〈助動詞 (avoir / être) の条件法現在＋過去分詞〉の形で展開していきます. なお、助動詞の選択はすべての複合形（過去）と同じく、複合過去に準じます.（☞ p.144）

例：7 **parler** 話す

j'aurais parlé	nous aurions parlé
ジョレ パルレ	ヌゾリオン パルレ
tu aurais parlé	vous auriez parlé
テュ オレ パルレ	ヴゾリエ パルレ
il aurait parlé	ils auraient parlé
イロレ パルレ	イルゾレ パルレ

16 **aller** 行く

je serais allé(e)	nous serions allé(e)s
ジュ スレザレ	ヌ スリオンザレ
tu serais allé(e)	vous seriez allé(e)(s)
テュ スレザレ	ヴ スリエザレ
il serait allé	ils seraient allés
イル スレタレ	イル スレタレ
elle serait allée	elles seraient allées
エル スレタレ	エル スレタレ

〔2〕用法 ④③

(1) 過去の事実に反する仮定を表します.

> **Si＋主語＋直説法大過去，主語＋条件法過去**

Si j'avais été riche, j'aurais acheté cette voiture.

もし私が金持ちだったら、あの車を買ったのに.

* 英語の仮定法過去のパターン〈*If*＋S＋過去完了, S＋*would (should, could, might)*＋*have*＋過去分詞〉に相当します．

なお，主節が条件法現在「現在の事実に反し」，従属節（si で導かれる節）が大過去「過去の事実に反する」例もあります．② (☛ Q & A p. 228)

Je serais épuisé(e) si tu ne m'avais pas aidé(e).
君が手伝ってくれなかったら，（今頃）へとへとだろう．

(2) 語気緩和，推測，反語，遺憾などの意味を表します．独立した文章内で使います．

J'aurais voulu vous suivre.
あなたについて行きたかったのに．（語気緩和）

Qui aurait pu prévoir cet incident ?
この事故を（一体）誰が予測できたでしょうか？（反語）

(3) 時制としての条件法で「過去における未来（過去より見てある未来に完了しているはずの事柄）」を表します．主に間接話法で使われる時制照応の例です．(☞ p. 190)

Il m'a dit qu'il serait rentré le lendemain soir.
彼は私にその翌日の夕方には戻ってきているだろうと言った．

〔追記 ①〕〈**Si**＋**直説法半過去**〉は，単独で勧誘・願望などを表すことがあります．会話ではよく使われます．②

Si on allait au café près de la gare ?
駅の近くのカフェにでも行こうか．（勧誘）

Ah ! Si je savais nager !
ああ，泳げたらなあ．（願望）

〔追記 ②〕条件法第 2 形については，p. 228 を参照ください．

◆ 69 ◆ 中性代名詞

中性代名詞 pronom neutre と呼ばれる〈en, y, le〉があります（en, y を副詞的代名詞と呼ぶ場合もあります）．前文の性・数を持った名詞を受ける人称代名詞とは違って，主に，

〈de＋名詞〉 → **en**
〈à＋名詞〉 → **y**
前文の意味内容 → **le**

を受ける**性・数変化をしない代名詞**です．(☞ p. 255)

〔1〕**en**：**de** を含む文法の要素を受けます．③
(1) 〈**de**＋**名詞・代名詞・不定法**〉や，不定冠詞 des・部分冠詞，数詞や数量副詞をともなう名詞を受けます．

▶ **Avez-vous des frères ?** ご兄弟はおありですか？
▷ **Non, je n'en ai pas.** いいえ，おりません．
　　　→ Non, je n'ai pas de frères.

▶ **Combien d'enfants as-tu ?** お子さんは何人ですか？
▷ **J'en ai deux.** 2人です．
　　　→ J'ai deux enfants.

(2) 〈**de**＋**場所**〉を受けます（副詞的代名詞）．

▶ **Tu viens de Dijon ?** ディジョンから来たの？
▷ **Oui, j'en viens.** はい，(そこから) 来ました．
　　　→ Oui, je viens de Dijon.

〔2〕**y**：**à**＋物事，場所を示す状況補語を受けます．③
(1) 間接目的補語〈**à**＋**物・事**〉を受けます．(☞ Q & A p. 230)

▶ **Tu penses à ton avenir ?** 君は将来のことを考えていますか？
▷ **Oui, j'y pense toujours.** ええ，いつも考えています．
　　　→ Oui, je pense toujours à mon avenir.

(2) 〈**à, en, dans 等**＋**場所**〉を受けます（副詞的代名詞）．

▶ **Il est à Paris ?** 彼はパリにいますか？
▷ **Oui, il y est jusqu'à Noël.**

はい，クリスマまで（そこに）います．
→ Oui, il est à Paris jusqu'à Noël.

〔3〕**le**：前文の意味内容を受けます．③
(1) 属詞（形容詞，名詞など）を受けます．
> ▶ **Tu es content(e)?** 満足してますか？
> ▷ **Oui, je le suis.** はい，満足です．
> → Oui, je suis content(e).

(2) 前文・不定法・過去分詞などを受けます．
> ▶ **Jeanne est malade.** ジャンヌは病気です．
> ▷ **Ah! Je ne le savais pas.** え！ 知りませんでした．
> → le=elle est malade

〔注意 ①〕〈**en, y**〉について ③②
(1) en, y は一般に動詞の前（補語人称代名詞（☞ p.112）がある場合にはその後に，また en, y を同時に使う場合には y en の語順で）に置き，肯定命令（☞ p.127）では動詞の後に置きます．
> 例：**Il t'en a parlé.** 彼はそのことを君に話した．
> **Il y en a.** それがあります．
> **Donnez-m'en, s'il vous plaît.** それを僕にください．

*くだけた会話を除いて，通常，肯定命令に添えられた〈en〉の前では moi, toi が m', t' となります．（☞ Q & A p.231）

(2) -er 動詞および aller の2人称単数命令形の直後に en, y を置く場合には動詞に〈s〉を添え，リエゾンします．
> 例：**Vas-y!** （そこに）行きなさい．

〔注意 ②〕中性代名詞の le を定冠詞や補語人称代名詞（☞ p.112）の le と混同しないように．④③
> ▶ **Tu donnes ce tableau à Paul?** ポールにその絵をあげるの？
> ▷ **Oui, je le lui donne.** うん，あげるよ．
> → le（補語人称代名詞）=ce tableau

〔注意 ③〕中性代名詞が表現のなかに組みこまれて成句をつくる語（具体的に受ける対象がないケース）があります．③
> 例：**s'en aller** 立ち去る **Ça y est!** これでよし．

◆ 70 ◆ 不定形容詞／不定代名詞

◆40◆で不定形容詞・代名詞の tout をチェックしましたが，それ以外のもので大切な不定形容詞・代名詞をまとめて見ていきます（「不定」と称されるのは漠然とした内容を表すため，文法的に分類しにくいものの意味です）．

〔1〕**不定形容詞** adjectif indéfini ③②

(1) **certain(e)(s)**：単数形は不定冠詞をともなって名詞と結ばれ「ある〜」の意味で，複数形は名詞と直結して「いくつかの〜」の意味を表します．

　　un certain soir　　　　**certains étudiants**
　　　ある晩　　　　　　　　　何人かの学生

＊ただし，「確かな」の意味で使われる場合は品質形容詞（☞ p.50）です．
　Je suis certain que tu réussiras.　私は君が必ず成功すると思う．

(2) **aucun(e)**「いかなる（どんな）〜」，**nul(le)**「いかなる〜も」は名詞と直結し，ne や sans とともに否定文で用いられます．（☞ p.199）

　　Je n'ai aucun appétit.　　私はまったく食欲がない．
　　sans aucun (nul) doute　何の疑いもなく（→ 確かに）

〔2〕**不定代名詞** pronom indéfini ③②

(1) ne（あるいは sans）とともに用いられ否定的なニュアンスを表す例．

　(a) **rien**：「何も〜ない」

　　Je n'ai besoin de rien.　　私は何も要りません．

Je ne m'intéresse à rien ; rien ne m'intéresse.
> 私には何も興味がありません．何も私の興味を引きません．

(b) **personne**：「誰も〜ない」

Je n'ai vu personne dans la classe.
> 教室には誰も見ませんでした．

＊文語的ですが，nul(le) も「誰も〜ない」の意味で用いられることがあります．

(2) 肯定を表す不定代名詞の例．

(a) **quelque chose** は「何か」（物）を，**autre chose** は「他のもの」（物）を表します．**quelqu'un** は「誰か，ある人」（人）を表します．

J'ai quelque chose à te dire.
> ちょっと話したいことがあるのですが．

Je voudrais autre chose. 　　別な物が欲しいのですが．
Est-ce qu'il y a quelqu'un ? 　　誰かいますか？

＊不定代名詞が形容詞をともなう場合には前置詞 de を介して，形容詞男性単数形と結ばれます．

Y a-t-il quelque chose de nouveau ? 　何か新しいことがありますか？

(b) **chacun** は単数扱いで「それぞれ，めいめい」の意味で，**certain(e)s** は〜「ある人々，〜のなかのある人々（物）」の意味，**plusieurs** は「〜のいくつも，〜の何人も（の人々）」の意味になります．（☞ Q & A p. 220）

Chacun est rentré chez soi. 　　各人が自宅に戻った．

(c) **n'importe qui (quoi)**「誰でも（何でも）」（☞ p. 247）

Il parle avec n'importe qui. 　　彼は誰とでも話す．

◆ 71 ◆ 所有代名詞

　所有代名詞とは定冠詞とともに用いて「mon, ma, mes＋名詞」に代わる語（英語の所有代名詞「～のもの」〈*I-my-me-mine*〉の *mine* に相当する語）です．人称・数に応じて下記の種類があります．

〔1〕形 pronouns possessifs ③ ②

	男性単数	女性単数	男性複数	女性複数
je	**le mien** ル ミィヤン	**la mienne** ラ ミィエンヌ	**les miens** レ ミィヤン	**les miennes** レ ミィエンヌ
tu	**le tien** ル ティヤン	**la tienne** ラ ティエンヌ	**les tiens** レ ティヤン	**les tiennes** レ ティエンヌ
il / elle	**le sien** ル スィヤン	**la sienne** ラ スィエンヌ	**les siens** レ スィヤン	**les siennes** レ スィエンヌ
nous	**le nôtre** ル ノートゥル	**la nôtre** ラ ノートゥル	**les nôtres** レ ノートゥル	
vous	**le vôtre** ル ヴォートゥル	**la vôtre** ラ ヴォートゥル	**les vôtres** レ ヴォートゥル	
ils / elles	**le leur** ル ルール	**la leur** ラ ルール	**les leurs** レ ルール	

　＊性・数は所有者によるのではなく，所有物（被所有物）の性・数に一致します．つまり，私＝男性が le mien，私＝女性が la mienne と考えるのではなく，男性名詞単数を受けて「私のもの」なら le mien を，女性名詞単数を受けて「私のもの」なら la mienne の形を採ります．

　＊＊前置詞 à / de が前に置かれると〈à le → au, à les → aux / de le → du, de les → des〉の縮約（☞ p. 72）に準じて〈à le mien → au mien〉 *etc.* の形になります．

　＊＊＊所有代名詞は話題になっている名詞を核として，所有者の別を問題とするケースで用いられます．

〔2〕 用法 ③ ②

(1) 所有形容詞＋名詞を受けます．

Ta montre est moins chère que la mienne.
(＝ma montre)
君の時計は私のほど高くはない．

▶ **Ce chat, c'est le vôtre ?** (＝votre chat)
この猫，あなたのですか？

▷ **Non, c'est celui de Marie.** いいえ，マリーのです．

＊上記の celui de Marie は le chat de Marie のことです．もし「彼女のです」と代名詞で答えるなら le sien となります．

A la (bonne) vôtre ! (＝A votre santé !) 乾杯！

「乾杯！」は，おそらく最も日常的によく使われる所有形容詞の慣用的な用法です．ただし，属詞として用いられる場合にはときに〈à＋強勢形〉を用いることがあります．

▶ **A qui est ce dictionnaire ?** この辞書は誰のですか？

▷ **C'est à moi.** (＝C'est le mien.) 私のです．

＊なお，所有代名詞は propre をつけて強調されることがあります．

例：le sien propre 彼(女)自身のそれ（物）

(2) 慣用的な用法

家族・身内・仲間などを表します（男性複数で）．

Mes amitiés aux vôtres.
家の皆様によろしく．→ あなた(方)の身内(仲間)

Ce soir, je serai des vôtres.
今晩はあなた(方)の仲間です．
(＝Je serai avec vous.)

◆ 72 ◆ 接続法現在

話者の頭のなかで考えられた内容を不確実な事柄として提示する法です．接続法 subjonctif と呼ばれる理由は，〈sub-「(下に)従節に」+ -jonctif「接合する」〉法であるため，言い換えれば話の中心が主節にあり，それに従属(＝接続)する法であるためです．

〔1〕活用 présent du subjonctif ③ ②

avoir, être を除いて次の共通語尾をとります．

je	-e	[無音]	nous	-ions	[イオン]
tu	-es	[無音]	vous	-iez	[イエ]
il	-e	[無音]	ils	-ent	[無音]

＊nous, vous の語尾は直説法半過去の語尾と同じ，残りの人称は〈-er〉動詞（第1群規則動詞）の直説法現在の活用語尾と同じです．なお，avoirと être の3人称単数の語尾だけ〈-t〉→〈il ait / il soit〉となります．

原則的に，語幹は3人称複数形の直説法現在の活用語尾から〈-ent〉をとり除いて上記の語尾を添えて作ります．

例： ⑦ aimer → ils aiment → **aim**- → j'aime
　　　　　　　　　　　　　　　　語幹　　　ジェーム

＊結局，〈-er〉動詞は je, tu, il, ils が直説法現在と接続法現在が同じ活用形になります．nous, vous は半過去と同じです．

⑰ finir → ils finissent → **finiss**- → je finisse
　　　　　　　　　　　　　　　　　　語幹　　ジュ フィニス

ただし，1語幹で特殊な語幹を持つもの，2語幹（nous, vous だけ他の人称と語幹が違う）の特殊な語幹を持つものがあります．

1語幹の特殊な例
　㉛ faire　→ je fasse [ジュ ファッス]
　㊴ pouvoir → je puisse [ジュ ピュイス]

2語幹の特殊な例
　① avoir　→ j'aie [ジェ] / nous ayons [ヌゼィヨン]
　② être　 → je sois [ジュ ソワ] / nous soyons [ヌ ソワイヨン]
　⑯ aller　→ j'aille [ジャイユ] / nous allions [ヌザリヨン]

〔2〕 用法 ③ ②

主節の動詞の時制と同時，あるいは未来に行われる行為を表し下記のような表現とともに用います（フランス社会では，接続法を正しく使うことが教養のひとつの指標とされています）．

(1) 主節が願望・意欲・命令・感情などを表す動詞(句)の後で (vouloir, souhaiter, ordonner, avoir peur, *etc.*).

Je veux qu'il vienne ce soir.　彼に今晩来てほしい．

(2) 必要・可能・判断などを表す非人称構文の後で (il faut que, il est possible que, c'est dommage que, *etc.*).

Il faut que je parte demain.　明日出発しなければならない．

(3) 目的・条件・譲歩などを表す接続詞(句)の後で (pour que, bien que, quoique, *etc.*).

Mon père travaille encore bien qu'il soit très âgé.
　　　　　　　私の父はとても歳をとっているがまだ仕事をしている．

(4) 主節の動詞が否定・疑問で従属節の内容が不確実のとき．

Je ne crois pas qu'elle tienne sa parole.
　　　　　　　　　　　　彼女が約束を守るとは思いません．

＊従属節で確実な内容を伝える場合には直説法を用います．
　例：Savez-vous qu'elle est malade?　彼女が病気なのをご存じですか？

(5) 先行詞に最上級や唯一のもの (le seul, le premier) がある従属節で．あるいは主節を省略した独立文で願望・命令（特に第三者に対して）を示したり，成句で．（☞ Q & A p. 233）

C'est la meilleure actrice que je connaisse.
　　　　　　　(それは)私が知っている最も優れた女優です．

Qu'ils se taisent !　　彼らを黙らせろ！　（☞ Q & A p. 235）
Vive la France !　　フランス万歳！

(*cent quatre-vingt-cinq*)　185

◆ 73 ◆ 接続法過去

前課に引き続き接続法の過去を見ていきます.

〔1〕活用 passé du subjonctif [2]

これまでに見た下記の複合形に準じて作ります.

直説法複合過去 （avoir / être の直説法現在）
直説法大過去　 （avoir / être の半過去）
直説法前未来　 （avoir / être の単純未来）
条件法過去　　 （avoir / être の条件法現在）
　　　　　　　　　　　　　　　　　　＋過去分詞

*助動詞に avoir か, être を用いるかは複合過去のときに説明した動詞の種類によります（他動詞・大半の自動詞は avoir, 往来発着の意味を持つ自動詞・代名動詞は être).

すなわち, 下記の形になります.

〈助動詞（avoir / être の接続法現在）＋過去分詞〉

例：[7] **parler** 話す

j'aie	parlé	nous ayons	parlé
tu aies	parlé	vous ayez	parlé
il ait	parlé	ils aient	parlé

[7] **arriver** 到着する

je sois arrivé(e)	nous soyons arrivé(e)s
tu sois arrivé(e)	vous soyez arrivé(e)(s)
il soit arrivé	ils soient arrivés
elle soit arrivée	elles soient arrivées

〔2〕用法[2]

接続法過去の用法は主節の動詞よりも以前に行われた行為を表します．具体的な用例は接続法現在（☞ p. 185）に準じます．

C'est dommage qu'il soit déjà parti.
もう彼が出発したとは残念だ．

C'est le plus beau château que j'aie visité.
これは私がこれまで訪ねたなかで一番美しい城です．

〔3〕接続法半過去・接続法大過去 imparfait, plus-que-parfait du subjonctif [2]

接続法の時制と主節に対する時の関係を，例を見ながら考えてみます．

接続法現在 Je ne crois pas qu'il soit riche.
→ 主節に対して同時　　彼が金持ちだとは思わない．

同上 Je ne crois pas qu'il parte demain.
→ 未来　　彼が明日出発するとは思わない．

接続法過去 Je ne crois pas qu'il soit déjà parti.
→ 過去　　彼がすでに出発したとは思わない．

接続法を主節の動詞の法と時制に対照するとさらに下記の形があります．しかし**現在では，接続法半過去は接続法現在で，接続法大過去は接続法過去で代用されます**（文章語で，以下はいわば「文法のための文法」と言える内容です）．

接続法半過去 Je ne croyais pas qu'il fût riche.
→ 同時　　彼が金持ちだとは思わなかった．

同上 Je ne croyais pas qu'il partît le lendemain.
→ 未来　　彼が翌日発つとは思わなかった．

接続法大過去 Je ne croyais pas qu'il fût déjà parti.
→ 過去　　彼がすでに出発したとは思わなかった．

◆ 74 ◆ 不定法

　これまで不定法は活用されない原形（辞書に載っている形）として扱ってきましたが，◆51◆でも触れたように動詞と名詞を兼ね備えた働きを持ち，さまざまな用法で展開します（動詞的用法は例を p. 93, p. 134 に示しましたので参照ください）．

◇ 名詞的に使われる例 infinitif

(1) 主語・属詞，あるいは非人称動詞の実主語として ⑤④

Voir, c'est croire.
　　　　　《諺》見ることは信じることだ（百聞は一見にしかず）．

＊名詞をまず示し，それを c'est... と受ける表現（遊離構文）は会話でよく使われる形です．

　Ton anniversaire, c'est quand ?　君の誕生日，それっていつ？

Il faut partir tout de suite.
　　　　　　　　　　すぐに出発しなければならない．

(2) 直接・間接目的補語・状況補語として ④③

(a) 前置詞を介さず直接「＋不定法」の形をとる動詞

aimer, croire, désirer, hésiter, préférer *etc.*

Vous aimez voyager ?　旅行するのが好きですか？

(b) 前置詞 **à** を介して「＋不定法」の形をとる動詞

apprendre, commencer, réussir, penser *etc.*

Il commence à pleuvoir.　雨が降りだした．

(c) 前置詞 de を介して「＋不定法」の形をとる動詞

accepter, cesser, décider, finir *etc.*

Il a décidé de ne pas cesser de fumer.
　　　　　　　　　　彼は禁煙しないと決めた．

＊不定法を否定するには通常，左記の例文のように〈ne pas〉をまとめて不定法の前に置きます．

(d) S+V+直接目的補語+不定法　をとる動詞

envoyer, voir, faire *etc.* (☞ p. 200)

J'ai envoyé mon fils faire des courses.

息子をお使いに行かせた．

(e) S+V+直接目的補語+à+不定法　をとる動詞

aider, obliger, forcer *etc.*

Ce cachet vous aidera à dormir.

その薬を飲めば眠れます．

*〈rester (passer, demeurer)+名詞（時間）+à+不定法〉のパターンもあります．

例：Il reste des heures à regarder la télé.

彼は何時間もテレビを見ている．

(f) S+V+直接（間接）目的補語+de+不定法　をとる動詞

empêcher, excuser, persuader *etc.*

Le bruit m'a empêché(e) de dormir.

騒音のせいで眠れなかった．

dire, permettre, reprocher *etc.*

Permettez-moi de vous présenter mon ami, Pierre.　あなたに私の友人のピエールを紹介します．

*代名動詞の不定法は再帰代名詞を人称に応じて活用して使います．下記の例文も参照ください．

(g) 状況補語として（移動を表す自動詞や前置詞の後で）

Je suis sorti(e) me promener.　私は散歩にでた．

Dépêchez-vous, pour ne pas être en retard.

遅れないように急いで．

(3) 名詞，形容詞の補語として [3]

Etes-vous sûr(e)(s) de l'avoir vu(e)?

彼（女）を見たというのは確かですか？

*複合形（過去）は〈avoir / être+過去分詞〉．

◆ 75 ◆ 話法

話者の言葉をそのまま引用符で囲んで示す話法が直接話法，接続詞を用いてその内容を人に伝える形が間接話法です．

〔1〕話法の転換パターン discours (style) [3]

直接話法　S+V : (1) « S(2)+V(3)...(4) » の形を間接話法にする際，下記の (1)～(4) の部分に着目！

(1) 接続詞（あるいは前置詞）を用いて文をつなぎます．
(2) 主語・目的補語などが内容に応じて変化します（人称の転換）．
(3) 動詞が時制照応 concordance des temps します（なお，疑問文の場合語順は平叙文 (☞ p. 209)〈S+V...〉の語順にします）．

時制照応（主節が過去時制のときに間接話法中で）

直説法現在　　　→　直説法半過去
直説法複合過去　→　直説法大過去
直説法単純未来　→　条件法現在
命令法　　　　　→　不定法（あるいは接続法現在）

＊直説法半過去は時制照応しません．

例：　Il m'a dit : « Je suis heureux. »
→ **Il m'a dit qu'il était heureux.**
(1) 接続詞 que　　(2) 人称の転換 je → il
(3) 時制照応（直説法現在が直説法半過去に変化）

(4) 直接話法とは違う時間や場所で間接話法が使われる場合には，時や場所の副詞が変わります（なお，次頁の例文では副詞を変更した例をあげました）．

aujourd'hui	今日	→ **ce jour-là**	その日
demain	明日	→ **le lendemain**	翌日
hier	昨日	→ **la veille**	前日

〔2〕 伝達文別の話法転換の例 ③ ②

(1) 平叙文（肯定文・否定文）の場合：接続詞 que で．

Il a dit : « J'ai été occupé hier. »
→ Il a dit qu'il avait été occupé la veille.
彼は(自分は)前日忙しかったと言った．

Il m'a dit : « Je serai occupé demain. »
→ Il m'a dit qu'il serait occupé le lendemain.
彼は(自分は)翌日は忙しいだろうと言った．

(2) 命令文の場合：接続には前置詞 de＋不定法（あるいは que＋S＋接続法現在）を．

Il me dit : « Venez chez moi. »
→ Il me dit de venir chez lui.
彼は家にいらっしゃいと言います．

(3) 疑問文の場合（間接疑問とも呼ばれます）．

(a) 疑問詞がない文章の場合：接続詞 si で．

Il m'a demandé : « Aimez-vous le coca ? »
→ Il m'a demandé si j'aimais le coca.
彼は私にコーラは好きか(どうか)たずねた．

(b) 疑問詞がある場合，通常はそのまま（◆ que〈qu'est-ce que〉は ce que に，qu'est-ce qui は ce qui に変える）．

Elle m'a demandé : « Quel âge avez-vous ? »
→ Elle m'a demandé quel âge j'avais.
彼女は私に何歳かたずねた．

Il a demandé : « Qu'est-ce qui s'est passé ? »
→ Il a demandé ce qui s'était passé.
彼は何が起こったかたずねた．

Elle m'a demandé : « Qu'est-ce que tu vas faire ? »
→ Elle m'a demandé ce que j'allais faire.
彼女は私に何をしようとしているのかたずねた．

中級

◆ 76 ◆ 前置詞

◆ 36 ◆ で基本前置詞を見ましたが，そのなかでも用法が多岐に渡る〈à〉と〈de〉ならびに〈dans〉と〈en〉を他の文法とのからみでポイントを確認していきます．

〔1〕 à と de préposition ③

重要な点は，動詞の補語（名詞・代名詞・不定法）を導く前置詞が〈à〉になるか〈de〉になるかということです（不定法とのつながりについては p. 188 を参照ください）．〈penser à / parler de〉を例に考えてみましょう．

◇ **penser à...**：～のことを考える

Il pense toujours à son avenir.

彼はいつも自分の将来のことを考えている．

この文で à son avenir を代名詞に置くと

Il y pense toujours.

彼はいつもそのことを考えている．

*ただし，〈à *qn*（人）〉の場合，例：〈Il pense à son amie.〉「彼はガールフレンドのことを考えている」の場合，代名詞に置くと〈Il pense à elle.〉となります．（×）Il lui pense. の形は不可．（☞ p. 115）

son avenir auquel il pense toujours（関係詞でつないだ例）

いつも彼が考えている将来

◇ **parler de...**：～について話す

Il parle toujours de son avenir.

彼はいつも自分の将来について語る．

この文で de son avenir を代名詞に置くと

Il en parle toujours. 彼はいつもそのことを語っている．

son avenir dont il parle toujours（関係詞でつないだ例）

いつも彼が語っている将来

〔2〕 **dans と en** ③

(1) 場所を表す場合

　ともに「～のなかに」という意味ですが，原則的に，dans は冠詞（定冠詞・不定冠詞）をともなう名詞に対して用い，状況補語を導きます．これに対して，en は通常無冠詞で用いて，状況補語・間接目的補語・名詞（形容詞）の補語を導きます．

◇ **dans** の例

Hier, il a logé dans cet hôtel.
　　　　　　　　　　　　　　昨日彼はあのホテルに泊まった．

Je ne veux pas vivre dans la misère.
　　　　　　　　　　　　　　私はみじめな暮らしをしたくない．

◇ **en** の例

状況補語　　　　　**Elle est toujours en colère.**
　　　　　　　　　彼女はいつも怒っている．

間接目的補語　　　**J'ai confiance en lui.**
　　　　　　　　　私は彼を信じている．

名詞（形容詞）の補語　**Il est fort en mathématiques.**
　　　　　　　　　彼は数学が得意です．

(2) 時間を表す場合

　dans は「（現在を基準にして）（これから）～の後に」の意味で，en は「（何かをするのに必要な時間）～かかって」の意味で用います．

Elle reviendra dans une heure.
　　　　　　　　　　　　彼女は1時間後に戻ってきます．

＊dans は現在を基準として「～後に」，過去・未来のある時点を基準にした場合には après [plus tard] の形を用います．なお，dans は「～以内に」の意味では使いません．avant を用います．

Il a fini ce travail en une heure.
　　　　　　　　　　　　彼はその仕事を1時間で終えた．

中級

(*cent quatre-vingt-treize*) 193

◆ 77 ◆ 単純過去／前過去／複複合過去

　直説法単純過去は複合過去と違って助動詞を用いない単純形で，単純過去と称されます．主に歴史的表記・物語などに使われる文語で，1990年以降，フランスの小学校ではこの時制を教えていません．その意味から，大半の教科書では補遺として扱うか，まったくこの時制に触れないものが増えています．なお，通例，仏検でも扱われません．

〔1〕**活用** passé simple de l'indicatif

　語尾の母音によってわければ，a 型，i 型，u 型と in 型の4つに分類できます．

a 型 〈-er 動詞〉のすべて
　語幹：aimer → **aim-**

je (j')	-ai [エ]	nous	-âmes [アーム]
tu	-as [ア]	vous	-âtes [アットゥ]
il	-a [ア]	ils	-èrent [エール]

i 型 〈-ir 動詞〉〈-re 動詞〉の大半
　語幹：finir → **fini-**

je (j')	-is [イ]	nous	-îmes [イーム]
tu	-is [イ]	vous	-îtes [イットゥ]
il	-it [イ]	ils	-irent [イール]

u 型 〈-oir 動詞〉の大半，**avoir, être**
　語幹：avoir → **e-** / être → **f-**

je (j')	-us [ュ]	nous	-ûmes [ューム]
tu	-us [ュ]	vous	-ûtes [ュットゥ]
il	-ut [ュ]	ils	-urent [ュール]

in 型 **venir, tenir** やその合成語
　語幹：venir → **v-** / tenir → **t-**

je (j')	-ins [アン]	nous	-înmes [アンム]
tu	-ins [アン]	vous	-întes [アントゥ]
il	-int [アン]	ils	-inrent [アンル]

〔2〕用法

現在とはつながりのない過去で一時的に完了した行為・状態（この点で複合過去とは相違します），歴史的表記や物語のなかなどで使われる文語体です．主に3人称で用いられます．

Napoléon Ier naquit à Ajaccio en Corse en 1769.
ナポレオン1世は1769年コルシカ島のアジャクシオで生まれた．

Il mourut à Sainte-Hélène en 1821.
彼は1821年，セントヘレナ島で没した．

〔3〕**直説法前過去** passé antérieur de l'indicatif

quand, lorsque, dès que など時を表す従属節中で用いられて，単純過去の直前に完了した行為（「〜するとすぐに」のニュアンス）を表す書き言葉で用いられる時制です．

形は，　| 助動詞 (avoir / être) の単純過去＋過去分詞 |

の展開で，これまでのすべての複合形と同じです．

Dès qu'elle eut dîné, elle partit.
食事を終えるとすぐに，彼女はでかけた．

〔4〕**直説法複複合過去** passé surcomposé de l'indicatif

前過去の代わりに用います．話し言葉の系統に入る表現です．

形は，　| 助動詞 (avoir / être) の複合過去＋過去分詞 |

の展開で，過去分詞が2つ重なる形態です（重複合過去と称されることもあります）．

Dès qu'elle a eu dîné, elle est partie.
（同上）食事を終えるとすぐに，彼女はでかけた．

＊過去の直前の完了には，普通，大過去（☞ p. 163）を用います．

◆ 78 ◆ 自由間接話法／前置詞句

〔1〕自由間接話法 discours indirect libre

間接話法の変種に「自由間接話法」と呼ばれるものがあります．通常，間接話法に使われる接続詞を省き，多くは伝達動詞も省いて，間接話法と同じ人称・法・時制を用いた文章です．

たとえば，下記の例で考えてみましょう．
① 直接話法　　② 間接話法　　③ 自由間接話法

① **Il se disait : « J'ai du talent et je réussirai. »**
② **Il se disait qu'il avait du talent et qu'il réussirait.**
③ **Il avait du talent, se disait-il, et il réussirait.**
　　　　　　彼は自分には才能があり，成功するだろうと思っていた．

また，上記 ③ の文章を変形して〈On l'a entendu murmurer : il avait du talent et il réussirait.〉「彼の呟く声が聞こえてきた，自分には才能があるし成功するだろう」となっても自由間接話法と考えられます．

〔2〕前置詞句の例 locutions prépositives ③ ②

à cause de	〜のせいで（理由・原因）
à côté de	〜の隣に
à partir de	（時間）〜から，〜以後
à la place de	〜の代わりに
avant de	〜する前に
en face de	〜の正面に
en présence de	〜の面前で
grâce à	〜のおかげで
quant à	〜に関して

Le train est en retard à cause de la neige.
列車が雪のせいで遅れている.

C'est à partir d'aujourd'hui qu'augmentent les impôts.
今日から税金があがります.

*〈à partir de〉は現在・未来を起点に用います. 過去を起点とする場合には depuis です. なお, この文章の qu'augmentent les impôts の部分は主語と動詞が倒置されています. C'est…que の強調構文や関係代名詞 que の節で主語が名詞で動詞に目的語がないときによく倒置されます.

Elle est venue à la place de sa mère.
彼女は母親の代わりにやってきた.

=**Elle est venue en remplacement de sa mère.**

〔3〕**接続詞句と前置詞句** locutions, conjonctions et prépositions ②

文を導く接続詞(句)とそれに対応する前置詞(句)の例

```
------ 接続詞(句) ------              ------ 前置詞(句) ------
quand (lorsque)                → lors de
bien que (quoique)+接続法        → malgré, en dépit de
parce que                      → à cause de, pour
comme                          → grâce à, à cause de
pour que (afin que)+接続法       → pour, afin de
```

Il continue à fumer bien que le médecin lui ait défendu.
→ **Il continue à fumer malgré l'interdiction du médecin.**
彼は医者に禁止されたのに, 今でもタバコを吸っています.

Je dois rester à la maison parce que j'ai des devoirs.
→ **Je dois rester à la maison à cause de mes devoirs.**
私は宿題があるので家にいなくてはなりません.

Comme tu l'as aidée, elle a réussi.
→ **Grâce à ton aide, elle a réussi.**
君の助けがあったおかげで, 彼女は成功しました.

◆ 79 ◆ 多様な否定表現

◆26◆ や ◆70◆ で否定表現を見てきましたが，ここで，別な視点をからめて否定表現をマトメておくことにします．③ ②

(1) **ne ... plus** もはや～ない（toujours, encore に対応）

  ▶ Il neige toujours ?　　▷ Non, il ne neige plus.
  相変わらず雪ですか？　　　　　　いいえ，もう降っていません．

(2) **ne ... pas encore** まだ～ない（déjà に対応）

  ▶ Tu as déjà fini tes devoirs ?
  宿題はもう終わったの？

  ▷ Non, je ne les ai pas encore finis.
  いいえ，まだ終わっていません．

(3) **ne ... jamais** けっして～ない（souvent, quelquefois などに対応）

  ▶ Allez-vous souvent au cinéma ?
  よく映画に行きますか？

  ▷ Non, je n'y vais jamais.
  いいえ，まったく行きません．

(4) **ne ... que** しか～ない（限定）＝seulement

  Il ne me reste que 500 yens.
  500円しか残っていない．

(5) **ne...ni ～ ni ～ / ne ...pas ni ～ ni ～** ～も～もない

  Ma mère n'aime ni le café ni le thé.
  母はコーヒーも紅茶も好きではない．

(6) **ne ... guère** ほとんど～ない / **ne ... point** まったく～ない

  Mon fils ne boit guère de lait.
  息子はほとんど牛乳を飲みません．

(7) **ne ... personne / Personne ... ne**　誰も〜ない

Il n'y a personne qui sache nager parmi eux.
彼らのなかには泳げる人が誰もいない．

＊先行詞が否定されていたり，否定の中性代名詞（personne, rien など）が先行詞のときには形容詞節中に接続法（☞ p. 184）が使われます．

(8) **ne ... rien / Rien ... ne**　何も〜ない

Elle ne fait rien du tout.
彼女はまったく何もしない．

＊否定を強調する際に absolument, du tout, au monde 等を付けます．ただし，下記のような副詞の置き位置による違いに注意してください．
　Je ne bois absolument pas.　まったく酒を飲まない．（全体否定）
　Je ne bois pas absolument.　まったく酒を飲まないわけではない．
　　　　　　　　　　　　　　　　　　　　　　　　（部分否定）

(9) **ne ... aucun(e) / Aucun(e) ... ne**　どんな〜もない

Aucun homme n'est parfait.
どんな人間も完全ではない．

＊sans aucun(e)... の形でも用います．（☞ p. 180）
　Il parle le français sans aucun accent.
　　彼は少しの訛(なま)りもなくフランス語を話します．

(10) **ne ... nul(le)**　いかなる〜もない 2

Je cherche ma clef, mais je ne la trouve nulle part.
鍵を探していますが，どこにも見当たりません．

(11) 否定と限定とが重なった表現 2

少し複雑化しますが限定に収斂されます．たとえば，上記 (8)+(4) なら **ne ... rien que**「〜以外は何も...ない」，(6)+(4) **ne ... guère que**「〜以外はほとんど...ない」の意味です．

On n'entendait rien, que le bruit des vagues.
波の音以外は何も聞こえなかった．

(cent quatre-vingt-dix-neuf)

◆ 80 ◆ 感覚・使役動詞／比較表現補足

〔1〕 感覚・使役動詞 verbes sensitifs, verbes factitifs ③ ②

(1) 感覚動詞（**voir, entendre, sentir** 等）
〈A が～するのが（見える，聞こえる，感じる等）〉は，

　(i) 〈知覚動詞＋A＋不定法〉
　(ii) 〈知覚動詞＋不定法＋A〉

いずれかの構文を使います（ただし，不定法に直接目的補語が置かれる場合には (ii) の構文は不可）．

(a) **De ma chambre, je vois les enfants jouer au tennis.**
　　　　　　　　　＝**je vois jouer les enfants au tennis.**
　　部屋から，子供たちがテニスをしているのが見える．

〈知覚動詞＋A＋属詞・現在分詞・関係節〉の構文もあります．

(b) **Je vois les enfants jouant au tennis.**

(c) **Je vois les enfants qui jouent au tennis.**

＊(a) が単に動作を述べているのに対して，(b) は「（今まさに）～している」という動作の進行・継続状態に力点を置いた表現になり，(c) は動作主 les enfants にポイントを置いた表現になります．

(2) 使役動詞「～させる」**faire** →〈**faire**＋不定法〉（☛ Q＆A p.224）

Elle fait venir sa mère.　　彼女は母を来させる．

sa mère を代名詞に置くと〈faire〉の前に置かれます．

→ **Elle la fait venir.**

また，上記の文章を複合過去にしたときには，過去分詞の性・数一致の必要はありません．

→ **Elle l'a fait venir.**

命令文では補語人称代名詞が faire と結ばれます．

→ **Faites-la venir !**　　　　彼女を来させなさい．

(3) 「～させておく」**laisser** →〈**laisser**＋不定法〉（☛ Q＆A p.224）

Elle laisse sa fille prendre sa voiture.
　彼女は娘に車を使わせています．

〔2〕 **比較表現補足** comparaison ③ ②

◆**43**◆ ◇ 補遺 J ◇で見た比較の項目では扱わなかった大切な比較表現を補足しておきます．

(1) **Plus (Moins) S+V..., plus (moins, mieux) S+V～**
「…すればするほど(ますます)～」

Plus on vieillit, plus on regrette son pays natal.
年をとればとるほど，故国が懐かしくなってくる．

Plus on gronde ce garçon, et moins il obéit.
この子を叱れば叱るほど，言うことを聞ききません．

(2) **de plus en plus**「ますます，しだいに」
de moins en moins「だんだん少なく」

A mesure qu'on l'étudie, la grammaire française devient de plus en plus difficile.
仏文法を研究するにつれて，ますます難しくなっていく．

＊〈à mesure que+直説法〉「～につれて，応じて」

(3) **supérieur(e)**「すぐれた」，**inférieur(e)**「劣った」は比較級と同じ働きをします．比較対象は〈à〉で導きます．(☞ p. 253)

Ce film est supérieur [inférieur] à la moyenne.
この映画は平均より上〔下〕だと思います．

(4) 比較級の文章で que... の比較対象を明示しない表現．
たとえば，「彼はあなたより年上です」という表現は実際の会話でそう多用されません．比較の相手を明示しなくとも文意は通じますし，次のような表現での比較が多いからです．

Il n'est pas aussi âgé que vous le pensez.
彼はあなたが思っているほど年ではありません．

＊〈ne pas aussi... que～〉は「～ほど…ない」と訳します．「～と同じ…ではない」の訳は避けましょう．(☞ Q&A p. 231)

L'examen a été plus facile que je ne le pensais.
試験は私が思っていたより簡単だった．

＊上記の〈ne〉は虚辞．(☞ p. 203) なお que... 以下の ne, le は下記のように省いてもかまいません．

L'examen a été plus facile que je pensais.

◆ 81 ◆ 過去分詞の性・数一致のまとめ／虚辞の ne

〔1〕過去分詞の性・数一致 accord ④③

すでにさまざまな文法のなかで触れたように，次のような場合に修飾する語句の性・数に一致しました．

> être を助動詞とする場合

(1) 複合時制（複合過去，前未来，大過去，条件法過去，接続法過去，接続法大過去）で，往来発着・移動のニュアンスを持つ自動詞の場合，過去分詞は主語の性・数に一致します．

Ma mère est allée à Kyoto avant-hier.
母はおとといキ京都に行きました．

(2) 代名動詞の複合時制の場合，再帰代名詞 se が直接目的補語の場合（現実的な判断基準としては，明らかに間接目的補語のときを除いてと覚えるほうが現実的 (☞ p. 149)）に再帰代名詞 se に，つまり主語に性・数一致します．

Elles se sont levées tôt ce matin.
彼女たちは今朝，早く起きました．

(3) 受動態の過去分詞は主語の性・数に一致します．

A mon avis, ils seront estimés de tout le monde.
彼らは（やがて）皆から尊敬されると思います．

> avoir を助動詞とする場合

複合時制の文章で，直接目的補語が過去分詞より前に置かれたとき，その直接目的補語に性・数一致します．

Je les ai acheté(e)s à ce supermarché. （補語人称代名詞）
私はあのスーパーでそれらを買いました．

Je vais te montrer les photos que j'ai prises à Paris.
僕がパリで撮った写真を君に見せよう．　　　（関係代名詞の先行詞）

Combien de photos as-tu prises pendant le voyage ? 旅行中に何枚写真を撮ったの？　　　（疑問文・感嘆文など）

> 形容詞的に用いられた過去分詞の場合

(1) 修飾する名詞の性・数に一致します．

C'est une montre cassée.（名詞と直結する場合）
これは壊れた時計です．

(2) 分詞がそれ自体の主語をもつ分詞構文では，その主語に性・数一致します．（絶対分詞構文（☞ p. 173））

Nos devoirs terminés, nous sommes allés au cinéma. 宿題が終わったので，私たちは映画に行きました．

〔2〕 **虚辞の ne** ne explétif [2]

論理的には肯定表現でも，文意のうえで否定の気持ちが働きやすい構文の従属節のなかで「～では"ない"」というニュアンス（たとえば，遠足の前日に「（降って欲しくないのに）雨になるんじゃ"ない"か心配だ」）を表すために使われる〈**ne**〉を虚辞と呼びます（ただし，文語的用法なので省略可）．

(1) 疑い・恐れ・用心などを表す語の後で（接続法とともに）．

Je crains qu'elle ne vienne ce soir.
彼女が今晩やって来るのでは(ないか)と心配です．

Téléphonez-moi avant qu'il ne soit trop tard.
手遅れになる前に（手遅れにならないうちに）電話してください．

(2) 比較の文章（☞ p. 201）や **autre, autrement que** のなかで用いられることもあります．

◆ 82 ◆ 同格／倒置・挿入節／対立・譲歩節

〔1〕**同格** apposition ②

同格とは，名詞（あるいは名詞相当語句）や節を説明・限定するために，他の名詞（名詞相当語句）や節を列記することです．

(1) 名詞

Je vous présente M. Gros, un collègue de mon fils.
息子の同僚であるグロさんを紹介します．

(2) 代名詞

Mon fils, lui, ne vient jamais ici.
息子，彼は，けっしてここには来ません．

(3) 形容詞・分詞

Malade, mon fils gardait sa bonne humeur.
病気なのに息子は相変わらず上機嫌でした．

(4) 不定法・節

Mon fils n'a qu'un but : être utile à la société.
息子には1つの目的しかない，社会の役にたつことです．

〔2〕**倒置・挿入節** inversion, incise ②

書き言葉で，dire「言う」のニュアンスを含んでいる語（たとえば，demander「たずねる」，questionner「質問する」，répondre「答える」など）が，倒置形をとり他の文章の途中や文末に置かれる場合があります．

Il n'y a rien à faire, dit le médecin.
どうしょうもない，と医者が言った．

→ **Le médecin dit qu'il n'y a rien à faire.**

Ce temple date, dit-on, du Xe siècle.
この寺院の建立は10世紀にさかのぼるということです．

＊dit-on「～ということだ」

204　(*deux cent quatre*)

〔3〕 対立・譲歩節 prop. d'opposition, prop. concessives [2]

従属節を構成する接続詞句の違いによって，たとえば，下記のように使われる法が異なります．

(1) **alors que** 　　　～にもかかわらず
　　même si 　　　たとえ～としても ｝＋直説法
　　tandis que 　　～であるのに，～している間

J'ai été reçu(e) à mon examen, *alors que* je n'*avais* pas *travaillé*.
　　勉強していなかったのに，私は試験に受かった．

Même si tu *te lèves* tard, ne manque pas de prendre ton petit-déjeuner.
　　遅く起きても，かならず朝食は食べなさい．

(2) **alors (même) que** 　　たとえ～であっても
　　au cas où 　　　　　～の場合には ｝＋条件法
　　quand [bien] même 　たとえ～でも

Venez me voir *au cas où* vous *passeriez* par ici.
　　このあたりをお通りになったらどうぞ遊びに来てください．

Quand [bien] même l'opération *réussirait*, il ne survivrait pas.
　　たとえ手術がうまくいっても，彼は助からないだろう．

(3) **bien que** 　～にもかかわらず
　　quoique 　～ではあるが ｝＋接続法
　　sans que 　～することなしに

Bien qu'elle *soit* fatiguée, elle travaille.
　　疲れているにもかかわらず，彼女は働いています．

＝Bien que fatiguée, elle travaille.

＊主語が主節の主語と同じで，動詞に〈être〉が使われている場合に「主語と動詞〈être〉」を省くことがあります．

N'en parle jamais *sans qu*'on te le *demande*.
　　たずねられない限り，けっしてそれを言わないで．

◇ 補遺 K ◇　接尾辞（語形成要素）

〔1〕〈動詞語幹＋接尾辞 → 名詞〉の例 suffixe ③ ②

-ement 男	行為・行為の結果：異形 -issement, -iment	
	achever（終える）	→ **achèvement** 完了
	loger（泊まる，住む）	→ **logement** 住居
-age 男	行為・行為の結果／場所：異形 -issage	
	nettoyer（掃除する）	→ **nettoyage** 掃除
	emballer（包装する）	→ **emballage** 包装
-ice 男	行為・行為の結果	
	exercer（練習する）	→ **exercice** 練習
	servir（仕える）	→ **service** サービス
-tion 女	行為・行為の結果：異形 -ation, -sion, *etc.*	
	traduire（翻訳する）	→ **traduction** 翻訳
	posséder（所有する）	→ **possession** 所有
-ade 女	行為・行為の結果／場所	
	se promener（散歩する）	→ **promenade** 散歩
	se noyer（溺死する）	→ **noyade** 溺死
-ance 女	行為・状態・性質：異形 -ence	
	exister（存在する）	→ **existence** 存在
	connaître（知る）	→ **connaissance** 認識
-erie 女	行為	
	rêver（夢見る）	→ **rêverie** 夢想
	plaisanter（ふざける）	→ **plaisanterie** 冗談
-ée 女	行為・行為の結果／場所	
	entrer（入る）	→ **entrée** 入口
	traverser（横切る）	→ **traversée** 横断
-ture 女	行為・行為の結果／道具：異形 -ure, *etc.*	
	écrire（書く）	→ **écriture** 書くこと
	signer（サインする）	→ **signature** 署名

〔2〕〈動詞語幹（名詞）＋接尾辞 → 形容詞〉の例 [2]

-able	〜できる，〜しやすい：異形 **-ible**
	résoudre（解決する） → **résoluble** 解決できる
	lire（読む） → **lisible** 判読できる
	〜の，〜な，〜の性質を持つ
	confort（快適） → **confortable** 快適な
	peine（苦しみ） → **pénible** 骨の折れる
-al(e)	〜の，〜に関する：異形 **-ial(e)**
	musique（音楽） → **musical(e)** 音楽の
	région（地方） → **régional(e)** 地方の
-ant(e)	〜な，〜する：異形 **-ent(e)**
	obéir（従う） → **obéissant(e)** 従順な
	différer（異なる） → **différent(e)** 違った
-atoire	〜な，〜の
	obliger（義務を負わせる） → **obligatoire** 義務的な
	préparer（準備する） → **préparatoire** 準備の
-eux(se)	〜の，〜の性質の人
	nombre（数, 数量） → **nombreux(se)** 多くの
	luxe（豪華さ） → **luxueux(se)** 豪華な
-if(ve)	〜の，〜の性質を持つ(人・物)：異形 **-atif, -itif, -tif(ve)**
	malade（病気） → **maladif(ve)** 病弱な
	décorer（飾る） → **décoratif(ve)** 装飾の
-ique	〜の（人），〜の性質を持つ（人）
	atome（原子） → **atomique** 原子の
	Asie（アジア） → **asiatique** アジアの
-ment 副	〈形容詞＋接尾辞〉 〜に
	facile（容易な） → **facilement** 容易に
	léger（軽い） → **légèrement** 軽く

中級

◇ 補遺 L ◇　文の種類

文 phrase を構造（形式）から分類すると，**単文** phrase simple と**複文** phrase complexe ou composée とにわけることができます．

〔1〕 単文と複文 phrase simple, phrase complexe

単文とは，単独の文，つまり1つの独立節から成りたっているもの，複文とは2つ以上の節によって構成されているもののことです．

単文　On est le 17 janvier.　　1月17日です．
　　　　Allez chercher un taxi !　タクシーを呼んできて．

複文　Il pleut et il vente.　　　　雨が降り，そして風が吹く．
　　　　Je ne sais pas si elles viendront.
　　　　　彼女たちが来るかどうかわかりません．

そして複文を構成する節には大きくわけて4つの種類があります．

〔2〕 複文を構成する節の種類

等位節 proposition coordonnée：等位接続詞 **et**「そして，と」（付加・結合），**ou**「あるいは」（交替），**mais**「しかし」（対立），**car**「なぜなら」（理由・原因），**donc**「だから」（結果）等でつながれた独立節．

　　Je pense, donc je suis.　　　　我思う，ゆえに我あり．

並置（並列）節 proposition juxtaposée：接続詞なしで並列，列記された独立節．句読記号（下記の例文は **virgule** (,) による例）で，並べられたそれぞれの独立節を並べ置く節（並置・並列節）と呼びます．

　　On s'en va, c'est le moment.　さあ帰ろう，もう時間だ．

挿入節 proposition incise：1つの文中，または前後に挿入された短い独立節.

Va-t'en ! s'écrira-t-elle. 「出ていけ」と彼女は叫んだ.

主節と**従属節** proposition principale et proposition subordonnée：従属（従位）接続詞 **que, si, quand, comme** などで結ばれた，主・従の関係にある2つの節.

S'il fait beau demain, j'irai te voir.
明日天気なら遊びに行きますよ.

＊〈s'il fait beau demain〉だけでは完結した意味を持ちません．〈j'irai te voir〉に導かれてはじめて意味を持ちます．そのため，前者を従属節，後者を主節と呼ぶわけです．

〔3〕文の意味上の種類

平叙文 phrase énonciative：単に事実を表示している文章．通常の文章はこの形で展開します．肯定文 phrase affirmative と否定文 phrase négative の2つの形があります．

Il fait beau aujourd'hui. 今日は晴れです.

疑問文 phrase interrogative：人にものをたずねる文章．これにも肯定と否定の2種類があります．ときに反語的な性質・仮定のニュアンスを持つことがあります．

Est-il possible qu'elle ait fait une telle faute ?
彼女がそんな誤りを犯したなんてことがあり得るだろうか？

命令文 phrase impérative：命令・依頼などを表します．肯定・否定の2つの形があります．

Sois sage ! いい子になさい.

感嘆文 phrase exclamative：狭義には，喜怒哀楽といった感嘆の気持ちを表す文章．広くは，願望・命令を示す文を含みます．多くは感嘆の形容詞・副詞を文頭に置き，文末に！(感嘆符)を置きます．

Quelle chaleur ! なんて暑いんだ.

◇ 補遺 M ◇　　間投詞

さまざまな感情を表現し，文法的な機能なしに，いわば叫び声のように発音されるのが間投詞 interjection です．

(1) 叫び声に類するもの

Ah !　　　　　　　　ああ！

＊喜怒哀楽のさまざまな感情を表したり，相手の注意を引いたり，相手の発言に軽い驚きを表したりする一言．会話のつなぎ言葉として，Ah oui !（強い肯定を感情をこめて表すとき），Ah non !（強い否定の気持ちを表す）はかなり頻繁に使われます．

Aïe !　　　　　　　　痛い（痛っ）！
Ha, ha !　　　　　　はっはっ！

＊驚き，安堵などの気持ちを表したり，笑い声として使われる間投詞．なお，ha, ha ! と笑うときには [h] の音が出ます．

(2) オノマトペ（擬音語・擬態語）

Cocorico !　　　　　コケコッコー！（鶏の鳴き声）
Tic(-)tac !　　　　　チクタク（時計・機械の規則的な音）

(3) 名詞・形容詞・副詞・動詞などを使って

Eh ! fais attention !　　おい，気をつけろよ！
Assez, assez.　　　もうたくさんだ．
Tiens (Tenez) !　　ほら！　おや！

(4) 外来語（ラテン語・英語・イタリア語など）

Bis, bis !　　　　　アンコール！（ラテン語起源）
Stop !　　　　　　止まれ！（英語起源）

(5) 2語以上の間投詞句

Ça suffit !　　　　　もうたくさんだ！
Mon Dieu !　　　　うわー！　ちぇ！　しまった！

＊驚き，憤慨，ためらいなどを表します．

Q & A 44 さらに細かな文法はお好き？

> ここでは，本書の解説で扱うには少々細かすぎる文法事項や，説明をプラスしたほうが良いと思われる事項，あるいは多くの方がつまずきやすい文法・語法について"Q＆A"（仏検レベル対応表示付）という形式で扱いました．

なぜ，Q＆A なのか？

私事ながら，フランス語を教えるようになってこれまで何人もの学生からいろいろな質問を受けてきました．

その質問に，ときに胸を張って即答し，ときに自らの不明を恥じ，ときには，何とも答えようがなくて「難問」に振りまわされたりといった経験を繰り返してきました（はじめて教壇に立ってからこれまで，こうした質問をノートにマトメています．「質問蒐集オタク」かもしれません）．

内容は，人生相談に近いものから，小生の講義姿勢に対するうれしい応援の声や叛乱（？），あるいは，すでに何度も説明した項目について「僕はその日バイトで休んでいました」というゆがんだ権利主張で「もう一度解説してほしい」とする理不尽，そして，個々の単語に関する語法への疑問から，相当に高度な文法に関する難問まで，都合 300 を優に超える質問あれこれが手元に残っています（重複する質問もあります）．

このノートをベースに，この先，Q＆A を構成していきたいと考えました．誰もがぶつかると思われる疑問も，少々特殊な「文法のための文法」と非難を受けるかもしれない質問も載せました．また，本書で説明している内容でも補足・確認の意味で再度とりあげている文法もあります．なかに１つでも，あなたがいま抱えているフランス語への疑問を氷解するものがあれば幸いです．

◆ 発音やリエゾン・エリズィヨンなどに関する Q & A

Q 01 ⁵

無音の h と有音の h の別はどう決まるのですか？

〈h〉を2つにわける明確な線引きはわかりませんが，語源を探っていくと，

> h muet（無音の h）は多くがラテン系・ギリシア系）の語
> h aspiré（有音〔気音〕の h）はゲルマン系の語

に由来すると大別できます．ただし，なかには無音と有音の別が厳密に定められない語もあります．たとえば，huit「8」は有音ですが（古フランス語で〈uit〉と綴られていた語に〈h〉が付加された語），dix-huit [ディズュイットゥ], vingt-huit [ヴァントュイットゥ]... soixante-huit [ソワサントュイットゥ]「18・28...68」の場合にはリエゾンが起こり無音の h として扱われます．（☞ p. 11）

Q 02 ⁵

鼻母音 [ɛ̃] [ɑ̃] の違いがよくわからないのですが……

鼻母音は発音すると鼻腔に共鳴する音のことです．母音と「ン」とを同時に発音すると（あごや舌は動かしません），鼻母音になる理屈です．[ɑ̃] は口を縦の方向に開けて発音される「アン」「オン」の中間的な音色，[ɛ̃] は「アン」と「エン」の中間音ですが，口を横に広げて発音すると [ɑ̃] との区別がはっきりするはずです．（☞ p. 9）

Q 03 ⑤

cinq francs の読みはときに [サン フラン] で，ときに [サンク フラン] となるのですか？

後ろに子音ではじまる単語がくるときの cinq [サン(ク)] の読みは自由なのですが，cent francs [サン フラン]「100 フラン」と混同される可能性があるときには，cinq [サンク フラン] と発音されます．

ただし，現在ではヨーロッパの統一通貨 euro [ユーロ] が使われていますので，リエゾンでこの問題は解消しました．

Q 04 ⑤

エリズィヨンする語として，教科書に le, la, je, me, … と例が並んでいますが語末の母音字〈a〉でエリズィヨンするのは定冠詞の la だけですか？

たとえば，la auto → l'auto / la école → l'école となりますが，ça, cela など他の〈a〉で終わる語は母音字省略はしません．その意味では質問の通りです．

ただし，定冠詞の〈la〉とともに補語人称代名詞の〈la〉「彼女(それ)を」もエリズィヨンします．同じ綴りですが品詞は違います．

Q 05 ⑤ ④

「これは時計です」は C'est‿une montre. [セテュンヌ モントゥル] とリエゾンするのに，「1時です」Il est×une heure. が [イレテュンヌ…] とリエゾンされないのは何故ですか？

〈est une〉に着目すれば両者は同じです．しかし，une montre の une は不定冠詞ですが，une heure のそれは「1」，つまり数詞（数形容詞）です．原則的に，数詞の un, une, onze はその前の単語とリエゾンやエリズィヨンをしません（リエゾンで読む人もいます）．

例：**C'est le onze avril.** [セル オーンズ アヴリル] 4月11日です．
＊l'onze とはなりません．（☞ p. 132）

Q 06 ③ ②

方位で，東北・西北はリエゾンせず，東南・西南はリエゾンすると聞いたのですが，その意味がよくわかりません．

方位 points cardinaux を表す単語の読みは変則的です．
est [エストゥ]　東　　◆ être の活用形 est [エ] とは別．
ouest [ウェストゥ]　西　　◆ この発音も例外です．
sud [スュドゥ]　南　　◆〈-d〉を読みます．
nord [ノール]　北　　◆〈-d〉を読みません．
そして，ご指摘の通り，
sud-est [スュデストゥ] 東南　**sud-ouest** [スュドゥエストゥ] 西南
とアンシェヌマンされますが（正しくはリエゾンではありません），
nord-est [ノーレストゥ] 東北　**nord-ouest** [ノールウェストゥ] 西北
はリエゾンされません．〈d〉を飛び越えて〈r〉とのアンシェヌマンになります．

◆ 冠詞に関する Q & A

Q 07 ⑤

不定冠詞に複数形があるという意味がよくわかりません．

　英語やドイツ語には，不定冠詞の複数形がありませんので，不定冠詞複数という言い方には抵抗があるかもしれません．英語では，通常は複数形だけ(つまり無冠詞)か，some で表現しますから．しかし，フランス語は名詞の複数の語末〈s〉〈x〉〈z〉などを読みませんので（この無音化は16世紀に生じた），無冠詞のままですと単数・複数の区別がつかないことになります．〈des〉という不定冠詞の複数

形が必要になるのはそのためです．なお，一部の語学書は部分冠詞複数の扱いで〈des〉を載せているものもあります．しかし，数えられる名詞(可算名詞)を具体的にとらえる「不定冠詞」，数えられない名詞(不可算名詞)を具体的にとらえる「部分冠詞」という分類を採用している本書では，部分冠詞複数はナシと考えました．
→ 複数に関する関連質問

英語でもフランス語でも名詞の複数には〈s〉をとります．でもイタリア語は〈**libro → libri**〉となります，この理由を知りたいのですが……？

フランス語の祖語となっているラテン語との対応関係に由来するものです．つまり複数形に〈s〉を用いるのはラテン語の対格名詞の複数語尾のなごりです．スペイン語も同じです．

これに対してイタリア語のように語尾の母音を変えるというのはラテン語名詞の主格複数の語尾を採用しているためです．

こうした分岐が生じたわけは，1066年，フランスのノルマンディ公ギヨームがイギリス王ウィリアム1世となった，あの事件，ノルマン・コンクェスト（征服）に始まるアングロノルマン時代の影響によるものです．

Q 08 ④
le sac de Marie と un sac de Marie の違いは？

教科書には「名詞が限定されると定冠詞」という文法を示す意図で，あるいは英語の〈*Mary's bag*〉に相当する形がないことを示唆するために，下記のような例文が載っています．

 Voici un sac. C'est le sac de Marie.
  ここにバックがあります．（それは）マリーのバックです．

しかし，de ~ で限定されると常に定冠詞になるわけではなく，un

sac de Marie と不定冠詞を使うこともあり得ます.「特定化」されていないケース,「マリーの1つのバック(いくつか持っているバックのうちの1つ): un des sacs de Marie」の意味を表わす場合です.

Q 09 [3]

手元の語学書に「私は犬が好きです」が〈J'aime le chien.〉と載っているのですが,この文は正しいですか?

「好き・嫌い」を表す aimer, adorer, détester といった動詞と総称を表わす冠詞の関係には注意が必要です.

〈chien〉は数えられる名詞(可算名詞)ですから〈J'aime les chiens.〉としないと「犬が好き」とはなりません. le chien と単数の定冠詞ですと「生物を食べる対象とみなした」ことになり,その結果「私は犬の肉が好きです」の意味になってしまいます.

なお「フランス人が好き」と言いたいのなら〈J'aime les Français.〉,「フランス語が好き」なら〈J'aime le français.〉となりますので,あわせて注意してください.

* 蛇足:数年前にディジョン市内の幼稚園で半日ほど保父さんの真似事をしたことがあります.そのとき,一人の男の子に「ねぇ,日本人は犬を食べるよね?」と問われて,唖然とした経験があります.「箸を使って食べるんだよね?」という質問までは優しい微笑みをたたえていられたのですが……

Q 10 [4] [3]

冠詞の重複が必要かどうかわからないのですが?
たとえば「ポールの父と母」と言いたいとき,冠詞は繰り返して使いますか? それとも1つですか?

冠詞でも所有形容詞でも2つ以上の名詞を修飾する場合には反復するのが通例です.

le père et la mère de Paul ポールの父と母
mon père et ma mère 私の父と母

ただし，名詞がひとかたまりの意味を持つ場合に反復されないこともあります（冠詞・所有形容詞は複数になります）．

例：**vos nom et prénom(s)**　あなたの姓名

Q 11 ④③

「彼は目を閉じる」という作文を Il ferme ses yeux. と書いたところ，ses を les と直すようにと言われました．理由がよくわかりません．

英語でしたら "*He closes his eyes.*" と所有格を使って問題はありません．しかし，フランス語の場合には，所有形容詞ではなく定冠詞を使います．身体の一部が他動詞の目的補語になっているケースでは特に強調しないかぎり，身体部には定冠詞を用いるからです．

他者の身体部に動作を加えるときには補語人称代名詞を用います．英語と対照しながら例を引けば，

I caught her by the arm.　　**Je l'ai saisie par le bras.**
　私は彼女の腕をつかんだ．　　＝**Je lui ai saisi le bras.**

上記の2通りの文章が可能ですが，いずれにも補語人称代名詞が必要です．なお，英語の *I caught her arm.* に相当する J'ai saisi son bras. の形は通常使われません．

ただし，直接目的補語が名詞であれば下記の形になります．

I caught your sister by the arm.
　　　　　　　　　　　　J'ai saisi ta sœur par le bras.
　私は君の姉（妹）の腕をつかんだ．

◆ 形容詞・副詞に関する Q & A

Q 12 ④③

形容詞の男性第2形に複数はないのですか？

母音または無音の h ではじまる男性単数名詞の前で男性形第 2 形が使われます．複数形は第 1 形を用います．(☞ p. 53)

　例：**le bel homme**　　美男子
　　　les beaux hommes　美男子たち　(×) les bels hommes

Q 13 ⑤ ④

très と trop の差はどこにありますか？

très　度合いの強さを示す．「とても，非常に」
trop　度合いが強すぎる，超えている．「～すぎる」
　＊英語の enough に相当する語に assez があります．

かりに，5000 円の本が売られていたとして，

　C'est très cher !　とても高い（でも，買おう……）
　C'est trop cher !　高すぎる（から，買わない）

といったニュアンスの違いと言えばわかるでしょうか．なお，

　〈**trop＋形容詞（副詞）＋pour＋*infl* pour que＋接続法**〉
　　～すぎて…ではない，…するには～すぎる

の相関表現も覚えておいてください．

　Sophie est trop petite pour voyager toute seule.
　　ソフィーはたった 1 人で旅行するには幼なすぎます．

　Tu parles trop vite pour qu'on puisse te suivre.
　　君はあまりに早口なのでとてもついていけないよ．

Q 14 ④

Il est français. と C'est un Français. の違いが飲みこめません．

　どちらも「彼はフランス人です」と訳せます．c'est が il est の意味で使われているからです．

というのも，フランス語では，英語の "*He is my brother.*" の形をとりません．〈3人称主語人称代名詞 (S)＋être の活用＋所有形容詞＋名詞〉という展開は用いないのです．〈**c'est＋所有形容詞＋名詞**〉を用います．

C'est mon frère.　　彼は(こちらは)私の兄(弟)です．

＊(×) Il est mon frère.

質問の文章も上記の理由から説明できます．

Il est français.　　　（français は属詞：形容詞）
C'est un Français.　　（Français は属詞：名詞）

後者に違和感がある理由は c'est「これは(あれは)～です」の訳にこだわっている点にあるのでは？

Q 15　3 2

英語の *few, little / a few, a little* に相当するフランス語の対応を教えてください．

数量副詞の対応は通常下記の関係になります．

		英語	仏語	
可算名詞	少し～	*a few*	**quelques**	＋名詞
	ほとんどない	*few*	**peu de**	＋名詞
不可算名詞	少し	*a little*	**un peu de**	＋名詞
	ほとんどない	*little*	**peu de**	＋名詞

＊ただし，対象の1つ1つを意識せずに，総体としてとらえる場合に un peu de を可算名詞に使う例もあります．

通常のパターン例（上記図表対応）を示しますと，下記のような例があげられます．

J'ai acheté quelques livres.　本を2, 3冊買った．
Il a peu d'amis.　　　　　　彼はほとんど友人がいない．

(*deux cent dix-neuf*) 219

Il reste un peu de vin. ワインが少し残っています．
Il y a peu de neige. ほとんど雪がない．

なお，quelques よりも数が多いという含意で，plusieurs「いくつも(の)，何人も(の)」を使うこともあります．

Q 16 [2]

形容詞の名詞化について説明してください．

多くの形容詞は冠詞をつけると名詞化します．

Il est gravement malade. 彼は重病です．
→ **C'est un grand *malade*.** 重病人です．

これは形容詞があらわす性質「病気の」が，その性質を備えた人物（名詞）「病人，患者」になっている例です．また，定冠詞をつけて，真善美などの抽象的な観念を表す名詞になることもままあります．

On doit discerner le vrai du faux.
真偽を見分けなくてはなりません．

Q 17 [2]

色彩をあらわす形容詞は必ず名詞の後にと習いましたが，「必ず」なのでしょうか？　名詞の前に置かれている例を見たことがあるように思うのですが......

「必ず」置かれるというのは言い過ぎだと思います．たとえば，avoir de noirs pressentiments「不吉な予感がする」という表現があります．noir＝「黒い」という色彩の例ではありませんが，形容詞は前置されると，強調的になったり，比喩的意味を表したり，修飾する名詞本来が持っている性格を明示したりする作用がありますから．

Q 18 [4]

Quelle couleur est votre voiture ? はなぜ間違いなの？

文頭に前置詞 de を置いて〈De quelle couleur est votre voiture ?〉としなければなりません．英語では *What color is your car?* と聞きますので，混乱が生じる可能性がありますが，たずねている品詞が問題なのです．

たとえば，「黒です」Elle est noire. と返事をするとすると noire「黒い＝形容詞」を対象とした疑問文になります．ところが，quelle couleur≠noire, つまり「名詞」をたずねながら「形容詞」で返答するというズレが生じます．そのため，前置詞 de を置いて形容詞を引きだす疑問文にしなくてはならない理屈です．

なお，comment は「様態・手段」だけでなく「品質」を聞く場合にも使えますので，下記のような形容詞の答えを引きだすケースがあります．

▶ **Comment est cette cravate ?** あのネクタイはどんなの？
▷ **Elle est rouge.** 赤です．

Q 19 [3] [2]

「現在分詞」と「現在分詞から派生した形容詞」（動詞状形容詞）の違いがよくわからないのですが．

両者の区別が曖昧なケースもありますが，一般に，

(1) 後ろに直接目的補語をとる場合
(2) 否定の ne を持つ場合
(3) 副詞が後に続く場合

上記 (1)～(3) の場合には現在分詞と考えて修飾する名詞と性・数一致しないのが原則です．分詞派生の形容詞は性・数一致します．

例：**Voilà une comédienne amusant les enfants.**
あそこに子どもたちを楽しませる女性コメディアンがいます．

＊une comédienne qui amuse les enfants と書き換えられる現在分詞の例です．ただし，一般には関係詞を用います．

C'est une comédienne amusante.
あの人は愉快な女性コメディアンです．

*この場合は，現在分詞から派生した動詞的形容詞です．修飾する名詞に性・数一致します．

◆ 動詞に関する Q & A

Q 20 ⑤ ④
il y a と être, avoir の違いがしっくりきません．

〈il y a〉は，初めて話題になった人物や事物に対して使う表現ですから，通常，不定冠詞・部分冠詞のついた特定化されていない名詞を従えます．したがって，「あなたの奥さんがレストランにいます」というような主語が特定化している例なら，

　　× Il y a votre femme au restaurant. ではなく，
　　Votre femme est au restaurant.

と表現することになります．「所有形容詞＋名詞」に〈il y a〉はなじみません．また，話者にかかわりあいのある人物を話題にする際に〈il y a〉を用いるのは妙です．たとえば「パリに友だちがいます」を（×）Il y a des amis à Paris. とは言わず，

　　J'ai des amis à Paris. と表現することになります．

なお，avoir と être に着目すれば書き換え可能な表現がいくつもあります．たとえば，こんな例があげられます．

　　Elle a les cheveux blonds.
　　Ses cheveux sont blonds.
　　Elle est blonde. 　　　　　　　彼女の髪はブロンドです．

Q 21 ④
なぜ代名動詞があるのですか？　たとえば，英語の *raise, rise* の別はないのですか？

質問が舌足らずですので，質問の意図をこちらでくみとって答えますと，「起こす」raise 他 と「起きる」rise 自 の違いをフランス語では lever 他 と se lever「自分を起こす」→「起きる」自 の違いで表すという差があるということです．「起きる」（起床する）という独立した別途の自動詞はありません．

Q 22 ４ ３
aller+*inf.* を近接未来ととらえる場合と「〜しに行く」と訳す場合がありますが，その違いをどう見わけるのですか？

文脈で判断するという説明が妥当だと思います．前後の脈絡なしに単独の文章だけを取りあげると，両者の違いが判然としないケースが少なくないからです．ただ，指標らしきものを示すとすれば，その場から移動する目的を明示した動詞が続くと，「(ある目的で)〜しに行く」という意味になるケースが大半です．

Je vais acheter des cigarettes.
　　タバコを買いに行きます（それが目的で移動します）．

Il va pleuvoir.　　雨が降りそうだ（近接未来）．

→ 関連質問

Vous allez porter cette lettre à la poste. がうまく和訳できません．

〈2人称主語 (tu, vous)＋(vas, allez)＋*inf.*〉の形は近接未来や「〜しに行く」という訳にこだわっていると文意をつかみにくいケースがあります．そんな場合には，「この手紙を郵便局に出しに行って」と命令で訳してみてください．文末は！にすると雰囲気がでます．なお，否定文であれば禁止のニュアンスになります．

Tu ne vas pas fumer ici ! (まさか)ここでタバコを吸うなよ．

(deux cent vingt-trois) 223

Q 23 ③ ②

相互的代名動詞に「お互いに」とつけたいとき，l'un l'autre, l'un à l'autre などをつけるとのことですが，この使い方がよくわかりません．

たしかに，語学書や教科書に「代名動詞で相互性を明確にする意味で l'un l'autre, l'un à l'autre などをつけるときがある」とだけ書かれていて，細かい違いに触れられていないことがあるようです（英語の *each other, one another* に相当する表現）．

まず，前者は se（再帰代名詞）が直接目的補語のとき，後者は間接目的補語のときに使われます．

Ils s'aiment l'un l'autre. ◆ se は直接目的
彼らは互いを愛しあっている．

Ils s'écrivent l'un à l'autre. ◆ se は間接目的
彼らは互いに文通している．

前置詞〈à〉の有無が直接・間接の別を表すことになるわけです．

主語が女性たちであれば l'une (à) l'autre を使い，主語が3人以上であれば，les uns (les unes) les autres, les uns (les unes) aux autres を使うことになります．

Elles se sont battues les unes contre les autres.
彼女たちは互いを殴りあった．

＊上記のように前置詞がいつも〈à〉になるわけではありません．
例：se moquer l'un de l'autre　互いに馬鹿にしあう

なお，上記の表現の代わりに，副詞 mutuellement「互いに」，réciproquement「相互に」を使うこともよくあります．

Q 24 ③ ②

faire と laisser の違いがはっきりしないのですが……

確かに faire を使役，laisser を放任とわけても違いがはっきりしませんね．そこで，faire は前向き（積極的）に働きかけて「～させる」ケースに，laisser は遠巻き（消極的）に相手の行動を妨げずに「（勝手に）～させておく」と考えてみたらいかがでしょうか．

J'ai fait pleurer mon fils.
　　私は息子を泣かせた．

J'ai laissé pleurer mon fils [mon fils pleurer].
　　私は息子を勝手に泣かせておいた．

＊この例では2通りの語順が可能です．

Q 25 ③②

「私は思う」je pense (je crois, je trouve) que... はどう使いわけるのですか？

---

penser と croire と trouver の違いは微妙なのですが，

　je pense que ...　　推定による判断（理性的）
　je crois que ...　　根拠の薄い判断（感覚的）
　je trouve que ...　　五感を通じて経験した評価

といった具合にわけられると思います．

たとえば，次の例文でその差を感じていただけるでしょうか？

Je pense qu'il a raison.　　彼の言うとおりだと思う．
Je crois qu'il est content.　　彼は満足していると思う．
Je trouve que c'est bon.　　これはおいしいと思う．

＊上記の表現で，主節が否定文・疑問文になれば，通例 que 以下には接続法が使われます．

また，次のような「思う」の言いまわしもあります．

j'espère que ...　　根拠の薄い期待「～であればと思う」
je suppose que ...　　根拠のない推測・憶測「～と思う」
il me semble que ...　　主観的な判断「～のように思われる」

Q 26 ③②

仏和辞書に La pluie a tombé (est tombée).「雨が降った」という例文が載っていましたが，tomber は複合過去で être を助動詞にする自動詞なのでは？

同じ動詞でも自動詞と他動詞の違いで使われる助動詞が違います．これはおわかりですね．

(1) **Je suis descendu(e) de voiture.** 私は車を降りた．
(2) **J'ai descendu l'escalier.** 私は階段を降りた．

(1) は移動のニュアンスをもつ自動詞，(2) は他動詞ですから使われる助動詞が違います．(☞ p. 144) しかし，質問のように avoir も être も使われる自動詞がいくつかあります．avoir は終了した行為を être は終了した状態を表すとか，あるいは être は結果を強調するときに「やっと～した」の意味で使うといった，説明がなされますが，現在ではこの区別が判然としない例も増えています．というわけで，移動・往来発着・生死などにかかわる自動詞の複合時制には être を用いると覚えておけばよいと思います．

ただし，「複合過去」と「être＋過去分詞派生の形容詞」（状態を示す現在形です）との違いを意識すべき表現はあります．

Il a divorcé l'année dernière.
　彼は去年離婚した（しかし，今の状態は不明）．

Il est divorcé.
　彼は離婚している（今も離婚した状態のまま）．

＊今もその状態が持続していることを表す例です．(☞ p. 232)

Q 27 ②

非人称構文をとる動詞の基準を教えてください．

非人称動詞には，本質的なもの（非人称でしか使われない動詞：

pleuvoir, neiger, falloir など）と，転化的な非人称動詞（非人称以外にも使われる動詞：1. 時間や天候などを表す成句的なもの être, faire　2. その他の動詞 venir, arriver など）があります．おそらく質問の中心は，後者の 2. にあるのではないかと思いますが，非人称の il と共に用いることがある動詞は，英語の it はもちろんのこと，there と共起する動詞（つまり There＋存在・出現の自動詞＋S のパターン）に考え方が似ています．つまり，「存在（運動）・出現のニュアンスを持つ自動詞」で，多くのケースで，名詞は「不定・部分冠詞あるいは数量副詞」をとります．具体的には，venir, arriver, exister, rester などで使います．たとえば，こんな例で．

Il est venu beaucoup de touristes.
＝Beaucoup de touristes sont venus.
　大勢観光客がやって来た．

Il m'est arrivé un fax vers midi.
＝Un fax m'est arrivé vers midi.
　昼頃，1通ファックスが届いた．

Q 28　3 2
「9時には雪が降っていた」には半過去を使うのに，「9時まで雪でした」には半過去が使えない理由がわかりません？

Il neigeait à 9 heures.　　　（直説法半過去）
Il a neigé jusqu'à 9 heures.　（直説法複合過去）

の違いは，半過去が「未完了」の意味をもつという点がポイントになります．「9時に雪が降っていた（今は降っている，いない？）」に対して，終点（完了）のはっきりしている文章「9時まで雪が降っていた（今は降っていない）」では直説法半過去は使いません．本書 p.160 を参照ください．

(deux cent vingt-sept)

Q 29 ③ ②

英語の仮定法過去完了と仮定法過去が混ざった表現に相当する言い方をフランス語でも使いますか？

もちろんです．たとえば，〈si〉に導かれる従属節に「直説法大過去」を使い，主節（帰結節）が「条件法現在」という組み合わせで，「（過去のある時点で）～していたら，（今頃）～だろうに」という意味を表す場合です．（☞ p. 177）

S'il m'avait aidé, je serais plus riche maintenant.
彼が助けてくれていたら，今もっと金持ちになっているのに．

Q 30 ②

条件法第 2 形って何ですか？

接続法半過去を条件法現在の代用として使うことがあります．これを，条件法現在第 2 形と呼びます．従属節の動詞が avoir, être などで主語の倒置によって譲歩を表す形が通例です．また，接続法大過去を条件法過去の代用とするケース，si に続く条件節で直説法大過去の代わりに使われるケースを，条件法過去第 2 形と呼びます．たとえば，以下のパスカルの有名な一節にも使われている時制です．

Le nez de Cléopâtre : s'il *eût été* plus court, toute la face de la terre aurait changé.　Pascal, *Pensées*
クレオパトラの鼻，もしそれがもう少し低かったら，地球の全表面は変わっていただろう．（＝s'il avait été plus court）

◆ 代名詞に関する Q & A

Q 31 ⑤

なぜ，人称代名詞強勢形があるのですか？

「なぜ」と真顔で問われても返答に窮しますが，おそらく英語にない形なのに……どうして？　といったまごつきが質問の背景にあるものと推察します．フランス語の人称代名詞は，「私は〜」（主語）でも「私を・私に〜」（目的補語）でも，文章の帰結を導く動詞と密接に関連して使われます．しかし，「私」という独立した観念，つまり動詞と関係なく独立（自立）して使う用法には強勢形を用いることになると答えておきたいと思います．なお，この文法用語がとまどいの原因となることから「自立（独立）形」という用語を用いているテキストもあります．

Q 32 ③ ②

「私です」には C'est moi. と習いましたが，「彼らです」と言いたいときには C'est eux. ですか？　Ce sont eux. ですか？

　どちらでもかまいません．話し言葉では前者を，書き言葉では後者をより多く使うと言えそうです．
　ただし，⟨ ce sont ⟩ を使うのは eux, elles の場合だけで，複数でも nous, vous には ⟨ c'est ⟩ を使います．

Q 33 ③ ②

on が女性や複数を指しているときには属詞（形容詞）の一致はどうなるのですか？

　on が不特定の人を指す場合には関係ありませんが，特定の人を指す場合には属詞が性・数一致します．

Marie et moi, on est content(e)s.
　　マリーと私は満足しています．（→ on＝Marie et moi）
　＊ただし，このケースでは ⟨ nous ⟩ を用いるのが通例．
　なお，on に使う強勢形は lui ではなく soi になります．

On n'est jamais content de soi.
　　人はけっして自分に満足しないものです．
　＊強勢形 soi は主語が非人称のときにも使われます．

(deux cent vingt-neuf)　229

Q 34 ③②

Je vous la présente. と言えるのに **Je vous lui présente.** はダメで **Je vous présente à lui.** にする理由は？

補語人称代名詞の置き位置のルールを確認してください．(☞ p. 114)

Je vous la présente. 　私は彼女をあなたに紹介します．
＊vous は間接目的補語，la は直接目的補語．

Je vous présente à lui. 　私はあなたを彼に紹介します．
＊vous は直接目的補語，à lui は間接目的補語．

Je vous lui présente.（×）ですと，表（☞ p. 114）に矛盾します．直接目的補語「～を」（1・2 人称）と間接目的補語「～に」（3 人称）を動詞の前に同時に並べられないからです．(☞ p. 115)

Q 35 ②

「à＋物」は中性代名詞で受けると習いました．しかし「à＋人」を y で受ける例を見かけたように思うのですが……

一般には y で人は受けません．しかし，文脈から明らかに人を表すとわかっている文章であれば，à＋強勢形の代わりに y を用いる例がないわけではありません．

▶ **Tu penses à elle ?** 　　▷ **Oui, j'y pense.**
　彼女のことを考えてるの？　　　ええ，考えてるよ．

つまり，j'y pense.＝je pense à elle.（もちろんこちらの表現の方がよい）となるわけです．

Q 36 ③②

補語人称代名詞と中性代名詞を並べる場合の語順と注意点を知りたいのですが．

平叙文であれば,

(1) S+(ne)+補語人称代名詞+y+en+動詞 (pas)

(1)' S+(ne)+補語人称代名詞+y+en+助動詞+(pas)+過去分詞

肯定命令なら,

(2) 動詞+補語人称代名詞+en (y)

否定命令文では,

(3) Ne+補語人称代名詞+en (y)+動詞+pas

の語順をとります.

もちろん, これらの代名詞をすべて並べて使うわけではありません. あくまで, 上記の順で並べるのが約束という意味です. ただし, 次の点には注意が必要です.

Donnez-moi de l'eau. → Donnez-m'en. それをください.
＊moi (toi)+en は m'en, t'en の形をとります.

Conduisez-moi à l'hôtel. → Conduisez-moi là.
そこへ案内してください.

＊m'y, t'y の形は, 通例避けられます.

◆ 比較表現・代名動詞（受動的用法）に関する Q & A

Q 37 ⑤ ④

同等比較の否定を「〜と同じではない」と訳してはいけないとおっしゃいましたが, なぜでしょうか？

たとえば, Pierre n'est pas aussi grand que Maurice. を「ピエールはモーリスと同じ背の高さではない」と訳す人が少なくありませんが, この形は, 同等比較を否定していても, 実際には Pierre ＜ Maurice の意味です. したがって「ピエールはモーリスほど背が高くない（→ 背が低い）」と訳出する必要があります.

なお, 同等比較を否定する際に, aussi を si に変えて, 〈ne ... pas si 〜 que〉の形も使われます.

Q 38 ②

受動的用法の代名動詞について詳しく説明してください．

　受動的用法の主語は3人称の事物で，par, de に導かれる動作主をともないません．そして，この用法は主語の一般的・習慣的特性といった状態を述べるために用いられます．たとえばこんな例文で．

Cette expression ne s'emploie plus.
　　この表現はもう今では使われない．

　上記の文章は〈On n'emploie plus cette expression.〉と言い換えられます．なお，この用法は時間的に特定化されることの多い複合時制には通常なじまないものです．
　また se faire を用いた表現にも注意してください．

Il s'est fait voler.＝On l'a volé.
　　彼は盗まれた．

　＊se faire の形には直接目的補語を置くことができますが，受動態ではこの形は認められません．例：Il s'est fait voler son sac.＝On lui a volé son sac.　彼はバックを盗まれた．

　あわせて身体部を目的補語とした，「(自分の...を)～してもらう(依頼)」のパターンも頻出です．

Je me suis fait couper les cheveux.
　　私は髪を切ってもらった(切らせた)．

Q 39 ③ ②

関係代名詞の先行詞のなかに最上級の表現があるときには接続法と習いましたが，直説法を使った次のような例を見つけました．なぜ接続法ではないのですか？
　　Marie est la plus jeune fille que je connais.

最上級を含む先行詞にかかる que ～ のなかで接続法を使うという説明は，あくまで，主観的・感情的な判断によって最上級が決定されることが多いという理由によるもので，たとえば，例文が「美しさ」に関することなら，下記のように接続法を用います．

Marie est la plus belle fille que je connaisse.
マリーは僕が知っている一番きれいな娘さんだ．

なぜなら，美の基準は絶対的なものではないですから（「あばたもエクボ」ですよね），主観的判断の含みが必要になります．

しかし，「若さ」については狭い限られた範囲であれば（たとえばクラス単位といったような場合），それが事実であるか否かを特定化できます．そのときには，主観的な判断ではない，つまり客観的な事実を伝える法＝直説法を用いてかまわないわけです．

→ 関連質問

Je cherche une secrétaire qui sache parler français. に接続法が使われているのは何故ですか？

該当する秘書がいるかどうか明瞭でないためです．主節に，chercher, désirer, demander といった動詞が使われ，関係詞節の先行詞に不定冠詞や部分冠詞などが用いられた場合には接続法を用いるのが通例なのです．ただし，Je cherche la secrétaire que j'ai rencontrée hier.「昨日会った秘書（先行詞は特定化されています）」であれば chercher を用いても直説法を用います．

◆ その他の Q & A

Q 40 ④ ③
celui-là が前者，celui-ci が後者となるのは何故？

「この，あの，その」の意味を持つ指示代名詞で遠近をはっきりあらわすためには -ci / -là の形を使いました．

ce livre-ci この本（近）　　**ce livre-là** あの本（遠）

この理屈を前者・後者に用いるわけです．

Voilà A et B.　Celui-ci est plus petit que celui-là.

　　　　　　　　　＝B（近）　　　　　　　　　＝A（遠）

なぜなら，前の文章に対して「近い位置にある方」＝B＝celui-ci となり，「遠い位置にある方」＝A＝celui-là となります．B が後者，A が前者と訳される理屈です（英語の *that, this* が前者・後者を表す関係と同じことです）．

Q 41 ⑤ ④

sept heures et demie なら demi＋〈e〉となるのに，midi et demi に〈e〉がついていませんが……

heure は女性名詞ですが，midi, minuit は男性名詞です．そのために et demie と et demi の差が生じます（ただし，midi et demie と書く人もいます）．なお，初級レベルの方で（×）Il est sept heure. と heure の〈s〉を書き落とす人がいます．ご注意ください．

Q 42 ②

過去分詞構文の前で省かれる étant の有無に意味の違いはないのでしょうか？

(a) Arrivé en retard, il n'a plus rien à faire.「遅れて着いて，彼はもう何もすることがなかった」は，文頭に〈étant〉が省略されていると考えられます．書き換えれば，

(b) Etant arrivé en retard, il n'a plus rien à faire.

となります．しかし，細かな違いではありますが，étant を文頭に置

く方が動作を強調する表現になるようです．つまり，上記の (a) よりも (b) の方が「(やれやれ，彼は)遅れて来たせいで」(→ Comme il est arrivé …) といったニュアンスがより鮮明になるわけです．

Q 43 ③②

「平成」の年号を表すフランス語はありますか？

次の言いまわしで表現することは可能です．

平成14年 **la quatorzième année de Heïseï**

つまり「平成の14番目の年」と表現するわけです（有音の h を意識してエリズィヨンはしていません）．ただし，フランス人の大半は「平成」という年号を知らないはずですから西暦を使うのが常道です．たとえば，フランス人から共和暦 calendrier républicain を使って「熱月 thermidor 9日」（共和暦第Ⅱ年）と言われて，西暦 1794 年 7 月 27 日（ちなみにロベスピエールが打倒された日）だとわかる日本人がほとんどいないのと同じ理屈です．

Q 44 ②

「命令文は 3 人称に対して使わない」，この説明が納得いかないのですが．ちなみに，英語には *Let him go out !* の言い方がありますから．

目の前にいる相手に対して使って意味をなすのが通常の命令文ですから，3 人称に対する命令というのは一般に教科書では説明されません．ただし，ご指摘のように，第三者に何かしてほしいと思うとき（意志・願望）に使う下記のような「3 人称の命令形（独立節）」がフランス語にもあります．(☞ p. 185)

〈**Que**＋3 人称主語＋動詞（接続法）！〉

Qu'il s'en aille !　　　(彼は)出ていかせろ．

＊il faut que, je veux que の que 以下が独立した表現と考えられます．

索 引 *index*

◆ 用途 ◆
(1) 本書を文法小辞典として利用する方のために．
(2) 基本文法のマトメや基本表現をチェックするために．

◆ 掲載対象 ◆
　本書の各課（00〜82）と補遺（A〜M），ならびにQ&Aに載っている文法事項を載せています．
　　＊英文参照・速攻文法整理Ⅰ〜Ⅵ，中扉前に載せた情報頁，〈Marge 余白〉，表・裏見返しは検索対象からはずれています．

◆ 特色 ◆
(1) フランス語からでも「abc 順：フランス語索引」，日本語からでも「50音順：日本語索引」，本書内の該当箇所を検索できます．ただし，本書内で仏語での文法表記をしていない語については原則として「日本語」のみ検索可です．例：voix active → 能動態．
(2) 初級レベルの方たちの便宜のために，文法用語に揺れのある語や，教室内でフランス語のカナ表記（読み）が使われる可能性があるもの，あるいは，しばしば略記されたり，英文法の用語が使われる語については「仏語・日本語・カナ表記・略記・英文法の用語」のいずれからでも検索が可能なように配慮しました．
　　例：virgule ／ヴィルギュル／句読（点・記号）／コンマ
　　＊索引を何度もめくる煩雑さを避けるために，別掲に誘導する方法〔→「〜を見ろ」の指示〕は採用していません．
(3) 日常の基本表現のいくつか，あるいはフランス語の典型的な基本例文（仏検5級レベルの表現）については，そのままフランス語を掲載しています．
　　例：Comment allez-vous?
　　＊上記の表現は「入門基礎会話文〔◆11◆の見出し〕」，「挨拶」というキーワードでも検索可能です．
(4) 文法整理・表現整理のために「フランス語索引」内に見出し語に関連した基本文法・単語等を簡単にマトメた「表」や初級者にとって必須の表現や注意して欲しい点などを簡略に解説した「囲み」を設けました（日本語索引ではなく，フランス語索引に囲みを設けた理由は，初級の段階からでもフランス語の用語にも慣れて欲しいという気持ちからです）．

*abc*順：フランス語索引

［**A / a**］（数字は本書のページを示します）

à 102, 192（前置詞）
A +時間の要素！ 36
à+都市名 73
à cause de 196, 197
à côté de 196
A demain! 36
à partir de 196
accent
　▷ ～ aigu 6
　▷ ～ circonflexe 6
　▷ ～ grave 6
　▷ アクセント（強勢） 22
adjectif
　▷ ～ démonstratif 64
　▷ ～ déterminatif 50
　▷ ～ indéfini 180
　▷ ～ interrogatif 94, 154
　▷ ～ possessif 65
　▷ ～ qualificatif 50
　▷ ～ verbal 171
adverbe 128
　▷ ～ de quantité 120
　▷ ～ interrogatif 92
afin de 197
afin que 197
aimer 162（直説法大過去）
aller
　▷ ～ 70（直説法現在）
　▷ ～ 176（条件法過去）
　▷ ～ +不定法 (*inf.*) 71

▷ *A tout de suite !*
　またすぐ後で
▷ *A tout à l'heure !*
　また後ほど
▷ *A bientôt !*
　また近いうちに
▷ *A lundi !*
　また月曜日に
▷ *A la semaine prochaine !*
　また来週

主に「近接未来」の形．「近接過去」は〈*venir de* +不定法〉の形をとります．なお「近接未来」がとる時制は「直説法現在か直説法半過去」です．

例：*Il allait sortir quand le téléphone a sonné.* 彼が出掛けようとしていたら，電話が鳴った．

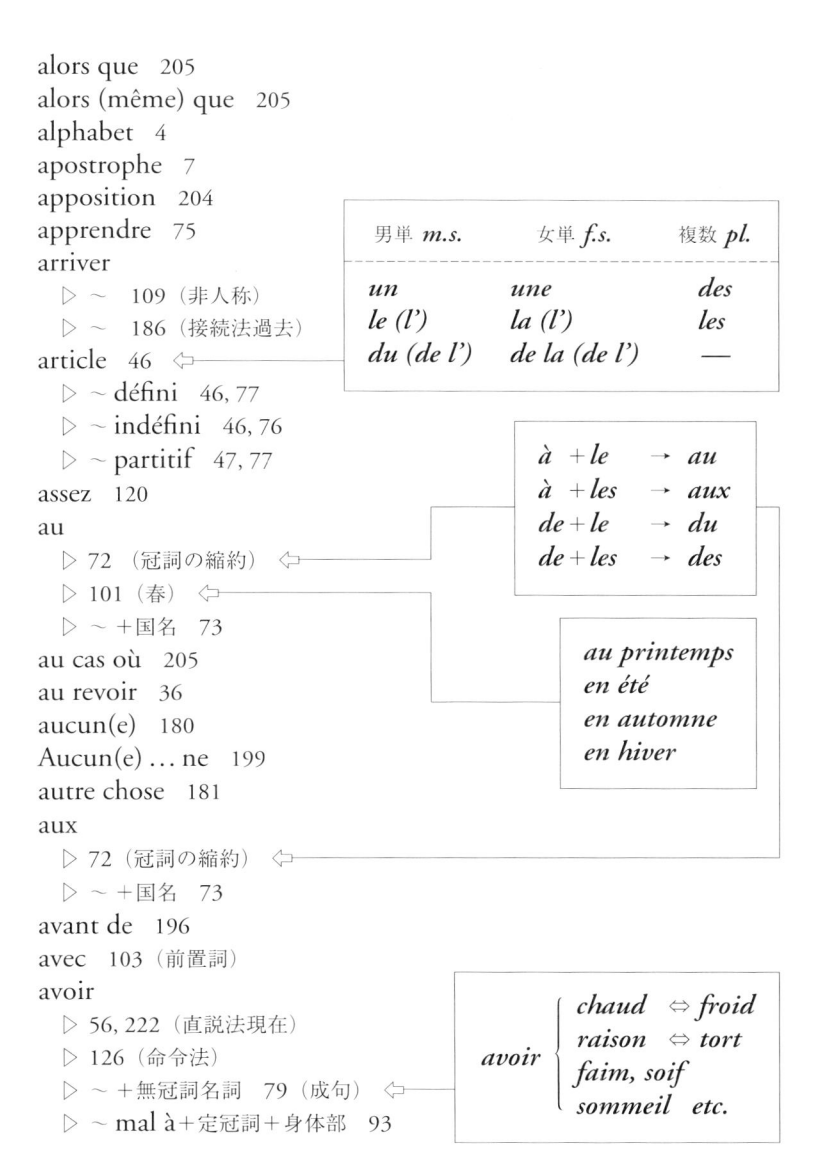

alors que   205
alors (même) que   205
alphabet   4
apostrophe   7
apposition   204
apprendre   75
arriver
　▷ ～   109（非人称）
　▷ ～   186（接続法過去）
article   46 ⇐
　▷ ～ défini   46, 77
　▷ ～ indéfini   46, 76
　▷ ～ partitif   47, 77
assez   120
au
　▷ 72（冠詞の縮約）⇐
　▷ 101（春）⇐
　▷ ～ ＋国名   73
au cas où   205
au revoir   36
aucun(e)   180
Aucun(e) … ne   199
autre chose   181
aux
　▷ 72（冠詞の縮約）⇐
　▷ ～ ＋国名   73
avant de   196
avec   103（前置詞）
avoir
　▷ 56, 222（直説法現在）
　▷ 126（命令法）
　▷ ～ ＋無冠詞名詞   79（成句）⇐
　▷ ～ mal à＋定冠詞＋身体部   93

	男単 *m.s.*	女単 *f.s.*	複数 *pl.*
	un	*une*	*des*
	le (l')	*la (l')*	*les*
	du (de l')	*de la (de l')*	—

à ＋ *le*	→	*au*
à ＋ *les*	→	*aux*
de ＋ *le*	→	*du*
de ＋ *les*	→	*des*

au printemps
en été
en automne
en hiver

avoir { *chaud* ⇔ *froid* / *raison* ⇔ *tort* / *faim, soif* / *sommeil   etc.* }

(*deux cent trente-neuf*)   239

〔**B / b**〕
beaucoup 120
bien que 185, 197, 205
boire 131
Bon(ne)+名詞！ 37 ⇐
bonjour 36

〔**C / c**〕
c'est 63, 65
c'est … que 156
c'est … qui 156
c'est dommage que 185
ça 118
Ça va ? 36, 118 ⇐
careful 10
ce
▷ 64（指示形容詞）
▷ 118（指示代名詞）
ce sont 63
ceci, cela 118
cédille 7
celle 119
celles 119
celui 119
certain(e)(s) 180
ces 64（指示形容詞）
cet 64（指示形容詞）
cette 64（指示形容詞）
ceux 119 ⇐
chanter
▷ 126（命令法）
▷ 158（直説法半過去）
chaque 181

> ▷ *Bon appétit !*
>   たっぷり召しあがれ.
> ▷ *Bonne chance !*
>   幸運を祈ります.
> ▷ *Bon anniversaire !*
>   お誕生日おめでとう.
> ▷ *Bon week-end !*
>   楽しい週末を.

Ça va ? は「元気ですか？」だけでなく，さまざまな行動動作を打診する意味で使われる大切な一言です．

> ▷ *Demain, ça va ?*
>   明日でいいですか？
> ▷ *Ça va comme ça ?*
>   こんな具合で OK ？

補足語をともない特定の人を受けずに「人々」の意味になる例（英語の *those who*）．
Ceux qui ne lisent rien ne savent rien.
  本を何も読まない人たちは物を何も知らない．

240 (*deux cent quarante*)

chez 103 (前置詞)
-ci 64, 233
combien
 ▷ 92 (疑問副詞)
 ▷ 120 (数量副詞)
comme 197
comme ça 118
commencer 80 (直説法現在)
comment 92
Comment allez-vous ? 36, 70
comparatif 116
complément
 ▷ ~ circonstanciel 82
 ▷ ~ d'objet direct 82
 ▷ ~ d'objet indirect 82
comprendre 75
concordance des temps 190
connaître 131 ⇐
construction impersonnelle 106-109
continuer à 197
contraction 72
croire 131

〔**D / d**〕

dans 103, 193
de
 ▷ 67 (否定の冠詞)
 ▷ 76 (不定冠詞の変形)
 ▷ 102 (前置詞)
 ▷ 168 (動作主) ⇐
 ▷ 192 (前置詞)
de l' 47 (部分冠詞) ⇐
de la 47 (部分冠詞) ⇐

connaître & *savoir*	
不定法・節はとらない	不定法・節をとれる
人・場所を直接目的補語にできる	人・場所を直接目的補語にとらない
学問などの知識がある	事柄を学習して知っている

受動態「〜によって」
par：多くは瞬間的動作
de：継続的・習慣的動作

「部分冠詞」と「前置詞 ***de***+定冠詞」を混同しないこと．

de moins en moins 201
de plus en plus 201 ⇐
demi
  ▷ 107, 234（時間）
  ▷ 133（分数）
depuis quand 92
des
  ▷ 46（不定冠詞）
  ▷ 72（冠詞の縮約）
déterminant 64
deux-points 27
devoir 122（直説法現在）
dire 130
discours 190
  ▷ ~ direct 190
  ▷ ~ indirect 190
  ▷ ~ indirect libre 196
dont 152-153
d'où 92（疑問副詞）
double v (W, w) 5
du
  ▷ 47（部分冠詞）
  ▷ 72（冠詞の縮約）⇐

〈*plus*〉を用いた成句
non plus：否定文の後で「〜もまた（ない）」
▶ *Je n'aime pas ça.*
　　私はそれ好きじゃない．
▷ *Moi non plus.*
　　私もです．
◆ 肯定文なら〈*aussi*〉．
plus ou moins：多かれ少なかれ，多少とも
au plus, tout au plus：多くても，せいぜい

à + *le*	→	*au*
à + *les*	→	*aux*
de + *le*	→	*du*
de + *les*	→	*des*

〔**E / e**〕
écrire 130
élision 21
elle
  ▷ 38（主語人称代名詞）
  ▷ 115（強勢形）
elles
  ▷ 38（主語人称代名詞）
  ▷ 115（強勢形）

employer 81（直説法現在）
en
  ▷ 101（夏秋冬）
  ▷ 103, 193（前置詞）
  ▷ 178（中性代名詞・副詞的代名詞）
  ▷ ～＋国名 73
  ▷ ～＋現在分詞 172（ジェロンディフ）
enchaînement 21
en face de 196
en présence de 196
épithète 53 (adjectif épithète)
-er 動詞 58
espérer 81（直説法現在）
est-ce que 68
étage 133
être
  ▷ 56, 222（直説法現在）
  ▷ 126（命令法）
eux 115（強勢形）

〔**F / f**〕
faire
  ▷ 74（直説法現在）
  ▷ 106（非人称）
  ▷ 200, 225（使役動詞）
  ▷ ～＋不定法 (*inf.*) 75
falloir 108
futur antérieur de l'indicatif 166
futur proche 71
futur simple de l'indicatif 164

〔**G / g**〕
générique 78

---

1 場所：方向・位置
  en France　　フランスへ
2 時間：時点・時期
  en avril　　4月に
3 様態：状態・服装・乗物
  en pyjama　　パジャマで
4 慣用的用法
  de plus en plus　ますます

1階　*le rez-de-chaussée*
● 英　*the ground floor*
　米　*the first floor*
2階　*le premier étage*
● 英　*the first floor*
　米　*the second floor*
仏語は英国式で数えます．ちなみに，地階は ***sous-sol*** でエレベーターなどでは〈***ss***〉と略記．1階は〈***rc***〉，2階は〈***1er***〉と略記．

(*deux cent quarante-trois*) 243

genre 40
gérondif 172
grâce à 196, 197
grammaire 2
guillemets 27

〔**I / i**〕
i grec (Y, y) 5
il 38 (主語人称代名詞)
il est ... heure(s) 106
il est possible que 185
il faut que 185
ils 38
il y a 37, 109, 222
imparfait
　▷ ~ de l'indicatif 158
　▷ ~ descriptif 159
　▷ ~ du subjonctif 187
impératif 126
indicatif présent 54
inférieur(e) 201
infinitif 54, 188　⇐　　英語で〈*to do*〉の形を不定詞（*infinitive*）と呼ぶことが多いため（なかには「*to* 不定詞」〔*to-infinitive*〕と断っている場合もあります），この用語で混乱する人がいます．不定詞（法）とは「活用等をされていない形の定まっていない原形のままの動詞」を指し示す用語です．
interjection 210
interrogatif 134
interrogation 68
interrogation négative 69
intonation 23
inversion 204
-ir 動詞 60

〔**J / j**〕
J'ai＋年齢 37, 57　⇐　　*Je suis ... ans.* とは言わない．
je 38

Je m'appelle ... 37
Je ne comprends pas. 75 ⇐
Je ne sais pas. 75 ⇐
Je suis+国籍 37, 48
Je suis+職業 37, 48, 49
jeter 81（直説法現在）
jour de la semaine 100

〈*Je ne comprends pas.*〉は相手の言うことが理解できないときに，〈*Je ne sais pas.*〉は何と答えてよいかわからないとき，答えを知らないの意味で用います．

〔**L / l**〕
l' 46（定冠詞）
la
　▷ 46（定冠詞）
　▷ 112（補語人称代名詞）
-là 64, 233
laisser 200, 225
laquelle 154-155
le ⇐
　▷ 46（定冠詞）
　▷ 112（補語人称代名詞）
　▷ 179（中性代名詞）
　▷ le と les の読み 25
lequel 154-155
les
　▷ 46（定冠詞）
　▷ 112（補語人称代名詞）
lesquelles 154-155
lesquels 154-155
lettres-consonnes 18
lettres-voyelles
　▷ ～ composées 14
　▷ ～ simples 12
leur
　▷ 65（所有形容詞）

下記の文章内の *le* の違いがわかりますか？

1 *Oui, c'est le sac de Jeanne.*
2 *Oui, je le sais.*
3 *Oui, je le connais.*

1 は定冠詞
2 は中性代名詞
3 は補語人称代名詞

2 を補語人称代名詞ととることはできません．*savoir* は直接目的補語に「人」をとらないからです．

▷ 112（補語人称代名詞）
▷ 182（所有代名詞）
leurs 65
liaison 20
lire 130
locution prépositive 196
locution, conjonction et préposition 197
lors de 197
lorsque 197 ⇐ *quand* よりも改まった表現.
lui
▷ 112（補語人称代名詞）
▷ 115（強勢形）: lui-même

〔**M / m**〕
ma 65
madame 36
mademoiselle 36
malgré 197
manger 80（直説法現在）⇐

「スープを飲む」には〈*boire*〉を用いません.「スープ」とは元来スープに入れる「パン」を意味する語ですので,〈*manger*〉です.
▷ *manger de la soupe*
　スープを飲む
◆ 英語でも *eat* [*have, take*] *soup* ですね.

me 112
meilleur(e) 135
même que 205
mener 81（直説法現在）
mes 65
mettre 131
mien(ne) 182
mieux 135 ⇐
mode 142
▷ ～ conditionnel 142
▷ ～ impératif 142
▷ ～ indicatif 84, 142
▷ ～ infinitif 142
▷ ～ participe 143

mieux を用いる成句
▷ *aimer mieux*
　～のほうが好きだ
▷ *aller mieux*
　（病気が）よくなる
◆ *aller bien* の比較級.
▷ *Il vaut mieux + inf.*
　～するほうがよい
▷ *Tant mieux !*
　それはよかった, しめた

246 (*deux cent quarante-six*)

▷ ~ subjonctif 142
moi 115
moindre 135
moins 135
moins …, moins … 201
mois 100
mon 65
monsieur 36

[**N / n**]
nations 48
n'est-ce pas 69 ⇐

> 相手の同意を促したり，念押しする ***n'est-ce pas ?*** は付加疑問です．主文の形にかかわらず形は一定です．

ne … aucun(e) 199 ⇐
ne … guère 66, 198
ne … guère que 199
ne … jamais 66, 198
ne … ni ~ ni ~ 198
ne … nul(le) 199
ne … pas encore 198
ne … pas ni ~ ni ~ 198
ne … pas 66
ne … personne 199
ne … plus 66, 198
ne … point 198
ne … que 66, 198
ne … rien 199
ne … rien que 199 ⇐

> 否定表現のあれこれは仏検5級～2級で出題頻度の高い文法事項です．受験前にはチェックを忘らないように．

ne explétif 201, 203
neiger 106
n.f. 40
n'importe qui (quoi) 181 ⇐
n.m. 40
nombres

> ***n'importe***＋疑問詞の例
> ▷ ***n'importe comment***
>   どんな風（やり方）でも
> ▷ ***n'importe où***
>   どこでも
> ▷ ***n'importe quand***
>   いつでも
> ▷ ***n'importe quel***
>   どの～でも

(*deux cent quarante-sept*) 247

▷ ~ cardinaux 96
▷ ~ ordinaux 99
non 68
nos 65
notre 65
nôtre 182
nous
  ▷ 38（主語人称代名詞）
  ▷ 112（補語人称代名詞）
  ▷ 115（強勢形）
nul 181

〔O / o〕
oe composées 5
on 110, 229 ⇐
onomatopée 210
où
  ▷ 92（疑問副詞）
  ▷ 152（関係代名詞）
oui 68
ouvrir 130

〔P / p〕
par 168（動作主）
parce que 197
parenthèses 27
parler ⇐
  ▷ 144（複合過去）
  ▷ 176（条件法過去）
  ▷ 186（接続法過去）
  ▷ ~ +言語 65
participe présent 170
partir 145（複合過去）

不定代名詞 *on* は使い手のある語ですが，和訳する際に直訳を避けましょう．

▷ *En France, on préfère le vin à la bière.*
　フランスではビールよりワインが好まれます．

◆ *on* は「人々＝フランス人」を指しますが，「人々は好む」と訳さずに受動的な訳をつけます．

▷ *Alors, on y va?*
　さあ，行きましょうか？

◆ *on* は *nous* の意味ですがここでも「私たち」という訳をつけないのがポイントです．

On dirait que... :（まるで）〜のようだ．

▷ *On dirait qu'il va pleuvoir.*
　雨になりそうな気配だ．

---

parler は「言語」を直接目的補語にしますが，通例は「〜について話す」*parler de...*，「〜に（と）話す」*parler à (avec)...* の形をとります．なお，*que* の従属節は導きません．

passé antérieur de l'indicatif   195
passé composé (de l'indicatif)   144-149
passé du conditionnel   176
passé récent   71
passé simple de l'indicatif   194
passé surcomposé de l'indicatif   195
payer   81 (直説法現在)
personne   181
personne ... ne   199
peu   120
phrase   82, 208
　▷ ~ complexe   208
　▷ ~ composée   208
　▷ ~ emphatique   156
　▷ ~ énonciative   209
　▷ ~ exclamative   95, 209
　▷ ~ impérative   209
　▷ ~ interrogative   209
　▷ ~ négative   66
　▷ ~ simple   208
pire   135 ⇐
plaire   131
pleuvoir   106
pluriel   44 ⇐
plus   135
plus (moins) ..., plus (moins, mieux) ...   201
plus-que-parfait
　▷ ~ de l'indicatif   162
　▷ ~ du subjonctif   187
plusieurs   181
point   27
point   99 (位取り)
point d'exclamation   27

日常会話では具体的な事柄に関して通常〈*plus mauvais*〉を用います．また *pire* を強調する場合には ***bien, encore*** を使い ***beaucoup*** は不可．

▷ ***au pire***：最悪の場合に(は)

Au pire, on aura un jour de retard.
　　最悪の場合，1日遅れるでしょう．

名詞の複数形のつくり方
1　原則は語末に〈*s*〉
2　*-x, -z, -s* は不変
3　*-eau, -eu* は〈*x*〉
4　*-al* は〈*aux*〉に
例外： *œil*　　→ *yeux*
　　　 travail → *travaux*

point d'interrogation 27
points de suspension 27
point-virgule 27
pour 103, 197
pour que 185, 197
pourquoi 92（疑問副詞）
pouvoir 122（直説法現在）
prendre
　▷ 74（直説法現在）
　▷ 166（前未来）

> *pourquoi* に対する返答には〈*parce que*〉が通例.
> ▶ *Pourquoi pleures-tu ?*
> 　どうして泣いてるの？
> ▷ *Parce que j'ai mal aux dents.*
> 　歯が痛いんです.

préposition 192
présent
　▷ ~ absolu [atemporel] 85
　▷ ~ de l'indicatif 54
　▷ ~ de narration 85
　▷ ~ du conditionnel 174
　▷ ~ du subjonctif 184
　▷ ~ historique 85
　▷ ~ narratif 85
présentatif 62
professions 49
pronom
　▷ ~ démonstratif 118
　▷ ~ indéfini 110, 180
　▷ ~ interrogatif 104
　▷ ~ neutre 178
　▷ ~ personnel 38
　▷ ~ personnel (complément) 112
　▷ ~ possessif 182
pronom relatif 150-155
proposition
　▷ ~ concessive 205
　▷ ~ coordonnée 208

> 性・数変化をしない中性代名詞は *le, en, y* の3種類.
> パターン化すれば,
> 〈*le* → 属詞・前文の意味内容〉
> 〈*en* → *de*+名詞〉
> 〈*y* → *à*+名詞〉
> を受けます.

- ~ d'opposition 205
- ~ incise 204, 209
- ~ juxtaposée 208
- ~ principale 209
- ~ subordonnée 209

〔**Q / q**〕

quand
- 92（疑問副詞）
- 197（接続詞）

quand ([bien] même) 205
quant à 196
quart
- 107（時間）
- 133（分数）

quatre saisons 100
que
- 104（疑問代名詞）
- 150（関係代名詞）

qu'est-ce que 104
Qu'est-ce que vous faites (dans la vie)? 74
qu'est-ce qui 104
quel 94
Quel âge avez-vous? 37, 134 ⇐
quelle 94
Quelle heure est-il? 106 ⇐
quelles 94
quelqu'un 181
quelque chose 181
quels 94
qui
- 104（疑問代名詞）
- 150（関係代名詞）

年齢を推定する表現には〈 ***donner*** 〉を用います.
- ***Quel âge lui donnez-vous?***
  彼(女)は何歳だと思いますか?

---

heure を使った成句の例
- ***à l'heure***：(1) 定刻に (2) 1時間につき＝***par heure***
- ***de bonne heure***：朝早く
- ***à toute heure***：いつでも, 一日中
- ***tout à l'heure***：(1) 先ほど (2) 後ほど

qui est-ce que 104
qui est-ce qui 104
quoique 185, 197, 205

〔**R / r**〕
R r の音 24
rendre 130
répondre 108
résoudre 108
rien 180

〔**S / s**〕
sa 65
saison 100
sans aucun 180
sans que 205
savoir ⇐
   ▷ 122（直説法現在）
   ▷ 126（命令法）
schéma des voyelles 8
se 124（再帰代名詞）
se coucher
   ▷ 124（直説法現在）
   ▷ 148（複合過去）
se lever 162（直説法大過去）
semi-consonnes 17
semi-voyelles 15, 17
ses 65
seulement 66
sexe 40
si 69（否定疑問文の返答）
si の構文 ⇐
   ▷ 174（条件法現在）

---

savoir「できる」と *pouvoir*「できる」の違い．
savoir：生得的あるいは学習・訓練によって備わった能力
pouvoir：限定された条件のもとでの可能性
▷ ***Je sais nager, mais aujoud'hui, je ne peux pas nager.***
   泳げますが，今日は泳げません．

---

si の構文パターン
1 *Si* ＋直説法現在，直説法単純未来
◆ あり得ることの仮定
2 *Si* ＋直説法半過去，条件法現在
◆ 現在の事実に反する仮定
3 *Si* ＋直説法大過去，条件法過去
◆ 過去の事実に反する仮定
4 *Si* ＋直説法大過去，条件法現在
◆ 上記 **3**＋**2** の組みあわせ

▷ 175（単純未来）
▷ 176（条件法過去）
▷ ～＋半過去 177（勧誘・願望）
sien(ne) 182
signe de ponctuation 27
singulier 44
son 65
sortir 166（前未来）
style 190
suffixe 206
supérieur(e) 201 ⇐
superlatif 117
sur 103（前置詞）
syllabe 27
   ▷ ～ fermée 13（閉音節）
   ▷ ～ ouverte 13（開音節）

比較に前置詞 *à* をとる形容詞の例
▷ ***pareil à*** ：～と同じような
▷ ***supérieur à***：～より優れた
▷ ***inférieur à***：～より劣った
▷ ***antérieur à***：～より前の
▷ ***postérieur à***：～より後の

〔**T / t**〕
ta 65
tandis que 205
te 112
temps 143
temps composé 143
temps simple 143
tes 65
tien(ne) 182
tiers 133（分数）
tiret 7, 27
toi 115
ton 65
tous 111
tout 111
tout à coup 111 ⇐
tout de suite 111 ⇐

tout を使った成句・決まり文句の例
▷ ***après tout***：要するに，結局＝***au fond***；いずれにしても
▷ ***tout à coup***：突然
▷ ***tout à fait***：完全に
▷ ***tout de suite***：すぐに
▷ ***tout le temps***：いつも
▷ ***tous les jours***：毎日＝***chaque jour***
▷ ***toute la journée***：1日中
◆ 最後の2つは混同しやすい．

(*deux cent cinquante-trois*) 253

toute 111
toutes 111
trait d'union 7
tréma 7
très 218
Très bien. 36
trop 120, 218
tu 38
▷ 〜と vous 39
type de phrase 82

〔**U / u**〕
un 46（不定冠詞）
un peu 120
une 46（不定冠詞）

〔**V / v**〕
venir
▷ 70（直説法現在）
▷ 109（非人称）
▷ 162（直説法大過去）
▷ 〜 de＋不定法（*inf.*） 71
venter 106
verbe 82 ⇐
▷ 〜 factitif 200
▷ 〜 pronominal 124
▷ 〜 sensitif 200
virgule 27, 99（小数点）
voici 37, 62
voilà 37, 62
voir 131
voix passive 168 ⇐
vos 65

動詞の種類

・自動詞
・他動詞
　（直接他動詞）
　（間接他動詞）
・非人称動詞
　（本来の非人称動詞）
　（転化的非人称動詞）
・代名動詞
　（再帰的）（相互的）
　（受動的）（本質的）
・助動詞
　être / avoir
・準助動詞
　aller＋inf.
　venir de＋inf.
　devoir＋inf.
　pouvoir＋inf.
　vouloir＋inf.
　faire＋inf.
　laisser＋inf.
　　　　　　etc.

能動態 voix active
A＋他動詞＋B
「A は B を〜する」

受動態 voix passive
B＋*être*＋過去分詞＋*par* A
　（活用）　　　　*(de)*
◆ 過去分詞は主語の性数に一致.

votre 65
vôtre 182
vouloir 122
vous
　▷ 38（主語人称代名詞）
　▷ 112（補語人称代名詞）
　▷ 115（強勢形）
　▷ ～と tu 39

〔**Y / y**〕
y　178, 230, 231（中性代名詞・副詞的代名詞）　◁──────┐

> 代名詞の使いわけの基本パターン
>
> ・直接目的補語　　　　　 { 特定の人・物 → 補語人称代名詞（直接）*
> 　　　　　　　　　　　　 { 不特定の人・物 → *en*
>
> ＊不定法や総称の名詞などには通常〈*ça*〉を用います．
>
> ・〈*à*〉のついた語句　　 { 人 → 補語人称代名詞（間接）*
> 　　　　　　　　　　　　 { 物・事 → *y*
>
> ＊*penser*「考える」などの動詞は〈*à*＋強勢形〉を用います．
>
> ・〈*de*〉のついた語句　　{ 人 → *de*＋人称代名詞強勢形
> 　　　　　　　　　　　　 { 物・事 → *en*
>
> ・場所を表わす語句　　　 { *à*＋場所 → *y*
> 　　　　　　　　　　　　 { *de*＋場所 → *en*

(*deux cent cinquante-cinq*)

50音順：日本語索引

(ア)

挨拶　36
アクサン（記号）　6
アクセント（強勢）　22
アポストロフ　7
アルファベ　4
アンシェヌマン　21
アンフィニティフ　54, 188

イエール・動詞　60（-ir 動詞）
イントネーション　23
引用符　27

ヴィルギュル　27
ウーエール動詞　58（-er 動詞）

エリズィヨン　21, 213

往来発着・移動の自動詞　144
オノマトペ　210
（私は）思う　225
音節　26
音引　18, 28
音標文字　28

(カ)

階　133（建物の階）
開音節　13, 26
概数　133
加減乗除　132
過去　186（接続法）
過去完了　163
過去における過去　163
過去における未来　175
過去分詞
　▷〜の作り方　146
　▷〜による分詞構文　173, 234
　▷〜の性・数一致　202
数　96
活用　54
感覚動詞　200
関係代名詞　150–155
冠詞　46
　▷〜の縮約　72
　▷〜の省略　79
　▷〜の変形　67（否定文）
間接補語　82
間接目的補語　82
　▷112（補語人称代名詞）
　▷（代名動詞複合過去）　148
間接話法　190, 196
間接他動詞　83
完全自動詞　83
感嘆文　95, 209
間投詞　210

気候・天気　106
基数　96
擬声音（語）　210
季節　100
基本前置詞　102
基本表現　37
基本不規則動詞　58
疑問形容詞　94, 221
疑問詞　134
疑問代名詞　104, 154

疑問符　27
疑問副詞　92
疑問文　68, 209
キャの表記について　18
ギュメ　27
強勢　22
強勢形（人称代名詞）　115, 229
強調構文　156
虚辞の ne　201, 203
近接過去　71, 85
近接未来　71, 85, 223

句読記号　27
国　48

形式主語　108
形容詞　50–53
形容詞節　150
形容詞の置き位置　52
形容詞の名詞化　220
原形　54
現在　184（接続法）
現在完了　84, 146
現在形　54（直説法）
現在進行形　84
現在分詞　170, 221
限定形容詞　50（所有形容詞など）
限定辞　52, 64

語幹　54
語気緩和　167, 175, 177
国名　48
国名と前置詞　73
語形成要素　206
午前・午後　107

語尾　54
コロン　27
コンマ　27

(サ)
再帰代名詞　124, 148
再帰的代名動詞　125
最上級　117

子音字　18
使役　75
使役動詞　200
ジェロンディフ　172
時間　106
四季　100
色彩　220
時刻　106
自己紹介　37
～自身　115
指示形容詞　64
指示代名詞　118, 234
時制　142
時制照応　190
時制の一致　190
自由間接話法　196
終止符　27
従属節　209
重要動詞　130（直説法現在）
主語人称代名詞　38
主節　209
受動的代名動詞　125, 232
受動態　168, 232
状況補語　82
条件法　142
　▷ ～現在　174

▷ ～過去　176
▷ ～第2形　228
譲歩節　204
省略　79（冠詞）
職業　49
序数　99
女性形
　▷ 40, 42（名詞）
　▷ 50（形容詞）
　▷ 64（指示形容詞）
　▷ 65（所有形容詞）
　▷ 182（所有代名詞）
助動詞　144（avoir / être 複合過去）
所有形容詞　65, 217, 219
所有代名詞　182

推定の副詞　129
数詞　96–99
数詞に関する補足　132
数量単位を表す名詞　121
数量副詞　120, 219
ストレス（強勢）　22

性　40, 42（名詞）
性・数一致
　▷ 50（形容詞）
　▷ 149（複合過去の代名詞動詞）
　▷ 168（受動態）
　▷ 202（過去分詞）
直接目的補語　112（補語人称代名詞）
接続詞句　197
接続法　142
　▷ ～現在　184, 232
　▷ ～過去　186

▷ ～大過去　187
▷ ～半過去　187
絶対分詞構文　171
接尾辞　206
説明部　23
説話的現在　85
セディーユ　7
セミコロン　27
前過去　195
先行詞　150
前置詞　102, 192
　▷ ～ +où　153（関係代名詞）
　▷ ～ +qui　105
　▷ ～ +qui　153（関係代名詞）
　▷ ～ +quoi　105
　▷ ～ +quoi　153（関係代名詞）
線の過去　160
前未来　166

相互的代名動詞　124, 224
総称　46, 77, 78, 216
挿入節　204, 209
挿入符　27
属詞　82

(タ)
態　168
第1群規則動詞　58
　▷ ～の変則活用　80
第3群不規則動詞　58
第2群規則動詞　58, 60
第2形（形容詞）　53
代名動詞　124, 223
　▷ ～の複合過去　148
対立・譲歩節　204

多様な否定表現　198, 205
誰　104（疑問代名詞）
単純過去　194
単純時制　143
単純未来　164
単数形　50（形容詞）
男性形
　▷ 40, 42（名詞）
　▷ 50（形容詞）
　▷ 64（指示形容詞）
　▷ 65（所有形容詞）
　▷ 182（所有代名詞）
男性形単数第2形　53, 217
単文　208
単母音字　12

近い過去　71, 85
近い未来　71, 85, 223
知覚動詞　200
中性代名詞　178
長音　18, 28
超時的現在　85
直接補語　82
直接目的補語　82
　▷ 149（代名動詞複合過去）
直説法　142
　▷〜現在の活用パターン　54
　▷〜現在の射程　84
　▷〜複合過去　144–149
　▷〜半過去　158
　▷〜大過去　162
　▷〜単純未来　164
　▷〜前未来　166
　▷〜単純過去　194
　▷〜前過去　195
　▷〜重複合過去　195
　▷〜複複合過去　195
直接話法　190, 196

月　100（12か月）

定冠詞　46, 77, 78, 215, 217
　▷（曜日・月日と）定冠詞　101
提示詞　62
提示の表現　62
提示部　23
ティレ　7, 27
天気・気候　106
点の過去　160

ドゥ・ポワン　27
等位節　208
同格　204
動詞　82
動詞活用の考え方　54
動詞状形容詞　171, 221
倒置の疑問文　68
倒置　204
読点　27
同等比較　116, 231
動名詞　172
時・頻度の副詞　129
閉じたエ　6, 12
都市名　73（前置詞）
トレ・デュニオン　7
トレマ　7

(ナ)
何　104（疑問代名詞）

二重ギュメ　27
入門基礎会話文　36
人称代名詞
　▷ 38（主語）
　▷ 112（補語）
　▷ 115, 229（強勢形）

年月日　101
年号　133

能動態　168

(ハ) ──────────
倍数表現　133
ハイフン　7
場所の副詞　128
パランテーズ　27
反語　175, 177
半子音　17
半母音　15, 17

比較　116, 121
比較級　116
比較級・最上級の特殊な形　135
比較表現補足　201
日付・年　133
日付をたずねる　95, 101
ピッチ　22
否定疑問文　69
否定の冠詞 de　67
否定表現（部分否定）198, 199
否定文　66
否定命令文　127
非人称の il　106
非人称構文　74, 106–109, 226

非人称表現　106–109
鼻母音　9, 16, 212
(名詞の)標識語　64
描写の半過去　159
開いたエ　6, 12
ピリオド　27
品質形容詞　50

付加疑問文　69
付加形容詞　53
不完全自動詞　83
複合時制　143
複合名詞　45
複合過去　144–149, 226
複合過去と半過去　160, 227
副詞　128, 218
複数形
　▷ 44（名詞）
　▷ 50, 76（形容詞）
　▷ 64（指示形容詞）
　▷ 65（所有形容詞）
複文　208
複母音字　14
副詞的代名詞　178
不定冠詞　46, 76, 78, 214, 215
不定形容詞　180
不定詞　54, 188
不定代名詞　110, 180
不定法　54, 142, 188
　▷ 93, 134（動詞的用法）
　▷ 188（名詞的用法）
部分冠詞　47, 77
普遍的な事実　85
文　82
分音符　7

文型　82
分詞構文　171, 173
分詞法　143
分数　133
文の種類　208
文の要素　82

閉音節　13, 26
平叙文　209
平成　235
並置節　208
並列節　208

母音字省略　21
母音図表　8
母音字　12
母音の梯形　8
方位　214
法と時制　142
補語人称代名詞　112
　▷ ～の置き位置
　　　　　113-114, 230, 231
ポワン　27
ポワン・ヴィルギュル　27
ポワン・ダンテロガスィヨン　27
ポワン・デクスクラマスィヨン　27
ポワン・ドゥ・スュスパンスィヨン
　　　　　27
本質的代名動詞　125

(マ)
丸括弧　27

未完了　160
未来　164

未来完了　166

無音のh　11, 212

名詞　40-45
名詞主語　69（疑問文）
名詞の複数形　44
命令文　126, 209, 235
命令文の補語人称代名詞の置き位置
　　　　　127, 231
命令法　126, 142

(ヤ)
有音のh　11, 212
優等最上級　117
優等比較　116

様態の副詞　129
曜日　100
曜日をたずねる　94, 101
抑揚　23
呼びかけ　79

(ラ・ワ)
リエゾン　20, 213, 214
量・程度の副詞　129

歴史的現在　85
劣等最上級　117
劣等比較　116
連音　20
連結符　7

話法　190

(*deux cent soixante et un*)　261

品詞・文構成別　仏検対応レベルの表

目安・レベル／品詞別	5級〜4級準備	4級〜3級準備	3級〜(準)2級準備
◆ 名詞 ◆	13　14　15　17	15	
◆ 冠詞 ◆	16　26　29　D　E	E	E
◆ 形容詞 ◆			
品質形容詞	18　19	19	
指示形容詞	25		
所有形容詞	25		
疑問形容詞	32　J	32	
不定形容詞			70
数詞（数形容詞）	33　I	34　51　I	
比較・最上級	43	43　J	80
◆ 代名詞 ◆			
主語人称代名詞	12		
補語人称代名詞	42	41　42	
不定代名詞		40	70
指示代名詞	44	44	
所有代名詞			71
疑問代名詞	37　J		57
関係代名詞	55	55　56	55　56　57
中性代名詞			69
◆ 話法 ◆			75

＊注意：上記はあくまで品詞・文構成別での仏検の「目安」で，単語・熟語などのレベルは考慮していません．級をまたいだ文法もあります．

◆ 下記の番号・アルファベは課・補遺の番号（発音は除きます）

品詞別 \ 目安・レベル	5級〜 4級準備	4級〜 3級準備	3級〜 (準)2級準備
◆ 動詞 ◆ 法と時制	20 21 22 23 28 30 46 52 53 H	F G H 50 51 52 53 54 59 62 67 68	H 59 60 61 63 67 68 72 73 77 78 80 82
不定法			74
現在分詞		65	65
ジェロンディフ		66	
過去分詞		53 81	66 81
代名動詞		47	
非人称動詞	38	39	
態		64	
疑問文	27		
否定文	26		79
命令文	48	48	
強調構文		58	
◆ 副詞 ◆	31 45 49 J	45 49	
◆ 前置詞 ◆	29	36	76 78
◆ その他 ◆ 入門会話・ 提示の表現, 他	11 24 35		81 K

(*deux cent soixante-trois*) 263

おわりに　本書の執筆経過に触れつつ

「携帯に便利でしっかりした内容をもつ文法書を書いてみませんか」──本書の執筆は，駿河台出版社社長・井田洋二氏のこの一言からはじまりました．

井田氏から依頼を受け，早速，基礎資料とする初・中級用の文法用教科書・文法講読書の選定作業をはじめました．広く一般に使われているテキストから，文法項目を扱う順について客観的な基準・順番を引き出そうと考えたからです．

その基準作りのための，本書なりの選定条件は下記の3つに集約できます．

① 広範囲な学び舎で使用されているオーソドックスなテキストで，文法の流れが途切れなく条件法・接続法まで触れられているもの（単純過去の扱いはそれを問わない）．
② 改訂版が出ているものであること（少なくとも初歩的なミス・誤植が訂正されている可能性が高く，認知度が高いと考えたため）．
③ 重版になっているもの（ただし，出版後3年を経過して版を重ねていないものは除く）．

上記の条件で，都合8つの出版社から上梓されている定番の教科書，人気の教科書を選定しました．こぼれている名著もあるかもしれませんが，500冊を超える教科書のなかから，都合，19冊のテキストを基礎資料として選びだしたことになります．そして，そこから，新たにフランス語を学習する方々の多くが出合う(はずの)フランス語文法の規範的な順番・流れを探りました．この作業の後，

一気に，原稿を書きあげました（ただし，補語人称代名詞との関連を避けられない命令法の扱いなど，執筆途中で掲載順をあえて変更した項目もあります）．

　ついで，手元の文法書・参考書のなかから17冊（フランス語の文法書5冊，英語の2冊を含みます）を選び（この文献抽出にも教科書と同じ条件を付帯しましたが，教科書との性格の違いを視野に入れ，とくに中級・上級レベルの文法書に関しては前記の ② ③ の条件を緩やかにしました），書き下ろした原稿と比較・対照しながら，説明不足を補ったり，逆に冗漫な説明箇所の消去をしたり，あるいは補遺の選択等々を時間をかけて進めました．ただし，どうしても触れておきたいと判断した事項は，通例の教科書・文法書で扱われていない内容であってもこの作業の段階で加筆しました．

　ところで，文法を扱うには，大きくわけて下記の2つの考え方があります．

　A　難易度・重要度を勘案しながら，着実に入門・初級レベルの方たちを中級レベルへと引きあげていく方法（多くの教科書の考え方）．

　B　ある程度文法を習得している人たちを対象に，品詞ごとに必要な説明をマトメて，フランス語文法の大きな流れを遺漏なく記載する方法（文法辞典の解説方法）．

　本書はこの点で冒険をしてみました．原稿を書きあげた時点で，A の流れに B の視点を接ぎ木できないか，との思いが生じたため，A を軸に置きながら B の着眼を巻末の索引や中扉の後に置いた英文参照速攻文法整理の頁，あるいは Q & A などに応用することにしたからです．あわせて，仏検の当該レベルや学習進度にあわせた仏検の合格見込み率を示すという冒険もしています．これは，利用者の

(deux cent soixante-cinq)　265

モチベーションを刺激しつつ学習効率のアップを目指した処置です．

なお，本書中に何箇所も cross-reference「相互参照（☞，☛）」を用いていますが，これは限られた紙幅のなかで記載内容を何倍にもふくらませる方法として有効であるとの考えから，拙著のなかで意識的に展開しているものです．ぜひご活用ください．

さて，こうしたプロセスを経て形をなしたこの１冊がどれほどのものであるか，それをお決めになるのは読者の皆様です．あなたの仏語学習のための座右の１冊に──それが願いなのですが……．

最後に，執筆のチャンスをいただいた井田洋二氏に，また，編集の労をとっていただいた上野名保子さんに，そして，フランス語を丁寧にチェックしていただいたフランス語教育のプロでおいでのパスカル・マンジュマタン先生に，心から「ありがとう」と言いたいと思います．

　　　　　　　　　　　　　　　　　　　　　　　　　　　著　者

著者
久松健一(ひさまつ　けんいち)
東京生まれ．現在，明治大学准教授．

■ **著書**（編著を含む）
『ケータイ［万能］フランス語入門』：駿河台出版社
『ケータイ［万能］フランス語文法　実践講義ノート』：同上
『英語・フランス語どちらも話せる！［基礎エクササイズ篇］』：同上
『英語がわかればフランス語はできる！』：同上
『(暗記本位) 仏検対応・フランス語動詞活用表』：同上
『フランス語Ｑ＆Ａ350』：国際語学社
『(仏検対応) クラウン・フランス語熟語辞典』：三省堂（編著）
中国語版『憧英語就會説法語』（如何出版社）
Dictionnaire japonais-français, français japonais : Assimil・Kernerman（編著）ほか

携帯 〈万能〉フランス語文法

2000年8月1日　初版発行　　2018年8月27日　32刷発行

著　者 ©久　松　健　一
発行者　井　田　洋　二
発行所　㈱駿河台出版社
〒101-0062 東京都千代田区神田駿河台3の7
電話 03(3291)1676番／振替 00190-3-56669
組　版　ユービー工芸
印　刷　三友印刷株式会社

ISBN 978-4-411-00476-5 C 1085 ¥1600E

http://www.e-surugadai.com

JCOPY ＜(社)出版者著作権管理機構 委託出版物＞

本書の無断複写は，著作権法上での例外を除き，禁じられています．複写される場合は，そのつど事前に，(社)出版者著作権管理機構（電話 03-3513-6969, FAX 03-3513-6979, e-mail: info@jcopy.or.jp）の許諾を得てください．

駿河台出版社刊：同著者の出版物・簡略解題

◆ 入門書 ◆

CD付　英語がわかればフランス語はできる！

既習の英語をフランス語へとスムーズに移行できる50の例文で，フランス語の基礎力を養成する．「聞き取り問題」も充実．仏検5級〜3級レベルに相当する実力がつけられる．
A5 / 180 p. / 本体2000円

＊如何出版（台北市）より中国語版が刊行されている．

◆ 単語集 ◆

データ本位
でる順・仏検単語集 ──5級〜2級準備レベル──

コンピュータにより頻度徹底解析！
ベスト・セラー「でる順」が生まれ変わった．デジタル時代の最強の単語集．
新書 / 295 p. / 本体1500円

共著者：パスカル・マンジュマタン
CD付　〈仏検2級対応〉でる順・仏検単語集

仏検2級に確実に出題される1500語を"でる順"で配列．「事前のチェック ⇨ でる順での効率的学習 ⇨ 類義語をサポート ⇨ でる順対応問題集」という画期的構成で合格をアシスト．
B6 / 218 p. / 本体1900円

◆ 熟語集 ◆

校閲：パスカル・マンジュマタン
〈仏検2級・3級対応〉フランス語重要表現・熟語集

過去に出題された問題を徹底分析して選定した重要表現・熟語の集大成．前置詞の微妙な使い分けも，細かな語法も詳細に解説している．苦手を得点源に変えられる理想の1冊！
B6／263p.／本体1800円

◆ 動詞活用集 ◆

CD付　〈暗記本位〉仏検対応・フランス語動詞活用表

フランス語学習者のウィークポイントをずばり解消するオリジナル活用表．動詞一覧表・活用表・不定法早見表・練習問題まで付いた「動詞活用の革命児」！
新書／214p.／本体1200円

◆ 聞き取り・ディクテ対策用 ◆

CD活用　フランス語《拡聴力》

優に1年分の留学体験に匹敵する「拡聴力」（聴こえてきた音を確実に書きとれる語学運用能力）を養成できる．仏検3級レベルから1級レベルへと短日月で拡張！
A5／120p.／本体1800円

◆ 中・上級レベルの仏語力養成用 ◆

校閲：マーガレット・トマキオ／パスカル・マンジュマタン
英仏日 CD 付　これは似ている！　英仏基本構文 100+95

あなたの英語力を応用レベルのフランス語へと移植し，さらなる展開をも可能にする新機軸．英語と比較対照したフランス語の必須構文をさまざまな角度から分析，CD を使った確実な表現力アップも視野に入れている．パターンを超えた厚みのある表現力を目指す方々のために．
A5／233p.／本体 2100 円

◆ 姉妹編 ◆

ケータイ［万能］フランス語文法　実践講義ノート

自分で書いた文法書を他人が書いたものとして客観視し，説明の不備や不足を補い，新たな着眼あれこれを書き記したものをまとめた，文法メモ集．
A5／472p.／本体 2500 円

CD 活用　フランス頭の基本をつくる文法問題集

本書に対応するCD活用の問題集．仏検 5 級〜 2 級準備レベル合格を目指す方々にとって必携の一冊．
文法を耳で，手で，体で覚える新発想！
A5／192p.／本体 2000 円

動詞活用表

◇ 活用表中，現在分詞と過去分詞はイタリック体，
また書体の違う活用は，とくに注意すること．

accueillir	22	écrire	40	pleuvoir	61
acheter	10	émouvoir	55	pouvoir	54
acquérir	26	employer	13	préférer	12
aimer	7	envoyer	15	prendre	29
aller	16	être	2	recevoir	52
appeler	11	être aimé(e)(s)	5	rendre	28
(s')asseoir	60	être allé(e)(s)	4	résoudre	42
avoir	1	faire	31	rire	48
avoir aimé	3	falloir	62	rompre	50
battre	46	finir	17	savoir	56
boire	41	fuir	27	sentir	19
commencer	8	(se) lever	6	suffire	34
conclure	49	lire	33	suivre	38
conduire	35	manger	9	tenir	20
connaître	43	mettre	47	vaincre	51
coudre	37	mourir	25	valoir	59
courir	24	naître	44	venir	21
craindre	30	ouvrir	23	vivre	39
croire	45	partir	18	voir	57
devoir	53	payer	14	vouloir	58
dire	32	plaire	36		

◇ 単純時称の作り方

不定法	
—er	[e]
—ir	[ir]
—re	[r]
—oir	[war]

現在分詞	
—ant	[ɑ̃]

	直説法現在				接続法現在		直説法半過去	
je (j')	—e	[無音]	—s	[無音]	—e	[無音]	—ais	[ɛ]
tu	—es	[無音]	—s	[無音]	—es	[無音]	—ais	[ɛ]
il	—e	[無音]	—t	[無音]	—e	[無音]	—ait	[ɛ]
nous	—ons	[ɔ̃]			—ions	[jɔ̃]	—ions	[jɔ̃]
vous	—ez	[e]			—iez	[je]	—iez	[je]
ils	—ent	[無音]			—ent	[無音]	—aient	[ɛ]

	直説法単純未来		条件法現在	
je (j')	—rai	[re]	—rais	[rɛ]
tu	—ras	[rɑ]	—rais	[rɛ]
il	—ra	[ra]	—rait	[rɛ]
nous	—rons	[rɔ̃]	—rions	[rjɔ̃]
vous	—rez	[re]	—riez	[rje]
ils	—ront	[rɔ̃]	—raient	[rɛ]

	直 説 法 単 純 過 去					
je	—ai	[e]	—is	[i]	—us	[y]
tu	—as	[ɑ]	—is	[i]	—us	[y]
il	—a	[a]	—it	[i]	—ut	[y]
nous	—âmes	[am]	—îmes	[im]	—ûmes	[ym]
vous	—âtes	[at]	—îtes	[it]	—ûtes	[yt]
ils	—èrent	[ɛr]	—irent	[ir]	—urent	[yr]

過去分詞	—é [e], —i [i], —u [y], —s [無音], —t [無音]

①**直説法現在**の単数形は，第一群動詞では—e, —es, —e；他の動詞ではほとんど—s, —s, —t.
②直説法現在と接続法現在では，nous, vous の語幹が，他の人称の語幹と異なること（母音交替）がある.
③**命令法**は，直説法現在の tu, nous, vous をとった形.（ただし—es → e　vas → va）
④**接続法現在**は，多く直説法現在の 3 人称複数形から作られる．ils partent → je parte.
⑤**直説法半過去**と**現在分詞**は，直説法現在の 1 人称複数形から作られる.
⑥**直説法単純未来**と**条件法現在**は多く不定法から作られる. aimer → j'aimerai, finir → je finirai, rendre → je rendrai（-oir 型の語幹は不規則）.

1. avoir

現在分詞
ayant

過去分詞
eu [y]

	直 説 法		
現在	半過去	単純過去
j' ai	j' avais	j' eus [y]
tu as	tu avais	tu eus
il a	il avait	il eut
nous avons	nous avions	nous eûmes
vous avez	vous aviez	vous eûtes
ils ont	ils avaient	ils eurent

命 令 法
aie
ayons
ayez

複合過去	大過去	前過去
j' ai eu	j' avais eu	j' eus eu
tu as eu	tu avais eu	tu eus eu
il a eu	il avait eu	il eut eu
nous avons eu	nous avions eu	nous eûmes eu
vous avez eu	vous aviez eu	vous eûtes eu
ils ont eu	ils avaient eu	ils eurent eu

2. être

現在分詞
étant

過去分詞
été

	直 説 法		
現在	半過去	単純過去
je suis	j' étais	je fus
tu es	tu étais	tu fus
il est	il était	il fut
nous sommes	nous étions	nous fûmes
vous êtes	vous étiez	vous fûtes
ils sont	ils étaient	ils furent

命 令 法
sois
soyons
soyez

複合過去	大過去	前過去
j' ai été	j' avais été	j' eus été
tu as été	tu avais été	tu eus été
il a été	il avait été	il eut été
nous avons été	nous avions été	nous eûmes été
vous avez été	vous aviez été	vous eûtes été
ils ont été	ils avaient été	ils eurent été

3. avoir aimé

[複合時称]

分詞複合形
ayant aimé

命 令 法
aie aimé
ayons aimé
ayez aimé

	直 説 法		
複合過去	大過去	前過去
j' ai aimé	j' avais aimé	j' eus aimé
tu as aimé	tu avais aimé	tu eus aimé
il a aimé	il avait aimé	il eut aimé
elle a aimé	elle avait aimé	elle eut aimé
nous avons aimé	nous avions aimé	nous eûmes aimé
vous avez aimé	vous aviez aimé	vous eûtes aimé
ils ont aimé	ils avaient aimé	ils eurent aimé
elles ont aimé	elles avaient aimé	elles eurent aimé

4. être allé(e)(s)

[複合時称]

分詞複合形
étant allé(e)(s)

命 令 法
sois allé(e)
soyons allé(e)s
soyez allé(e)(s)

	直 説 法		
複合過去	大過去	前過去
je suis allé(e)	j' étais allé(e)	je fus allé(e)
tu es allé(e)	tu étais allé(e)	tu fus allé(e)
il est allé	il était allé	il fut allé
elle est allée	elle avait allée	elle fut allée
nous sommes allé(e)s	nous étions allé(e)s	nous fûmes allé(e)s
vous êtes allé(e)(s)	vous étiez allé(e)(s)	vous fûtes allé(e)(s)
ils sont allés	ils étaient allés	ils furent allés
elles sont allées	elles étaient allées	elles furent allées

		条件法		接続法			
単純未来		現在		現在		半過去	
j'	aurai	j'	aurais	j'	aie	j'	eusse
tu	auras	tu	aurais	tu	aies	tu	eusses
il	aura	il	aurait	il	ait	il	eût
nous	aurons	nous	aurions	nous	ayons	nous	eussions
vous	aurez	vous	auriez	vous	ayez	vous	eussiez
ils	auront	ils	auraient	ils	aient	ils	eussent
前未来		過去		過去		大過去	
j'	aurai eu	j'	aurais eu	j'	aie eu	j'	eusse eu
tu	auras eu	tu	aurais eu	tu	aies eu	tu	eusses eu
il	aura eu	il	aurait eu	il	ait eu	il	eût eu
nous	aurons eu	nous	aurions eu	nous	ayons eu	nous	eussions eu
vous	aurez eu	vous	auriez eu	vous	ayez eu	vous	eussiez eu
ils	auront eu	ils	auraient eu	ils	aient eu	ils	eussent eu

		条件法		接続法			
単純未来		現在		現在		半過去	
je	serai	je	serais	je	sois	je	fusse
tu	seras	tu	serais	tu	sois	tu	fusses
il	sera	il	serait	il	soit	il	fût
nous	serons	nous	serions	nous	soyons	nous	fussions
vous	serez	vous	seriez	vous	soyez	vous	fussiez
ils	seront	ils	seraient	ils	soient	ils	fussent
前未来		過去		過去		大過去	
j'	aurai été	j'	aurais été	j'	aie été	j'	eusse été
tu	auras été	tu	aurais été	tu	aies été	tu	eusses été
il	aura été	il	aurait été	il	ait été	il	eût été
nous	aurons été	nous	aurions été	nous	ayons été	nous	eussions été
vous	aurez été	vous	auriez été	vous	ayez été	vous	eussiez été
ils	auront été	ils	auraient été	ils	aient été	ils	eussent été

		条件法		接続法			
前未来		過去		過去		大過去	
j'	aurai aimé	j'	aurais aimé	j'	aie aimé	j'	eusse aimé
tu	auras aimé	tu	aurais aimé	tu	aies aimé	tu	eusses aimé
il	aura aimé	il	aurait aimé	il	ait aimé	il	eût aimé
elle	aura aimé	elle	aurait aimé	elle	ait aimé	elle	eût aimé
nous	aurons aimé	nous	aurions aimé	nous	ayons aimé	nous	eussions aimé
vous	aurez aimé	vous	auriez aimé	vous	ayez aimé	vous	eussiez aimé
ils	auront aimé	ils	auraient aimé	ils	aient aimé	ils	eussent aimé
elles	auront aimé	elles	auraient aimé	elles	aient aimé	elles	eussent aimé

		条件法		接続法			
前未来		過去		過去		大過去	
je	serai allé(e)	je	serais allé(e)	je	sois allé(e)	je	fusse allé(e)
tu	seras allé(e)	tu	serais allé(e)	tu	sois allé(e)	tu	fusses allé(e)
il	sera allé	il	serait allé	il	soit allé	il	fût allé
elle	sera allée	elle	serait allée	elle	soit allée	elle	fût allée
nous	serons allé(e)s	nous	serions allé(e)s	nous	soyons allé(e)s	nous	fussions allé(e)s
vous	serez allé(e)(s)	vous	seriez allé(e)(s)	vous	soyez allé(e)(s)	vous	fussiez allé(e)(s)
ils	seront allés	ils	seraient allés	ils	soient allés	ils	fussent allés
elles	seront allées	elles	seraient allées	elles	soient allées	elles	fussent allées

5. être aimé(e)(s) [受動態]

直 説 法						接 続 法		
現 在			複 合 過 去			現 在		
je	suis	aimé(e)	j'	ai	été aimé(e)	je	sois	aimé(e)
tu	es	aimé(e)	tu	as	été aimé(e)	tu	sois	aimé(e)
il	est	aimé	il	a	été aimé	il	soit	aimé
elle	est	aimée	elle	a	été aimée	elle	soit	aimée
nous	sommes	aimé(e)s	nous	avons	été aimé(e)s	nous	soyons	aimé(e)s
vous	êtes	aimé(e)(s)	vous	avez	été aimé(e)(s)	vous	soyez	aimé(e)(s)
ils	sont	aimés	ils	ont	été aimés	ils	soient	aimés
elles	sont	aimées	elles	ont	été aimées	elles	soient	aimées
半 過 去			大 過 去			過 去		
j'	étais	aimé(e)	j'	avais	été aimé(e)	j'	aie	été aimé(e)
tu	étais	aimé(e)	tu	avais	été aimé(e)	tu	aies	été aimé(e)
il	était	aimé	il	avait	été aimé	il	ait	été aimé
elle	était	aimée	elle	avait	été aimée	elle	ait	été aimée
nous	étions	aimé(e)s	nous	avions	été aimé(e)s	nous	ayons	été aimé(e)s
vous	étiez	aimé(e)(s)	vous	aviez	été aimé(e)(s)	vous	ayez	été aimé(e)(s)
ils	étaient	aimés	ils	avaient	été aimés	ils	aient	été aimés
elles	étaient	aimées	elles	avaient	été aimées	elles	aient	été aimées
単 純 過 去			前 過 去			半 過 去		
je	fus	aimé(e)	j'	eus	été aimé(e)	je	fusse	aimé(e)
tu	fus	aimé(e)	tu	eus	été aimé(e)	tu	fusses	aimé(e)
il	fut	aimé	il	eut	été aimé	il	fût	aimé
elle	fut	aimée	elle	eut	été aimée	elle	fût	aimée
nous	fûmes	aimé(e)s	nous	eûmes	été aimé(e)s	nous	fussions	aimé(e)s
vous	fûtes	aimé(e)(s)	vous	eûtes	été aimé(e)(s)	vous	fussiez	aimé(e)(s)
ils	furent	aimés	ils	eurent	été aimés	ils	fussent	aimés
elles	furent	aimées	elles	eurent	été aimées	elles	fussent	aimées
単 純 未 来			前 未 来			大 過 去		
je	serai	aimé(e)	j'	aurai	été aimé(e)	j'	eusse	été aimé(e)
tu	seras	aimé(e)	tu	auras	été aimé(e)	tu	eusses	été aimé(e)
il	sera	aimé	il	aura	été aimé	il	eût	été aimé
elle	sera	aimée	elle	aura	été aimée	elle	eût	été aimée
nous	serons	aimé(e)s	nous	aurons	été aimé(e)s	nous	eussions	été aimé(e)s
vous	serez	aimé(e)(s)	vous	aurez	été aimé(e)(s)	vous	eussiez	été aimé(e)(s)
ils	seront	aimés	ils	auront	été aimés	ils	eussent	été aimés
elles	seront	aimées	elles	auront	été aimées	elles	eussent	été aimées

条 件 法						現在分詞	
現 在			過 去			étant aimé(e)(s)	
je	serais	aimé(e)	j'	aurais	été aimé(e)		
tu	serais	aimé(e)	tu	aurais	été aimé(e)	過去分詞	
il	serait	aimé	il	aurait	été aimé	été aimé(e)(s)	
elle	serait	aimée	elle	aurait	été aimée		
nous	serions	aimé(e)s	nous	aurions	été aimé(e)s	命 令 法	
vous	seriez	aimé(e)(s)	vous	auriez	été aimé(e)(s)	sois	aimé(e)
ils	seraient	aimés	ils	auraient	été aimés	soyons	aimé(e)s
elles	seraient	aimées	elles	auraient	été aimées	soyez	aimé(e)(s)

6. se lever [代名動詞]

直 説 法						接 続 法		
現 在			複 合 過 去			現 在		
je	me	lève	je	me	suis	levé(e)	je	me	lève
tu	te	lèves	tu	t'	es	levé(e)	tu	te	lèves
il	se	lève	il	s'	est	levé	il	se	lève
elle	se	lève	elle	s'	est	levée	elle	se	lève
nous	nous	levons	nous	nous	sommes	levé(e)s	nous	nous	levions
vous	vous	levez	vous	vous	êtes	levé(e)(s)	vous	vous	leviez
ils	se	lèvent	ils	se	sont	levés	ils	se	lèvent
elles	se	lèvent	elles	se	sont	levées	elles	se	lèvent
半 過 去			大 過 去			過 去		
je	me	levais	je	m'	étais	levé(e)	je	me	sois	levé(e)
tu	te	levais	tu	t'	étais	levé(e)	tu	te	sois	levé(e)
il	se	levait	il	s'	était	levé	il	se	soit	levé
elle	se	levait	elle	s'	était	levée	elle	se	soit	levée
nous	nous	levions	nous	nous	étions	levé(e)s	nous	nous	soyons	levé(e)s
vous	vous	leviez	vous	vous	étiez	levé(e)(s)	vous	vous	soyez	levé(e)(s)
ils	se	levaient	ils	s'	étaient	levés	ils	se	soient	levés
elles	se	levaient	elles	s'	étaient	levées	elles	se	soient	levées
単 純 過 去			前 過 去			半 過 去		
je	me	levai	je	me	fus	levé(e)	je	me	levasse
tu	te	levas	tu	te	fus	levé(e)	tu	te	levasses
il	se	leva	il	se	fut	levé	il	se	levât
elle	se	leva	elle	se	fut	levée	elle	se	levât
nous	nous	levâmes	nous	nous	fûmes	levé(e)s	nous	nous	levassions
vous	vous	levâtes	vous	vous	fûtes	levé(e)(s)	vous	vous	levassiez
ils	se	levèrent	ils	se	furent	levés	ils	se	levassent
elles	se	levèrent	elles	se	furent	levées	elles	se	levassent
単 純 未 来			前 未 来			大 過 去		
je	me	lèverai	je	me	serai	levé(e)	je	me	fusse	levé(e)
tu	te	lèveras	tu	te	seras	levé(e)	tu	te	fusses	levé(e)
il	se	lèvera	il	se	sera	levé	il	se	fût	levé
elle	se	lèvera	elle	se	sera	levée	elle	se	fût	levée
nous	nous	lèverons	nous	nous	serons	levé(e)s	nous	nous	fussions	levé(e)s
vous	vous	lèverez	vous	vous	serez	levé(e)(s)	vous	vous	fussiez	levé(e)(s)
ils	se	lèveront	ils	se	seront	levés	ils	se	fussent	levés
elles	se	lèveront	elles	se	seront	levées	elles	se	fussent	levées
条 件 法						現在分詞		
現 在			過 去			se levant		
je	me	lèverais	je	me	serais	levé(e)			
tu	te	lèverais	tu	te	serais	levé(e)			
il	se	lèverait	il	se	serait	levé	命 令 法		
elle	se	lèverait	elle	se	serait	levée			
nous	nous	lèverions	nous	nous	serions	levé(e)s	lève-toi		
vous	vous	lèveriez	vous	vous	seriez	levé(e)(s)	levons-nous		
ils	se	lèveraient	ils	se	seraient	levés	levez-vous		
elles	se	lèveraient	elles	se	seraient	levées			

◇ se が間接補語のとき過去分詞は性・数の変化をしない．

不定法 現在分詞 過去分詞	直説法			
	現在	半過去	単純過去	単純未来
7. aimer *aimant* *aimé*	j' aime tu aimes il aime n. aimons v. aimez ils aiment	j' aimais tu aimais il aimait n. aimions v. aimiez ils aimaient	j' aimai tu aimas il aima n. aimâmes v. aimâtes ils aimèrent	j' aimerai tu aimeras il aimera n. aimerons v. aimerez ils aimeront
8. commencer *commençant* *commencé*	je commence tu commences il commence n. commençons v. commencez ils commencent	je commençais tu commençais il commençait n. commencions v. commenciez ils commençaient	je commençai tu commenças il commença n. commençâmes v. commençâtes ils commencèrent	je commencerai tu commenceras il commencera n. commencerons v. commencerez ils commenceront
9. manger *mangeant* *mangé*	je mange tu manges il mange n. mangeons v. mangez ils mangent	je mangeais tu mangeais il mangeait n. mangions v. mangiez ils mangeaient	je mangeai tu mangeas il mangea n. mangeâmes v. mangeâtes ils mangèrent	je mangerai tu mangeras il mangera n. mangerons v. mangerez ils mangeront
10. acheter *achetant* *acheté*	j' achète tu achètes il achète n. achetons v. achetez ils achètent	j' achetais tu achetais il achetait n. achetions v. achetiez ils achetaient	j' achetai tu achetas il acheta n. achetâmes v. achetâtes ils achetèrent	j' achèterai tu achèteras il achètera n. achèterons v. achèterez ils achèteront
11. appeler *appelant* *appelé*	j' appelle tu appelles il appelle n. appelons v. appelez ils appellent	j' appelais tu appelais il appelait n. appelions v. appeliez ils appelaient	j' appelai tu appelas il appela n. appelâmes v. appelâtes ils appelèrent	j' appellerai tu appelleras il appellera n. appellerons v. appellerez ils appelleront
12. préférer *préférant* *préféré*	je préfère tu préfères il préfère n. préférons v. préférez ils préfèrent	je préférais tu préférais il préférait n. préférions v. préfériez ils préféraient	je préférai tu préféras il préféra n. préférâmes v. préférâtes ils préférèrent	je préférerai tu préféreras il préférera n. préférerons v. préférerez ils préféreront
13. employer *employant* *employé*	j' emploie tu emploies il emploie n. employons v. employez ils emploient	j' employais tu employais il employait n. employions v. employiez ils employaient	j' employai tu employas il employa n. employâmes v. employâtes ils employèrent	j' emploierai tu emploieras il emploiera n. emploierons v. emploierez ils emploieront

条件法	接続法		命令法	同型
現在	現在	半過去		

条件法 現在	接続法 現在	接続法 半過去	命令法	同型
j' aimerais tu aimerais il aimerait n. aimerions v. aimeriez ils aimeraient	j' aime tu aimes il aime n. aimions v. aimiez ils aiment	j' aimasse tu aimasses il aimât n. aimassions v. aimassiez ils aimassent	aime aimons aimez	注語尾 -er の動詞 （除：aller, envoyer） を第一群規則動詞と もいう.
je commencerais tu commencerais il commencerait n. commencerions v. commenceriez ils commenceraient	je commence tu commences il commence n. commencions v. commenciez ils commencent	je commençasse tu commençasses il commençât n. commençassions v. commençassiez ils commençassent	commence commençons commencez	avancer effacer forcer lancer placer prononcer remplacer renoncer
je mangerais tu mangerais il mangerait n. mangerions v. mangeriez ils mangeraient	je mange tu manges il mange n. mangions v. mangiez ils mangent	je mangeasse tu mangeasses il mangeât n. mangeassions v. mangeassiez ils mangeassent	mange mangeons mangez	arranger changer charger déranger engager manger obliger voyager
j' achèterais tu achèterais il achèterait n. achèterions v. achèteriez ils achèteraient	j' achète tu achètes il achète n. achetions v. achetiez ils achètent	j' achetasse tu achetasses il achetât n. achetassions v. achetassiez ils achetassent	achète achetons achetez	achever amener enlever lever mener peser (se) promener
j' appellerais tu appellerais il appellerait n. appellerions v. appelleriez ils appelleraient	j' appelle tu appelles il appelle n. appelions v. appeliez ils appellent	j' appelasse tu appelasses il appelât n. appelassions v. appelassiez ils appelassent	appelle appelons appelez	jeter rappeler rejeter renouveler
je préférerais tu préférerais il préférerait n. préférerions v. préféreriez ils préféreraient	je préfère tu préfères il préfère n. préférions v. préfériez ils préfèrent	je préférasse tu préférasses il préférât n. préférassions v. préférassiez ils préférassent	préfère préférons préférez	considérer désespérer espérer inquiéter pénétrer posséder répéter sécher
j' emploierais tu emploierais il emploierait n. emploierions v. emploieriez ils emploieraient	j' emploie tu emploies il emploie n. employions v. employiez ils emploient	j' employasse tu employasses il employât n. employassions v. employassiez ils employassent	emploie employons employez	-oyer（除：envoyer） -uyer appuyer ennuyer essuyer nettoyer

不 定 法 現在分詞 過去分詞	直 説 法			
	現 在	半過去	単純過去	単純未来
14. payer *payant* *payé*	je paye (paie) tu payes (paies) il paye (paie) n. payons v. payez ils payent (paient)	je payais tu payais il payait n. payions v. payiez ils payaient	je payai tu payas il paya n. payâmes v. payâtes ils payèrent	je payerai (paierai) tu payeras (etc....) il payera n. payerons v. payerez ils payeront
15. envoyer *envoyant* *envoyé*	j' envoie tu envoies il envoie n. envoyons v. envoyez ils envoient	j' envoyais tu envoyais il envoyait n. envoyions v. envoyiez ils envoyaient	j' envoyai tu envoyas il envoya n. envoyâmes v. envoyâtes ils envoyèrent	j' **enverrai** tu **enverras** il **enverra** n. **enverrons** v. **enverrez** ils **enverront**
16. aller *allant* *allé*	je **vais** tu **vas** il **va** n. allons v. allez ils **vont**	j' allais tu allais il allait n. allions v. alliez ils allaient	j' allai tu allas il alla n. allâmes v. allâtes ils allèrent	j' **irai** tu **iras** il **ira** n. **irons** v. **irez** ils **iront**
17. finir *finissant* *fini*	je finis tu finis il finit n. finissons v. finissez ils finissent	je finissais tu finissais il finissait n. finissions v. finissiez ils finissaient	je finis tu finis il finit n. finîmes v. finîtes ils finirent	je finirai tu finiras il finira n. finirons v. finirez ils finiront
18. partir *partant* *parti*	je pars tu pars il part n. partons v. partez ils partent	je partais tu partais il partait n. partions v. partiez ils partaient	je partis tu partis il partit n. partîmes v. partîtes ils partirent	je partirai tu partiras il partira n. partirons v. partirez ils partiront
19. sentir *sentant* *senti*	je sens tu sens il sent n. sentons v. sentez ils sentent	je sentais tu sentais il sentait n. sentions v. sentiez ils sentaient	je sentis tu sentis il sentit n. sentîmes v. sentîtes ils sentirent	je sentirai tu sentiras il sentira n. sentirons v. sentirez ils sentiront
20. tenir *tenant* *tenu*	je tiens tu tiens il tient n. tenons v. tenez ils tiennent	je tenais tu tenais il tenait n. tenions v. teniez ils tenaient	je tins tu tins il tint n. tînmes v. tîntes ils tinrent	je **tiendrai** tu **tiendras** il **tiendra** n. **tiendrons** v. **tiendrez** ils **tiendront**

条件法		接続法			命令法	同型
	現在		現在	半過去		
je	payerais (paierais)	je	paye (paie)	je payasse		[発音]
tu	payerais (etc. . . .)	tu	payes (paies)	tu payasses	paie (paye)	je paye [ʒəpɛj],
il	payerait	il	paye (paie)	il payât		je paie [ʒəpɛ];
n.	payerions	n.	payions	n. payassions	payons	je payerai [ʒəpɛjre],
v.	payeriez	v.	payiez	v. payassiez	payez	je paierai [ʒəpɛre].
ils	payeraient	ils	payent (paient)	ils payassent		
j'	enverrais	j'	envoie	j' envoyasse		注 未来, 条・現を除い
tu	enverrais	tu	envoies	tu envoyasses	envoie	ては, 13 と同じ.
il	enverrait	il	envoie	il envoyât		**renvoyer**
n.	enverrions	n.	envoyions	n. envoyassions	envoyons	
v.	enverriez	v.	envoyiez	v. envoyassiez	envoyez	
ils	enverraient	ils	envoient	ils envoyassent		
j'	irais	j'	**aille**	j' allasse		注 yがつくとき命令法・
tu	irais	tu	**ailles**	tu allasses	**va**	現在は vas: vas-y. 直・
il	irait	il	**aille**	il allât		現・3人称複数に ont の
n.	irions	n.	allions	n. allassions	allons	語尾をもつものは他に
v.	iriez	v.	alliez	v. allassiez	allez	ont (avoir), sont (être),
ils	iraient	ils	**aillent**	ils allassent		font (faire) のみ.
je	finirais	je	finisse	je finisse		注 finir 型の動詞を第
tu	finirais	tu	finisses	tu finisses	finis	2群規則動詞という.
il	finirait	il	finisse	il finît		
n.	finirions	n.	finissions	n. finissions	finissons	
v.	finiriez	v.	finissiez	v. finissiez	finissez	
ils	finiraient	ils	finissent	ils finissent		
je	partirais	je	parte	je partisse		注 助動詞は être.
tu	partirais	tu	partes	tu partisses	pars	**sortir**
il	partirait	il	parte	il partît		
n.	partirions	n.	partions	n. partissions	partons	
v.	partiriez	v.	partiez	v. partissiez	partez	
ils	partiraient	ils	partent	ils partissent		
je	sentirais	je	sente	je sentisse		注 18 と助動詞を除
tu	sentirais	tu	sentes	tu sentisses	sens	けば同型.
il	sentirait	il	sente	il sentît		
n.	sentirions	n.	sentions	n. sentissions	sentons	
v.	sentiriez	v.	sentiez	v. sentissiez	sentez	
ils	sentiraient	ils	sentent	ils sentissent		
je	tiendrais	je	tienne	je tinsse		注 **venir 21** と同型,
tu	tiendrais	tu	tiennes	tu tinsses	tiens	ただし, 助動詞は
il	tiendrait	il	tienne	il tînt		avoir.
n.	tiendrions	n.	tenions	n. tinssions	tenons	
v.	tiendriez	v.	teniez	v. tinssiez	tenez	
ils	tiendraient	ils	tiennent	ils tinssent		

不定法 現在分詞 過去分詞	直 説 法			
	現　在	半過去	単純過去	単純未来
21. venir *venant* *venu*	je viens tu viens il vient n. venons v. venez ils viennent	je venais tu venais il venait n. venions v. veniez ils venaient	je vins tu vins il vint n. vînmes v. vîntes ils vinrent	je **viendrai** tu **viendras** il **viendra** n. **viendrons** v. **viendrez** ils **viendront**
22. accueillir *accueillant* *accueilli*	j' **accueille** tu **accueilles** il **accueille** n. accueillons v. accueillez ils accueillent	j' accueillais tu accueillais il accueillait n. accueillions v. accueilliez ils accueillaient	j' accueillis tu accueillis il accueillit n. accueillîmes v. accueillîtes ils accueillirent	j' **accueillerai** tu **accueilleras** il **accueillera** n. **accueillerons** v. **accueillerez** ils **accueilleront**
23. ouvrir *ouvrant* *ouvert*	j' **ouvre** tu **ouvres** il **ouvre** n. ouvrons v. ouvrez ils ouvrent	j' ouvrais tu ouvrais il ouvrait n. ouvrions v. ouvriez ils ouvraient	j' ouvris tu ouvris il ouvrit n. ouvrîmes v. ouvrîtes ils ouvrirent	j' ouvrirai tu ouvriras il ouvrira n. ouvrirons v. ouvrirez ils ouvriront
24. courir *courant* *couru*	je cours tu cours il court n. courons v. courez ils courent	je courais tu courais il courait n. courions v. couriez ils couraient	je courus tu courus il courut n. courûmes v. courûtes ils coururent	je **courrai** tu **courras** il **courra** n. **courrons** v. **courrez** ils **courront**
25. mourir *mourant* *mort*	je meurs tu meurs il meurt n. mourons v. mourez ils meurent	je mourais tu mourais il mourait n. mourions v. mouriez ils mouraient	je mourus tu mourus il mourut n. mourûmes v. mourûtes ils moururent	je **mourrai** tu **mourras** il **mourra** n. **mourrons** v. **mourrez** ils **mourront**
26. acquérir *acquérant* *acquis*	j' acquiers tu acquiers il acquiert n. acquérons v. acquérez ils acquièrent	j' acquérais tu acquérais il acquérait n. acquérions v. acquériez ils acquéraient	j' acquis tu acquis il acquit n. acquîmes v. acquîtes ils acquirent	j' **acquerrai** tu **acquerras** il **acquerra** n. **acquerrons** v. **acquerrez** ils **acquerront**
27. fuir *fuyant* *fui*	je fuis tu fuis il fuit n. fuyons v. fuyez ils fuient	je fuyais tu fuyais il fuyait n. fuyions v. fuyiez ils fuyaient	je fuis tu fuis il fuit n. fuîmes v. fuîtes ils fuirent	je fuirai tu fuiras il fuira n. fuirons v. fuirez ils fuiront

条件法	接続法		命令法	同型
現在	現在	半過去		
je viendrais tu viendrais il viendrait n. viendrions v. viendriez ils viendraient	je vienne tu viennes il vienne n. venions v. veniez ils viennent	je vinsse tu vinsses il vînt n. vinssions v. vinssiez ils vinssent	viens venons venez	注助動詞はêtre. **devenir** **intervenir** **prévenir** **revenir** **(se) souvenir**
j' accueillerais tu accueillerais il accueillerait n. accueillerions v. accueilleriez ils accueilleraient	j' accueille tu accueilles il accueille n. accueillions v. accueilliez ils accueillent	j' accueillisse tu accueillisses il accueillît n. accueillissions v. accueillissiez ils accueillissent	**accueille** accueillons accueillez	**cueillir**
j' ouvrirais tu ouvrirais il ouvrirait n. ouvririons v. ouvririez ils ouvriraient	j' ouvre tu ouvres il ouvre n. ouvrions v. ouvriez ils ouvrent	j' ouvrisse tu ouvrisses il ouvrît n. ouvrissions v. ouvrissiez ils ouvrissent	**ouvre** ouvrons ouvrez	**couvrir** **découvrir** **offrir** **souffrir**
je courrais tu courrais il courrait n. courrions v. courriez ils courraient	je coure tu coures il coure n. courions v. couriez ils courent	je courusse tu courusses il courût n. courussions v. courussiez ils courussent	cours courons courez	**accourir**
je mourrais tu mourrais il mourrait n. mourrions v. mourriez ils mourraient	je meure tu meures il meure n. mourions v. mouriez ils meurent	je mourusse tu mourusses il mourût n. mourussions v. mourussiez ils mourussent	meurs mourons mourez	注助動詞はêtre.
j' acquerrais tu acquerrais il acquerrait n. acquerrions v. acquerriez ils acquerraient	j' acquière tu acquières il acquière n. acquérions v. acquériez ils acquièrent	j' acquisse tu acquisses il acquît n. acquissions v. acquissiez ils acquissent	acquiers acquérons acquérez	**conquérir**
je fuirais tu fuirais il fuirait n. fuirions v. fuiriez ils fuiraient	je fuie tu fuies il fuie n. fuyions v. fuyiez ils fuient	je fuisse tu fuisses il fuît n. fuissions v. fuissiez ils fuissent	fuis fuyons fuyez	**s'enfuir**

不定法　現在分詞　過去分詞	直説法			
	現　在	半過去	単純過去	単純未来
28. rendre　*rendant*　*rendu*	je rends　tu rends　il **rend**　n. rendons　v. rendez　ils rendent	je rendais　tu rendais　il rendait　n. rendions　v. rendiez　ils rendaient	je rendis　tu rendis　il rendit　n. rendîmes　v. rendîtes　ils rendirent	je rendrai　tu rendras　il rendra　n. rendrons　v. rendrez　ils rendront
29. prendre　*prenant*　*pris*	je prends　tu prends　il **prend**　n. prenons　v. prenez　ils prennent	je prenais　tu prenais　il prenait　n. prenions　v. preniez　ils prenaient	je pris　tu pris　il prit　n. prîmes　v. prîtes　ils prirent	je prendrai　tu prendras　il prendra　n. prendrons　v. prendrez　ils prendront
30. craindre　*craignant*　*craint*	je crains　tu crains　il craint　n. craignons　v. craignez　ils craignent	je craignais　tu craignais　il craignait　n. craignions　v. craigniez　ils craignaient	je craignis　tu craignis　il craignit　n. craignîmes　v. craignîtes　ils craignirent	je craindrai　tu craindras　il craindra　n. craindrons　v. craindrez　ils craindront
31. faire　*faisant*　*fait*	je fais　tu fais　il fait　n. faisons　v. **faites**　ils **font**	je faisais　tu faisais　il faisait　n. faisions　v. faisiez　ils faisaient	je fis　tu fis　il fit　n. fîmes　v. fîtes　ils firent	je **ferai**　tu **feras**　il **fera**　n. **ferons**　v. **ferez**　ils **feront**
32. dire　*disant*　*dit*	je dis　tu dis　il dit　n. disons　v. **dites**　ils disent	je disais　tu disais　il disait　n. disions　v. disiez　ils disaient	je dis　tu dis　il dit　n. dîmes　v. dîtes　ils dirent	je dirai　tu diras　il dira　n. dirons　v. direz　ils diront
33. lire　*lisant*　*lu*	je lis　tu lis　il lit　n. lisons　v. lisez　ils lisent	je lisais　tu lisais　il lisait　n. lisions　v. lisiez　ils lisaient	je lus　tu lus　il lut　n. lûmes　v. lûtes　ils lurent	je lirai　tu liras　il lira　n. lirons　v. lirez　ils liront
34. suffire　*suffisant*　*suffi*	je suffis　tu suffis　il suffit　n. suffisons　v. suffisez　ils suffisent	je suffisais　tu suffisais　il suffisait　n. suffisions　v. suffisiez　ils suffisaient	je suffis　tu suffis　il suffit　n. suffîmes　v. suffîtes　ils suffirent	je suffirai　tu suffiras　il suffira　n. suffirons　v. suffirez　ils suffiront

条件法	接続法		命令法	同型
現在	現在	半過去		
je rendrais tu rendrais il rendrait n. rendrions v. rendriez ils rendraient	je rende tu rendes il rende n. rendions v. rendiez ils rendent	je rendisse tu rendisses il rendît n. rendissions v. rendissiez ils rendissent	rends rendons rendez	**attendre** **descendre** **entendre** **pendre** **perdre** **répandre** **répondre** **vendre**
je prendrais tu prendrais il prendrait n. prendrions v. prendriez ils prendraient	je prenne tu prennes il prenne n. prenions v. preniez ils prennent	je prisse tu prisses il prît n. prissions v. prissiez ils prissent	prends prenons prenez	**apprendre** **comprendre** **entreprendre** **reprendre** **surprendre**
je craindrais tu craindrais il craindrait n. craindrions v. craindriez ils craindraient	je craigne tu craignes il craigne n. craignions v. craigniez ils craignent	je craignisse tu craignisses il craignît n. craignissions v. craignissiez ils craignissent	crains craignons craignez	**atteindre** **éteindre** **joindre** **peindre** **plaindre**
je ferais tu ferais il ferait n. ferions v. feriez ils feraient	je **fasse** tu **fasses** il **fasse** n. **fassions** v. **fassiez** ils **fassent**	je fisse tu fisses il fît n. fissions v. fissiez ils fissent	fais faisons **faites**	**défaire** **refaire** **satisfaire** 注 fais-[f(ə)z-]
je dirais tu dirais il dirait n. dirions v. diriez ils diraient	je dise tu dises il dise n. disions v. disiez ils disent	je disse tu disses il dît n. dissions v. dissiez ils dissent	dis disons **dites**	**redire**
je lirais tu lirais il lirait n. lirions v. liriez ils liraient	je lise tu lises il lise n. lisions v. lisiez ils lisent	je lusse tu lusses il lût n. lussions v. lussiez ils lussent	lis lisons lisez	**relire** **élire**
je suffirais tu suffirais il suffirait n. suffirions v. suffiriez ils suffiraient	je suffise tu suffises il suffise n. suffisions v. suffisiez ils suffisent	je suffisse tu suffisses il suffît n. suffissions v. suffissiez ils suffissent	suffis suffisons suffisez	

不定法 現在分詞 過去分詞	直 説 法			
	現　在	半過去	単純過去	単純未来
35. conduire *conduisant* *conduit*	je　conduis tu　conduis il　conduit n.　conduisons v.　conduisez ils conduisent	je　conduisais tu　conduisais il　conduisait n.　conduisions v.　conduisiez ils conduisaient	je　conduisis tu　conduisis il　conduisit n.　conduisîmes v.　conduisîtes ils conduisirent	je　conduirai tu　conduiras il　conduira n.　conduirons v.　conduirez ils conduiront
36. plaire *plaisant* *plu*	je　plais tu　plais il　**plaît** n.　plaisons v.　plaisez ils plaisent	je　plaisais tu　plaisais il　plaisait n.　plaisions v.　plaisiez ils plaisaient	je　plus tu　plus il　plut n.　plûmes v.　plûtes ils plurent	je　plairai tu　plairas il　plaira n.　plairons v.　plairez ils plairont
37. coudre *cousant* *cousu*	je　couds tu　couds il　coud n.　cousons v.　cousez ils cousent	je　cousais tu　cousais il　cousait n.　cousions v.　cousiez ils cousaient	je　cousis tu　cousis il　cousit n.　cousîmes v.　cousîtes ils cousirent	je　coudrai tu　coudras il　coudra n.　coudrons v.　coudrez ils coudront
38. suivre *suivant* *suivi*	je　suis tu　suis il　suit n.　suivons v.　suivez ils suivent	je　suivais tu　suivais il　suivait n.　suivions v.　suiviez ils suivaient	je　suivis tu　suivis il　suivit n.　suivîmes v.　suivîtes ils suivirent	je　suivrai tu　suivras il　suivra n.　suivrons v.　suivrez ils suivront
39. vivre *vivant* *vécu*	je　vis tu　vis il　vit n.　vivons v.　vivez ils vivent	je　vivais tu　vivais il　vivait n.　vivions v.　viviez ils vivaient	je　vécus tu　vécus il　vécut n.　vécûmes v.　vécûtes ils vécurent	je　vivrai tu　vivras il　vivra n.　vivrons v.　vivrez ils vivront
40. écrire *écrivant* *écrit*	j'　écris tu　écris il　écrit n.　écrivons v.　écrivez ils écrivent	j'　écrivais tu　écrivais il　écrivait n.　écrivions v.　écriviez ils écrivaient	j'　écrivis tu　écrivis il　écrivit n.　écrivîmes v.　écrivîtes ils écrivirent	j'　écrirai tu　écriras il　écrira n.　écrirons v.　écrirez ils écriront
41. boire *buvant* *bu*	je　bois tu　bois il　boit n.　buvons v.　buvez ils boivent	je　buvais tu　buvais il　buvait n.　buvions v.　buviez ils buvaient	je　bus tu　bus il　but n.　bûmes v.　bûtes ils burent	je　boirai tu　boiras il　boira n.　boirons v.　boirez ils boiront

条件法	接続法		命令法	同型
現在	現在	半過去		
je conduirais tu conduirais il conduirait n. conduirions v. conduiriez ils conduiraient	je conduise tu conduises il conduise n. conduisions v. conduisiez ils conduisent	je conduisisse tu conduisisses il conduisît n. conduisissions v. conduisissiez ils conduisissent	conduis conduisons conduisez	**construire** **cuire** **détruire** **instruire** **introduire** **produire** **traduire**
je plairais tu plairais il plairait n. plairions v. plairiez ils plairaient	je plaise tu plaises il plaise n. plaisions v. plaisiez ils plaisent	je plusse tu plusses il plût n. plussions v. plussiez ils plussent	plais plaisons plaisez	**déplaire** **(se) taire** （ただし il se tait）
je coudrais tu coudrais il coudrait n. coudrions v. coudriez ils coudraient	je couse tu couses il couse n. cousions v. cousiez ils cousent	je cousisse tu cousisses il cousît n. cousissions v. cousissiez ils cousissent	couds cousons cousez	
je suivrais tu suivrais il suivrait n. suivrions v. suivriez ils suivraient	je suive tu suives il suive n. suivions v. suiviez ils suivent	je suivisse tu suivisses il suivît n. suivissions v. suivissiez ils suivissent	suis suivons suivez	**poursuivre**
je vivrais tu vivrais il vivrait n. vivrions v. vivriez ils vivraient	je vive tu vives il vive n. vivions v. viviez ils vivent	je vécusse tu vécusses il vécût n. vécussions v. vécussiez ils vécussent	vis vivons vivez	
j' écrirais tu écrirais il écrirait n. écririons v. écririez ils écriraient	j' écrive tu écrives il écrive n. écrivions v. écriviez ils écrivent	j' écrivisse tu écrivisses il écrivît n. écrivissions v. écrivissiez ils écrivissent	écris écrivons écrivez	**décrire** **inscrire**
je boirais tu boirais il boirait n. boirions v. boiriez ils boiraient	je boive tu boives il boive n. buvions v. buviez ils boivent	je busse tu busses il bût n. bussions v. bussiez ils bussent	bois buvons buvez	

不定法 現在分詞 過去分詞	直　説　法			
	現　在	半過去	単純過去	単純未来
42. résoudre *résolvant* *résolu*	je　résous tu　résous il　résout n.　résolvons v.　résolvez ils　résolvent	je　résolvais tu　résolvais il　résolvait n.　résolvions v.　résolviez ils　résolvaient	je　résolus tu　résolus il　résolut n.　résolûmes v.　résolûtes ils　résolurent	je　résoudrai tu　résoudras il　résoudra n.　résoudrons v.　résoudrez ils　résoudront
43. connaître *connaissant* *connu*	je　connais tu　connais il　**connaît** n.　connaissons v.　connaissez ils　connaissent	je　connaissais tu　connaissais il　connaissait n.　connaissions v.　connaissiez ils　connaissaient	je　connus tu　connus il　connut n.　connûmes v.　connûtes ils　connurent	je　connaîtrai tu　connaîtras il　connaîtra n.　connaîtrons v.　connaîtrez ils　connaîtront
44. naître *naissant* *né*	je　nais tu　nais il　**naît** n.　naissons v.　naissez ils　naissent	je　naissais tu　naissais il　naissait n.　naissions v.　naissiez ils　naissaient	je　naquis tu　naquis il　naquit n.　naquîmes v.　naquîtes ils　naquirent	je　naîtrai tu　naîtras il　naîtra n.　naîtrons v.　naîtrez ils　naîtront
45. croire *croyant* *cru*	je　crois tu　crois il　croit n.　croyons v.　croyez ils　croient	je　croyais tu　croyais il　croyait n.　croyions v.　croyiez ils　croyaient	je　crus tu　crus il　crut n.　crûmes v.　crûtes ils　crurent	je　croirai tu　croiras il　croira n.　croirons v.　croirez ils　croiront
46. battre *battant* *battu*	je　bats tu　bats il　**bat** n.　battons v.　battez ils　battent	je　battais tu　battais il　battait n.　battions v.　battiez ils　battaient	je　battis tu　battis il　battit n.　battîmes v.　battîtes ils　battirent	je　battrai tu　battras il　battra n.　battrons v.　battrez ils　battront
47. mettre *mettant* *mis*	je　mets tu　mets il　**met** n.　mettons v.　mettez ils　mettent	je　mettais tu　mettais il　mettait n.　mettions v.　mettiez ils　mettaient	je　mis tu　mis il　mit n.　mîmes v.　mîtes ils　mirent	je　mettrai tu　mettras il　mettra n.　mettrons v.　mettrez ils　mettront
48. rire *riant* *ri*	je　ris tu　ris il　rit n.　rions v.　riez ils　rient	je　riais tu　riais il　riait n.　riions v.　riiez ils　riaient	je　ris tu　ris il　rit n.　rîmes v.　rîtes ils　rirent	je　rirai tu　riras il　rira n.　rirons v.　rirez ils　riront

条件法	接続法		命令法	同　型
現　在	現　在	半過去		
je　résoudrais tu　résoudrais il　résoudrait n.　résoudrions v.　résoudriez ils　résoudraient	je　résolve tu　résolves il　résolve n.　résolvions v.　résolviez ils　résolvent	je　résolusse tu　résolusses il　résolût n.　résolussions v.　résolussiez ils　résolussent	résous résolvons résolvez	
je　connaîtrais tu　connaîtrais il　connaîtrait n.　connaîtrions v.　connaîtriez ils　connaîtraient	je　connaisse tu　connaisses il　connaisse n.　connaissions v.　connaissiez ils　connaissent	je　connusse tu　connusses il　connût n.　connussions v.　connussiez ils　connussent	connais connaissons connaissez	注tの前にくるとき i→î． **apparaître** **disparaître** **paraître** **reconnaître**
je　naîtrais tu　naîtrais il　naîtrait n.　naîtrions v.　naîtriez ils　naîtraient	je　naisse tu　naisses il　naisse n.　naissions v.　naissiez ils　naissent	je　naquisse tu　naquisses il　naquît n.　naquissions v.　naquissiez ils　naquissent	nais naissons naissez	注tの前にくるとき i→î． 助動詞はêtre．
je　croirais tu　croirais il　croirait n.　croirions v.　croiriez ils　croiraient	je　croie tu　croies il　croie n.　croyions v.　croyiez ils　croient	je　crusse tu　crusses il　crût n.　crussions v.　crussiez ils　crussent	crois croyons croyez	
je　battrais tu　battrais il　battrait n.　battrions v.　battriez ils　battraient	je　batte tu　battes il　batte n.　battions v.　battiez ils　battent	je　battisse tu　battisses il　battît n.　battissions v.　battissiez ils　battissent	bats battons battez	**abattre** **combattre**
je　mettrais tu　mettrais il　mettrait n.　mettrions v.　mettriez ils　mettraient	je　mette tu　mettes il　mette n.　mettions v.　mettiez ils　mettent	je　misse tu　misses il　mît n.　missions v.　missiez ils　missent	mets mettons mettez	**admettre** **commettre** **permettre** **promettre** **remettre**
je　rirais tu　rirais il　rirait n.　ririons v.　ririez ils　riraient	je　rie tu　ries il　rie n.　riions v.　riiez ils　rient	je　risse tu　risses il　rît n.　rissions v.　rissiez ils　rissent	ris rions riez	**sourire**

不定法 現在分詞 過去分詞	直説法			
	現在	半過去	単純過去	単純未来
49. conclure *concluant* *conclu*	je conclus tu conclus il conclut n. concluons v. concluez ils concluent	je concluais tu concluais il concluait n. concluions v. concluiez ils concluaient	je conclus tu conclus il conclut n. conclûmes v. conclûtes ils conclurent	je conclurai tu concluras il conclura n. conclurons v. conclurez ils concluront
50. rompre *rompant* *rompu*	je romps tu romps il rompt n. rompons v. rompez ils rompent	je rompais tu rompais il rompait n. rompions v. rompiez ils rompaient	je rompis tu rompis il rompit n. rompîmes v. rompîtes ils rompirent	je romprai tu rompras il rompra n. romprons v. romprez ils rompront
51. vaincre *vainquant* *vaincu*	je vaincs tu vaincs il **vainc** n. vainquons v. vainquez ils vainquent	je vainquais tu vainquais il vainquait n. vainquions v. vainquiez ils vainquaient	je vainquis tu vainquis il vainquit n. vainquîmes v. vainquîtes ils vainquirent	je vaincrai tu vaincras il vaincra n. vaincrons v. vaincrez ils vaincront
52. recevoir *recevant* *reçu*	je reçois tu reçois il reçoit n. recevons v. recevez ils reçoivent	je recevais tu recevais il recevait n. recevions v. receviez ils recevaient	je reçus tu reçus il reçut n. reçûmes v. reçûtes ils reçurent	je **recevrai** tu **recevras** il **recevra** n. **recevrons** v. **recevrez** ils **recevront**
53. devoir *devant* *dû* (due, dus, dues)	je dois tu dois il doit n. devons v. devez ils doivent	je devais tu devais il devait n. devions v. deviez ils devaient	je dus tu dus il dut n. dûmes v. dûtes ils durent	je **devrai** tu **devras** il **devra** n. **devrons** v. **devrez** ils **devront**
54. pouvoir *pouvant* *pu*	je **peux (puis)** tu **peux** il peut n. pouvons v. pouvez ils peuvent	je pouvais tu pouvais il pouvait n. pouvions v. pouviez ils pouvaient	je pus tu pus il put n. pûmes v. pûtes ils purent	je **pourrai** tu **pourras** il **pourra** n. **pourrons** v. **pourrez** ils **pourront**
55. émouvoir *émouvant* *ému*	j' émeus tu émeus il émeut n. émouvons v. émouvez ils émeuvent	j' émouvais tu émouvais il émouvait n. émouvions v. émouviez ils émouvaient	j' émus tu émus il émut n. émûmes v. émûtes ils émurent	j' **émouvrai** tu **émouvras** il **émouvra** n. **émouvrons** v. **émouvrez** ils **émouvront**

条件法	接続法		命令法	同　型
現　在	現　在	半過去		
je conclurais tu conclurais il conclurait n. conclurions v. concluriez ils concluraient	je conclue tu conclues il conclue n. concluions v. concluiez ils concluent	je conclusse tu conclusses il conclût n. conclussions v. conclussiez ils conclussent	conclus concluons concluez	
je romprais tu romprais il romprait n. romprions v. rompriez ils rompraient	je rompe tu rompes il rompe n. rompions v. rompiez ils rompent	je rompisse tu rompisses il rompît n. rompissions v. rompissiez ils rompissent	romps rompons rompez	**interrompre**
je vaincrais tu vaincrais il vaincrait n. vaincrions v. vaincriez ils vaincraient	je vainque tu vainques il vainque n. vainquions v. vainquiez ils vainquent	je vainquisse tu vainquisses il vainquît n. vainquissions v. vainquissiez ils vainquissent	vaincs vainquons vainquez	**convaincre**
je recevrais tu recevrais il recevrait n. recevrions v. recevriez ils recevraient	je reçoive tu reçoives il reçoive n. recevions v. receviez ils reçoivent	je reçusse tu reçusses il reçût n. reçussions v. reçussiez ils reçussent	reçois recevons recevez	**apercevoir** **concevoir**
je devrais tu devrais il devrait n. devrions v. devriez ils devraient	je doive tu doives il doive n. devions v. deviez ils doivent	je dusse tu dusses il dût n. dussions v. dussiez ils dussent	dois devons devez	注命令法はほとんど用いられない．
je pourrais tu pourrais il pourrait n. pourrions v. pourriez ils pourraient	je **puisse** tu **puisses** il **puisse** n. **puissions** v. **puissiez** ils **puissent**	je pusse tu pusses il pût n. pussions v. pussiez ils pussent		注命令法はない．
j' émouvrais tu émouvrais il émouvrait n. émouvrions v. émouvriez ils émouvraient	j' émeuve tu émeuves il émeuve n. émouvions v. émouviez ils émeuvent	j' émusse tu émusses il émût n. émussions v. émussiez ils émussent	émeus émouvons émouvez	**mouvoir** ただし過去分詞はmû (mue, mus, mues)

不定法　現在分詞　過去分詞	直　説　法			
	現　在	半過去	単純過去	単純未来
56. savoir　　　*sachant*　*su*	je sais tu sais il sait n. savons v. savez ils savent	je savais tu savais il savait n. savions v. saviez ils savaient	je sus tu sus il sut n. sûmes v. sûtes ils surent	je **saurai** tu **sauras** il **saura** n. **saurons** v. **saurez** ils **sauront**
57. voir　　　*voyant*　*vu*	je vois tu vois il voit n. voyons v. voyez ils voient	je voyais tu voyais il voyait n. voyions v. voyiez ils voyaient	je vis tu vis il vit n. vîmes v. vîtes ils virent	je **verrai** tu **verras** il **verra** n. **verrons** v. **verrez** ils **verront**
58. vouloir　　　*voulant*　*voulu*	je **veux** tu **veux** il veut n. voulons v. voulez ils veulent	je voulais tu voulais il voulait n. voulions v. vouliez ils voulaient	je voulus tu voulus il voulut n. voulûmes v. voulûtes ils voulurent	je **voudrai** tu **voudras** il **voudra** n. **voudrons** v. **voudrez** ils **voudront**
59. valoir　　　*valant*　*valu*	je **vaux** tu **vaux** il vaut n. valons v. valez ils valent	je valais tu valais il valait n. valions v. valiez ils valaient	je valus tu valus il valut n. valûmes v. valûtes ils valurent	je **vaudrai** tu **vaudras** il **vaudra** n. **vaudrons** v. **vaudrez** ils **vaudront**
60. s'asseoir　　　*s'asseyant*[1]　*assis*	je m'assieds[1] tu t'assieds il **s'assied** n. n. asseyons v. v. asseyez ils s'asseyent	je m'asseyais[1] tu t'asseyais il s'asseyait n. n. asseyions v. v. asseyiez ils s'asseyaient	je m'assis tu t'assis il s'assit n. n. assîmes v. v. assîtes ils s'assirent	je m'**assiérai**[1] tu t'**assiéras** il s'**assiéra** n. n. **assiérons** v. v. **assiérez** ils s'**assiéront**
s'assoyant[2]	je m'assois[2] tu t'assois il s'assoit n. n. assoyons v. v. assoyez ils s'assoient	je m'assoyais[2] tu t'assoyais il s'assoyait n. n. assoyions v. v. assoyiez ils s'assoyaient		je m'**assoirai**[2] tu t'**assoiras** il s'**assoira** n. n. **assoirons** v. v. **assoirez** ils s'**assoiront**
61. pleuvoir　　　*pleuvant*　*plu*	il pleut	il pleuvait	il plut	il **pleuvra**
62. falloir　　　*fallu*	il faut	il fallait	il fallut	il **faudra**

不定法	条件法 現在	接続法 現在	半過去	命令法	備考
	je saurais tu saurais il saurait n. saurions v. sauriez ils sauraient	je **sache** tu **saches** il **sache** n. **sachions** v. **sachiez** ils **sachent**	je susse tu susses il sût n. sussions v. sussiez ils sussent	**sache** **sachons** **sachez**	
revoir	je verrais tu verrais il verrait n. verrions v. verriez ils verraient	je voie tu voies il voie n. voyions v. voyiez ils voient	je visse tu visses il vît n. vissions v. vissiez ils vissent	vois voyons voyez	
	je voudrais tu voudrais il voudrait n. voudrions v. voudriez ils voudraient	je **veuille** tu **veuilles** il veuille n. voulions v. vouliez ils **veuillent**	je voulusse tu voulusses il voulût n. voulussions v. voulussiez ils voulussent	**veuille** **veuillons** **veuillez**	
	je vaudrais tu vaudrais il vaudrait n. vaudrions v. vaudriez ils vaudraient	je **vaille** tu **vailles** il **vaille** n. vaillons v. vailliez ils **vaillent**	je valusse tu valusses il valût n. valussions v. valussiez ils valussent		命令法は用いられない。
	je m'assiérais(1) tu t'assiérais il s'assiérait n. n. assiérions v. v. assiériez ils s'assiéraient	je m'asseye(1) tu t'asseyes il s'asseye n. n. asseyions v. v. asseyiez ils s'asseyent	j' m'assisse tu t'assisses il s'assît n. n. assissions v. v. assissiez ils s'assissent	assieds-toi(1) asseyons-nous asseyez-vous	活用形により2種の形がある。 (1)は古来からの用法で、 (2)は俗語調である。 (1)のほうがよく使われる。
	je m'assoirais(2) tu t'assoirais il s'assoirait n. n. assoirions v. v. assoiriez ils s'assoiraient	je m'assoie(2) tu t'assoies il s'assoie n. n. assoyions v. v. assoyiez ils s'assoient		assois-toi(2) assoyons-nous assoyez-vous	
	il pleuvrait	il **pleuve**	il plût		命令法はない。
	il faudrait	il **faille**	il fallût		命令法・現在分詞はない。

動詞の語幹・語尾早見表 (単純過去を除く)

	— 現 在 —	— 複合形 (過去) —
不定法	-er, -ir, -re, -oir	avoir / être + 過去分詞 ⇦
分詞	-ant	-é, -u, -t, -i, -s

◆ 語尾の展開 ◆　◆ avoir, être, aller, faire, dire を除く

	je (j')	tu	il / elle	nous	vous	ils / elles
☆○● 直説現在	-e -s -s -x	-es -s -s -x	-e -t - -t	-ons	-ez	-ent
直半過去	-ais	-ais	-ait	-ions	-iez	-aient
直単未来	-rai	-ras	-ra	-rons	-rez	-ront

　◆ -r + avoir の活用 (nous と vous は〈av〉を省いて)

条件現在	-rais	-rais	-rait	-rions	-riez	-raient

　◆ -r + 直説法半過去語尾 ⇦ 〈+r〉

接続現在	-e	-es	-e/-t	-ions	-iez	-ent

⇨☆　◆ -er 動詞の直説法現在の語尾 (nous と vous は半過去語尾と同じ)　◆◆ -t となるのは avoir, être

命令		-e/-s		-ons	-ez	

⇨○●　◆ 直説法現在に対応　◆◆〈tu〉-es の形では -er 動詞現在, aller などで語末の s を削除する